Romances históricos

Letras Hispánicas

Ángel Saavedra, Duque de Rivas

Romances históricos

Edición de Salvador García Castañeda

CÁTEDRA

LETRAS HISPANICAS

Ilustración de cubierta: Dionisio Simón

© Ediciones Cátedra, S. A., 1987
Don Ramón de la Cruz, 67. 28001-Madrid
Depósito legal: M. 30.810-1987
ISBN: 84-376-0694-2
Printed in Spain
Impreso en Lavel
Los Llanos, nave 6. Humanes (Madrid)

Índice

Don Álvaro de Luna

Recuerdos de un grande hombre

Un embajador español

La buena-ventura

La muerte de un caballero

Amor, honor y valor

La victoria de Pavía

Un castellano leal

El solemne desengaño

Una noche de Madrid en 1578

El conde de Villamediana

Cordee Age

El cuento de un veterano

Bailén

19th C history, poor - war.

La vuelta deseada

El sombrero

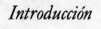

Introducción

A mis alumnos de Ohio State University

Vida y obra

Ángel de Saavedra y Remírez de Baquedano nació en Córdoba el 10 de marzo de 1791. Tanto su padre, marqués de Rivas de Saavedra, como su madre procedían de linajes con abolengo ilustre, por lo que el joven segundón pronto comenzó a recibir distinciones y honores.

En 1800 la familia estaba en Madrid; dos años más tarde el primogénito, Juan Remigio, heredaba el título por muerte del padre, y en febrero de aquel mismo 1802 Ángel ingresaba en el Real Seminario de Nobles donde permaneció cuatro años. Dieciséis tenía cuando en agosto de 1806 su madre comenzó a gestionarle una plaza en la Guardia de Corps, de la que su hermano mayor era ya capitán.

Poco después comenzaron las alteraciones políticas que culminarían con los sucesos de mayo de 1808 y en las que don Ángel participó como testigo. Rotas las hostilidades, los dos hermanos, entre otros muchos que no quisieron servir al invasor, se unieron a las fuerzas del general Cuesta, en las cercanías de Salamanca.

Desde entonces el joven sigue las incidencias de la guerra: se bate en Uclés, en Talavera y en Ocaña, donde cae herido «con once heridas mortales»; pasa luego al Estado Mayor, en Cádiz, y más tarde a Sevilla donde reside, como coronel de Caballería, retirado, desde finales de 1813 hasta 1819.

El pronunciamiento de Riego en las Cabezas de San Juan en enero de 1820 da lugar a tres años de gobierno liberal. Ángel consigue permiso para viajar por Europa, y en mayo de aquel año sale hacia París donde permanece hasta el mes de diciembre, fecha en que resulta elegido diputado a Cortes por la provincia de Córdoba, pues Alcalá Galiano, intendente a la sazón de aquella ciudad, le había animado a presentar la candidatura.

Era este amigo figura destacada entre los exaltados, grupo en el que también comenzó a figurar Saavedra, muy activo en la vida política y parlamentaria, hasta que la proximidad de los ejércitos de Angulema hizo trasladar la sede del gobierno a Cádiz. De sobra conocidos son los últimos tiempos del Trienio constitucional, la liberación del rey en Sevilla y la inmediata persecución de los liberales.

Saavedra marcha entonces a Gibraltar; en mayo de 1824 embarca hacia Inglaterra, camino de un largo exilio, y en Londres, donde ya residía Alcalá Galiano, entra en contacto con la numerosa colonia de emigrados españoles. Sin embargo, su estancia allí dura poco, y a finales de diciembre sale de nuevo hacia Gibraltar, donde tiene lugar su matrimonio, por poder, con María de la Encarnación de Cueto, hermana del marqués de Valmar.

En julio de 1825 los esposos van a los Estados Pontificios, pero allí no permiten desembarcar a don Ángel, y por ello han de buscar refugio en Malta, donde hallan excelente acogida y amigos como Sir John Hookhan Frere, gran conocedor de la literatura española.

En la isla permanece cinco años, hasta la primavera de 1830, en que decide irse a vivir a París, donde tiene por vecino a Alcalá Galiano. Los amigos, con sus respectivas familias, se trasladan a Tours para regresar a París en mayo de 1834, y a poco, indultado por María Cristina, vuelve Saavedra a España tras un largo exilio de diez años.

El duque de Rivas en 1845

Unos meses después de su llegada fallece el hermano mayor, por lo que Ángel se encuentra Duque de Rivas, Grande de España y dentro del Estamento de Próceres en las Cortes. Resulta curioso que tanto él como Alcalá Galiano, Istúriz y otros prohombres del Trienio ahora representen al partido moderado, en oposición a los sucesivos gobiernos de Martínez de la Rosa, Toreno y Mendizábal.

El 15 de mayo de 1836, Istúriz le nombra ministro del Interior en un efímero gabinete que cae con la «sargentada» de La Granja. El 13 de agosto, la reina firma la disolución del Ministerio y Rivas tiene que apelar de nuevo a la fuga y a la emigración, aunque esta vez a causa de su moderantismo. Lisboa primero y luego el ya conocido recinto de Gibraltar le acogen por un año hasta que, promulgada la nueva Constitución, puede regresar a Cádiz el 1 de agosto del año 37; convencido quizá, después de sus experiencias en el Ministerio, de que tener cualidades de administrador, no es igual que tenerlas de gobernante.

Rivas será moderado para siempre, y como tal continuará interviniendo en el Congreso. Siguen tiempos difíciles: la regencia de Espartero, un gobierno provisional del que formará parte el Duque, y al fin, la mayoría de edad de Isabel II, con la consiguiente subida al poder de González Bravo. Nombrado por éste ministro plenipotenciario ante el rey de las Dos Sicilias, el nuevo enviado presenta sus credenciales en Nápoles el 10 de marzo de 1844.

Sus relaciones con Fernando II son excelentes, y en Nápoles permanece seis años, de los más felices y tranquilos de su vida. Tampoco faltan distinciones y honores, entre ellos, una audiencia de Pío IX, el ser designado senador, las afortunadas gestiones oficiosas cerca del rey en asuntos de política interna y, al fin, el nombramiento de embajador.

Cuando los sucesos de Italia en 1848, el Duque, que es defensor de los derechos del Papa, gestiona el envío de una expedición española al mando del general Córdoba. Pero como Fernando II proyecta el matrimonio de la infanta Carolina con el conde de Montemolín, pretendiente carlista, el embajador abandona Nápoles.

Ya de vuelta, viaja, se ocupa de asuntos personales y de nuevo interviene en la agitada política del momento. Tras el combate de Vicálvaro (30 de junio de 1854), Córdoba nombra a Rivas presidente del nuevo Ministerio; al amanecer del 18 de julio juran los nuevos ministros, pero a medida que avanza el día, «el pueblo soberano», iracundo por el matiz conservador del gabinete, levanta barricadas y lucha en las calles hasta que la reina llama a Espartero para que ocupe la presidencia del Consejo de Ministros. La de Rivas ha durado dos días.

En 1857 Narváez le hace embajador en París y allí triunfan de nuevo su simpatía y dotes de hombre de mundo en la corte de Napoleón III; pero, con la vuelta de O'Donnell, dimite un año después de su nombramiento.

Antes de marchar a Francia había sido elegido académico y director de la Real Academia de San Fernando; ahora lo será también de la Española (1862); pero, enfermo ya desde 1859, se va extinguiendo lentamente, pasando imposibilitado sus últimos tiempos; muere en Madrid el 22 de junio de 1865.

Los datos biográficos muestran a Ángel Saavedra como soldado valeroso frente al invasor; por educación e inclinación propia fue partidario del trono, de la iglesia y de las instituciones vigentes.

A ductilidad de carácter, inquietud juvenil y a su amistad con Alcalá Galiano habrá que atribuir ese liberalismo de primera hora, que le convierte en prohombre del Trienio y, como lógica consecuencia, en emigrado por mor de la libertad. Aunque su amistad con Galiano continuará siendo entrañable, sus ideas experimentarán un cambio harto radical, visible ya en el retiro de Malta.

Por eso, al comenzar su vida política, ya padre de familia y duque, el romántico proscrito de antaño es uno de los elementos conservadores que con más empeño defiende la integridad del trono. Figuró en gabinetes, tan impopulares por su moderantismo, que acabaron a manos de sargentos, el uno, y, el otro, a las del pueblo sublevado; consecuentemente, su obra ofrece no pocas muestras de antipatía por la soldadesca y por las masas populares[1].

Como estadista, le reprocharon su poca energía y escasa visión política, cualidades tan necesarias en la España de su tiempo, cuando el poder estaba repartido entre una reina fácilmente impresionable y los nunca reconciliados intereses de liberales y moderados.

Su actividad diplomática, por el contrario, fue brillante y en ella hizo valer méritos personales nada comunes. Los biógrafos, en suma, han visto en Rivas al hombre sincero y caballeresco, de carácter franco y abierto, buen amigo, de singular sensibilidad artística, epicúreo siempre, de palabra fácil y con gracejo, con sólidos principios de casta pero sin convicciones firmes, y tan impresionable que, al decir del marqués de Valmar, «los principios cobraban en su alma el carácter de sentimientos y no pocas veces de sensaciones»[2].

---

[1] Cfr. «La asonada» (1840), poesía con insultos y amenazas a la plebe amotinada. Valera habla de «la cólera y el mal humor que le inspiraban la dominación del Regente (Espartero), el tamborileo de la Milicia Nacional y los continuos motines y alborotos». *Obras completas*, I, *Crítica literaria* (Madrid, 1942), páginas 721, 727 y 733.

[2] Leopoldo Augusto de Cueto, marqués de Valmar, *Discurso necrológico literario en elogio del Excmo. Sr. Duque de Rivas, Director de la Real Academia Española, leído en junta pública celebrada para honrar su memoria*, por el Excmo. Sr. Académico de número... *Memorias de la Academia Española*, año I, tomo II (Madrid, 1870), pág. 8.

El primer libro de Rivas es un volumen de *Poesías* (Cádiz, Imprenta Patriótica, 1814) de índole neoclásica, patrióticas, amorosas y de circunstancias, junto a las que iba, en el mismo volumen, *El paso honroso*, largo poema épico en octavas reales, fechado en 1812 e inspirado en la historia de Suero de Quiñones.

Le siguen varias tragedias neoclásicas: *Ataulfo* (1814), *Aliatar* (1816) y *Doña Blanca de Castilla* (1817). Dos años más tarde, sale la segunda edición de *Poesías* (Madrid, Imprenta de I. Sancha, 1820), en dos volúmenes. En el II, además de *El paso honroso*, hay ahora dos nuevas tragedias, *El Duque de Aquitania* (1817), cuyo modelo es el *Oreste* de Alfieri, tan popular entonces en España, y *Malek Adhel* (1818), dramatización de la *Matilde* de madame Cottin. En 1822 se imprime *Lanuza*, también tragedia al modo de Alfieri.

Recordemos que en mayo de 1824 comienza para Rivas el exilio que le lleva de Gibraltar a Londres, luego a Malta y de allí a Francia, y en estos años descubre el nuevo modo de sentir que dominaba en Europa. En Londres le esperaba Alcalá Galiano, inmejorable guía en aquel floreciente centro del romanticismo, donde los españoles emigrados alternaban con los hijos de las flamantes repúblicas hispanoamericanas.

Una vez en Malta, reanudó amistades con Sir John Hookham Frere, a quien había conocido en París, en 1821. Mucho se ha discutido sobre cúal fue la influencia del antiguo diplomático inglés sobre el pensamiento y la obra del poeta español: según el marqués de Valmar, Rivas le refirió muchas veces

la sorpresa que le causó oír (de boca de Frere) que los cantares rudos y espontáneos del pueblo, las rapsodias vulgares de su patria, los cuentos y las tradiciones que en forma inculta y desaliñada había escuchado en Córdoba, en las dulces horas de la infancia, sostienen un fondo de poesía más sincera y más seductora que la de los primorosos y acicalados poemas artificiales[3].

Sin embargo, Valera opinaba que antes de la emigración ya tenía Rivas un amor por la Edad Media y el Siglo de Oro que le llevaron a componer romances y *El paso honroso*. En este caso, Frere habría sido guía y consejero, pero no iniciador, ya que Rivas había escrito esta obra a los veinte años (antes de 1812)[4]. También Gabino Tejado pensaba que *El paso honroso* era punto de partida de los gustos de su autor por la Edad Media[5].

Enrique Piñeyro no aceptaba esta evolución y sostenía que la estancia en Malta motivó un cambio tan radical como para que sólo en un año vieran la luz obras tan revolucionarias como *El moro expósito*, varios romances históricos y *Don Álvaro*. Frere y su biblioteca fueron capitales en tal evolución, que comenzaría en 1825, cuando Rivas llegó a la isla, y daría sus primeros frutos cuatro años más tarde cuando empezó a escribir *El moro expósito*[6].

Es indudable que la composición de *El paso honroso* muestra un interés temprano por la historia nacional remota; no obstante, las palabras con que Rivas dedicó *El moro* a Frere son las del discípulo agradecido:

...Vd. me ha mostrado, y me ha puesto en este camino en el que he entrado, me temo, con más atrevimiento que éxito.

Y más adelante,

---

[3] *Ibíd.*, 523-4.

[4] *Crítica literaria*, págs. 721, 727 y 733.

[5] «Escritores contemporáneos El Duque de Rivas» *El Siglo Pintoresco*, I (1845), 220-6.

[6] *The Romantics of Spain* (Liverpool, 1934), págs. 44-6. Véase también, N. B. Adams, «The Extent of Duke of Rivas' Romanticism», *Homenaje a Rodríguez-Moñino*, I (1966), 1-7.

22

Repito que temo no haber aprovechado sus beneficios como debía, al menos no tanto como yo habría deseado. Con todo, si mi gusto poético ha mejorado, ha sido gracias a Vd. Espero que esta mejora sea digna de su aprobación y de su aliento.

En Malta sigue preocupándole el teatro: *Arias Gonzalo* (1827) y *Tanto vales cuanto tienes* (1828); escribe poesía, recordemos «El faro de Malta», tan famosa, y da principio a *El moro expósito,* que terminará luego en Tours (1833).

Poco después de su regreso a España aparecen en París (Librería Hispano-Americana, de la calle de Richelieu, núm. 60, 1834) dos volúmenes con el fruto de su labor en el exilio: *El moro expósito,* prologado por Alcalá Galiano, el poema histórico *Florinda,* varias poesías y cinco *romances históricos.* El 22 de marzo de 1835, y en el teatro del Príncipe, estrenó *Don Álvaro o la fuerza del sino,* concebido años antes en París, y a cuya primera redacción había dado fin en Tours.

El hombre público escribe ahora menos. Tan sólo durante sus estancias en Sevilla, voluntarias o forzadas, sigue haciendo romances. Dieciocho forman el volumen de *Romances históricos,* que aparece simultáneamente en París (Librería de don Vicente Salvá) y Madrid (Imprenta de don Vicente de Lalama) en 1841, recibido con grandes alabanzas por la crítica.

El moro, Don Álvaro y los *Romances* marcan el apogeo de su carrera; después comienza el declive lento de un hombre ocupado en muchas otras actividades. Continúa produciendo para el teatro y en poco tiempo se representan tres comedias concebidas como las del Siglo de Oro —*Solaces de un prisionero o tres noches de Madrid* (1841), *La morisca de Alajuar,* en el mismo año, y *El crisol de la lealtad* (1842)—; más tarde escribe *El desengaño de un sueño* (1844), curioso drama fantástico en cuatro actos, con tantas complicaciones técnicas que no se representó en vida del autor, y, finalmente, otra comedia, *El parador de Bailén* (1844). Añadamos a esto tres conocidas leyendas: *La azucena milagrosa, Maldonado* y *El aniversario;* el estudio histórico *Sublevación de Nápoles capitaneada por Masaniello,* y las poesías, cuadros de costumbres, epístolas y discursos que produjo sin descanso casi hasta el final de sus días.

Los *Romances históricos*

En el «Prólogo» a sus *Romances históricos* de 1841 explicaba el Duque de Rivas los orígenes, desarrollo y decadencia del romance castellano, y qué le decidió a escribir y dar a la imprenta los suyos propios.

No parece que intuyera la relación entre el octosílabo asonantado y el metro de los cantares de gesta ni que tampoco hiciera distinciones entre los romances viejos y los artísticos posteriores. Explicaba luego cómo floreció el romance con el Renacimiento y con qué entusiasmo lo dieron por suyo los poetas y dramaturgos del Siglo de Oro y del Barroco.

Su misma popularidad y eufonía le entregaron «al brazo seglar de los meros versificadores y de los copleros vergonzantes», y de este modo se desacreditó. A pesar de los elogios de Luzán y aunque Meléndez Valdés escribiera romances, desde entonces tan sólo se ha escrito «alguno que otro» y hasta un texto contemporáneo, cuyo título Rivas no da, pero al que alude de manera inconfundible; decía del romance que «aunque venga a escribirle el mismo Apolo no le puede quitar ni la medida, ni el corte, ni el ritmo, ni el aire, ni el sonsonete de jácara»[7].

Para Saavedra, los romances «son tan vigorosos en la

---

[7] José Gómez Hermosilla, *Arte de hablar en prosa y verso,* tomo II (Madrid, 1839), pág. 180.

expresión y en los pensamientos, que nos encanta su lectura; encontrando en ellos nuestra verdadera poesía castiza, original y robusta» y para ilustrarlo cita varios de Góngora, Quevedo, Calderón, de quien siempre gustó mucho, y algunos otros incluidos en el *Romancero* de Durán. Concluye insistiendo en que el romance

> tan a propósito... para la narración y la descripción, para expresar los pensamientos filosóficos y para el diálogo, debe, sobre todo, campear en la poesía histórica, en la relación de los sucesos memorables.

Lo que se proponía el poeta al dar a la imprenta esta colección era revalorizar el romance,

> volverlo a su primer objeto y a su primitivo vigor y enérgica sencillez, sin olvidar los adelantos del lenguaje, del gusto y de la filosofía, y aprovechándose de todos los atavíos con que nuestros buenos ingenios lo han engalanado...

Estas ideas no eran nuevas en él, pues ya en la «Advertencia de los editores», colocada entre *El moro expósito* y las demás composiciones, en la edición de París de 1834 loaba, por boca de Salvá, al romance, «género de poesía peculiar de nuestra nación»; arremetía contra aquellos críticos que confundían romances con jácaras y tonadillas (Hermosilla, naturalmente); mantenía que los temas de interés eran abundantes en la historia nacional, más cercana a nuestras costumbres y creencias que la extranjera o la mitología; y animaba también a los jóvenes a escribir «no por recuerdos, sino por inspiración y de consiguiente con originalidad», esto es, sin tener ya en cuenta preceptivas.

¿Necesitaba en 1841 tal defensa el romance? Grandes fueron su decadencia y descrédito en el siglo XVIII, y sólo en sus últimos años se ocuparon de él autores de altura, como Nicolás Fernández de Moratín o el Meléndez Valdés autor de «Elvira», aunque casi todos los poetas dieciochescos cercanos al siglo XIX cultivaron el romance antes de que la nueva escuela romántica lo pusiera de moda. Vayan, como ejemplo, los nombres de Gallardo, Somoza y Tapia, de Vicente Rodríguez de Arellano y Joaquín Lorenzo Villanueva, de Vargas Ponce y don Ramón de la Cruz, de Lista y de Quintana, a quien se debe la hermosa leyenda «La fuente de la mora encantada». Temas favoritos fueron los pastoriles y moriscos, jocosos y de circunstancias, tan apropiados los últimos para querellas, sátiras, envíos y epístolas.

Pero el nuevo interés por el romance, en tanto que representación castiza de la poesía española, vino de fuera: aquellos alemanes amantes de la épica castellana y de Calderón, como los Schlegel, fueron los editores de las primeras colecciones de romances decimonónicas. Herder tradujo los del Cid (1803), Jacob Grimm dio a la estampa la *Silva de romances viejos* (Viena, 1815); G. B. Depping, su *Sammlung der besten alten spanischen Historichen, Ritter— und Maurischen Romanzen...* (Altemburg y Leipzig, 1817), traducida después al castellano e impresa en Londres en 1825, y Nicolás Böhl de Faber la *Floresta de Rimas Antiguas Castellanas* (Hamburgo, 1821, 1823 y 1825).

En Francia, Abel Hugo sacó el *Romancero e historia del rey de España don Rodrigo* (París, 1821) y, entre los ingleses, a quienes ya de antiguo interesaba nuestra literatura, habrá que mencionar las *Ancient Ballads* (Londres, 1801) de Thomas Rodd, a Sir John Bowring, *Ancient Poetry and Romances of Spain* (1824) y, sobre todo, a John G. Lockhart, autor de la famosa colección de *Ancient Spanish Ballads, Historical and Romantic* (Edimburgo, 1823) que llegó a alcanzar seis ediciones más en pocos años[8].

---

[8] Cfr. R. Menéndez Pidal, *La epopeya castellana a través de la literatura española*.

Para Menéndez Pelayo, Quintana tuvo en España el mérito «de haber sido el primer colector de romances y el primer crítico que llamó la atención sobre este olvidado género de nuestra poesía»[9], que tan sólo Sarmiento había comentado, aunque ni él ni Durán supieron distinguir tampoco entre romances viejos y los que no lo eran. A Quintana se deben el prólogo y la antología de *Romanceros y Cancioneros españoles* (Madrid, Colección de don Ramón Fernández [Estala], núm. 16, 1796); más tarde, publicó Eugenio de Ochoa el *Tesoro de los romanceros y Cancioneros españoles* (1818), y luego don Agustín Durán dio a la luz su *Colección de romances antiguos o Romanceros* (Valladolid, 1821), y entre 1828 y 1832 los cuatro tomos del *Romancero General*[10].

En su excelente artículo «Le duc de Rivas et la resurgence du *romancero*»[11] señala Albert Derozier que ya Meléndez Valdés quiso dar nuevo impulso al romance por considerarlo un «género de poesía todo nuestro», pero que habría de producirse una situación política nueva y

---

[9] *Historia de las ideas estéticas en España*, III (1962), pág. 415. Quiero recordar aquí las *Fábulas y Romances Militares* (Barcelona, 1817) del marqués de Casa-Cagigal. Los últimos glosan episodios de la guerra de la Independencia y están escritos para que los soldados españoles los lean y mejoren sus «modales y creencia política» en lugar de los romances de bandoleros y «guapos» tan populares entonces.

[10] En busca de romances he consultado una revista tan representativa como el *Semanario Pintoresco*, entre 1836, año de su aparición, y 1841, cuando se publicaron los *Romances históricos*. No son éstos muy numerosos y los que hallo siguen siendo festivos y de circunstancias, o, con el auge del costumbrismo, sirven a las mil maravillas para narraciones como «La junta de cofradía» de Mesonero Romanos, o para pintar las gracias, reyertas y amoríos propios del desaforado andalucismo que por entonces invadió a España y del que son buenas muestras los romances de Rodríguez Rubí y de José María Andueza. El romance «histórico», a veces en amañada «fabla», se va abriendo paso ayudándose del morisco en ocasiones o encajado en «leyendas» y cuentos polimétricos. Véase también mi libro *Las ideas literarias en España entre 1840 y 1850* (Berkeley y los Ángeles, 1971), págs. 31-32.

[11] *Les langues Neo-Latines*, 68 (1974), 28.

esperanzadora —la guerra de la Independencia y la difusión de las ideas liberales luego— para que triunfase.

Este será de nuevo un género popular y castizo que mostrará a las nuevas generaciones los ejemplos que ofrecía un glorioso pasado nacional. Con el Romanticismo, se da la plenitud del romancero que viene a confirmar el nacionalismo militante propio del liberalismo romántico.

Refiriéndose a las colecciones de romances que aparecieron en el primer tercio del siglo, advertía Derozier la singular importancia que tuvo Agustín Durán y la influencia que ejerció su *Romancero* sobre el autor de *El moro expósito* y sus contemporáneos.

Pensaba Durán que la poesía popular había nacido por sí misma, y que el *romancero* simbolizaba el espíritu del pueblo español, cuya obra era. Su renacer expresaba el sentimiento patriótico tras la guerra de la Independencia; como obra del pueblo español, el *romancero* representaba la tradición nacional y encarnaba lo que España había sido en el pasado y lo que podría ser de nuevo tras siglos de decadencia.

Aunque afirme el marqués de Valmar que «la personalidad del autor no asoma casi nunca» en los *Romances*, pienso que la mayoría refleja en mayor o menor grado el espíritu de Rivas. Para comenzar, ahí están los recuerdos juveniles y felices del alcázar de Sevilla, idealizados con los años: «al recordarlo siempre mi alma y corazón palpitan»; la indignación del antiguo guardia de Corps que presenció la devolución de la espada de Francisco I; o la memoria de la emigración en «La vuelta deseada» y «El sombrero».

Ángel Saavedra demostró su patriotismo en la guerra primero, en la política después y siempre con la pluma en la mano. La independencia de las colonias americanas y el largo periodo del absolutismo fernandino, por un lado, y la guerra de la Independencia, así como la supervivencia de un espíritu liberal indomable, por otro, señalaban al poeta tanto la decadencia de España como potencia, como la esperanza de un resurgir futuro.

Lo mismo que el drama y la novela históricos, los *Romances* de Rivas toman por asunto el pasado, del que escogen aquellos episodios y figuras que representaban mejor el espíritu nacional y los muestran como esperanzador ejemplo a sus contemporáneos. La literatura está ahora al servicio de las nuevas ideas; ya siga la Historia, ya la invente, Rivas quiere devolver el orgullo nacional a sus compatriotas y así pinta a sus antepasados como capitanes heroicos, monarcas justicieros y hombres de temple. Valores tradicionales son Dios, Patria, Rey, respeto a la religión y a la sociedad, amor al mérito y al trabajo. Valores todos, como escribe Derozier[12], que pasados por el justo medio constituyen los ideales sociales de la emergente clase media liberal.

Históricamente, los periodos que más interesan al poeta son la Edad Media, encarnada por don Álvaro de Luna y, sobre todo, por don Pedro I de Castilla; las guerras contra los franceses en Italia; la corte de los Austrias, centro de intrigas; y las prodigiosas hazañas americanas de Cristóbal Colón y de Hernán Cortés. El fantástico «Cuento de un veterano» representaría al siglo XVIII, «Bailén» a la Independencia, y tanto «El sombrero» como «La vuelta deseada» a la España fernandina.

En cuanto a las fuentes, si unos romances pueden apellidarse históricos, ya que siguen con relativa fidelidad a ciertos historiadores y cronistas, otros hay que relatan anécdotas pintorescas, leyendas y tradiciones con tema nacional. Tanto para Rivas como para sus contemporáneos, la evocación de glorias patrias y el poetizar la España castiza es siempre más importante que revitalizar el hecho histórico.

---

[12] *Ibíd.*, 38.

En las ediciones de 1841 los *Romances históricos* iban ordenados cronológicamente, y aunque el orden en que se escribieron fue muy otro es posible que, al publicarlos así, pensara Rivas en dar un panorama histórico-legendario nacional, tal como lo había hecho antes Telesforo de Trueba en su *Romance of History*. Esto no quiere decir que el duque cantara los hechos más representativos de la historia nacional, pues escogió personajes y escenas sin otro criterio que su gusto.

El antiguo oficial en la guerra de la Independencia no oculta su antipatía por los franceses, quienes aparecen repetidamente en los romances sobre las guerras de Italia, en «Un embajador español», «Un castellano leal» y en «Bailén». Rivas, que respetó siempre el valor y nobleza de ánimo, canta a Bayardo y a Francisco I en su desventura, pero se indigna con los desafueros de Claquín, de Carlos VIII o de Napoleón, y jubilosamente cuenta las humillaciones y vencimiento de quienes en la cumbre de la fortuna estaban lejos de imaginar su triste fin.

Causan la desgracia de estos franceses unos españoles modestos y sufridos, pero invencibles en la guerra y magnánimos en la victoria. La vieja historia de David y Goliat se repite: un embajador de España, valeroso y leal, hace frente a Carlos VIII, «rey orgulloso de Francia»; los tercios, mal vestidos y peor pagados, aventureros de a pie, aniquilan a los caballeros e impresionante artillería francesa, muy superiores en número. Como antes, también es en Pavía donde un hidalgo español da lecciones a un rey de Francia; y, finalmente, un pueblo con más brío que pertrechos derrota a Napoleón y al ejército más poderoso de la tierra.

Además de su enemistad hacia todo lo extranjero, tiene Rivas otras fobias bien marcadas. Detesta a los cortesanos aduladores, dispuestos a cambiar de opinión y aun de gesto a la menor indicación de sus amos: ya corran los tiempos de los Reyes Católicos, de Carlos V o de Felipe IV, las astucias y halagos de los palaciegos siguen siendo los mismos.

Quien tanto ensalzó a los héroes dijo siempre poco y malo de las clases populares[13]. Alaba a los sevillanos en *Bailén* como Patriotas (con mayúsculas) y a la sufrida y valerosa infantería española como Arma, pero cuando las masas dejan de representar virtudes patrias las mira con desdén. Los bárbaros ejecutores de la justicia municipal son «vil gentuza» («Una antigualla de Sevilla»), los criados que insultan a don Álvaro camino del cadalso son «canalla / que si al poderoso adula, / en cuanto le ve caído / feroz le escarnece y burla» y la infantería heroica, si no está en batalla se torna en «feroz soldadesca» que hace burla de sus oficiales («Amor, honor y valor») y, acuciada de villana codicia, no respeta ni la «sagrada persona» del rey de Francia («La victoria de Pavía»)

El mismo Antonio Pérez, favorecido al parecer por la princesa de Éboli, pero de baja extracción, es aquí un osado patán, repugnante a los ojos de la bella princesa. Excepción parecería el arcabucero que guardaba una bala de oro para Francisco I; sin embargo no lo es, porque el poeta muestra un tipo pintoresco al que avalan su amor a la patria y su apicarado andalucismo, pero nada más.

Rivas era un moralista y apenas hay romances en los que no intervenga con alguna observación. La historia antigua evoca la presente: la intervención de Duguesclin a favor de don Enrique le hace lamentar la intromisión de potencias extranjeras (de nuevo Francia e Inglaterra) en la política interna de España; y pinta a Felipe V y a su corte entretenidos en fiestas «mientras que la Monarquía / se desmorona, y el borde / toca de una sima horrenda».

---

[13] Ver nota 1.

En «La vuelta deseada» recuerda lo inestable de nuestro estado y la temporalidad de las cosas, y los demás *Romances* abundan en ejemplos. El poderoso castillo de Montiel es hoy caído albergue de alimañas; inopinada muerte acabó con la privanza de don Álvaro de Luna, con la belleza de la emperatriz, con la gallardía de Bayardo y con los donaires de Villamediana. Pavía, en donde el poderoso Francisco I perdió la batalla y casi la vida, es «de inconstancias de fortuna / grande y doloroso ejemplo; / y de la humana soberbia / aterrador escarmiento». El hombre es tan sólo un instrumento en manos de una Providencia cuyos altos destinos no conoce. La pérdida de la juventud, la brevedad del poder y de la belleza, y los caprichos de la fortuna son todos temas que nuestro poeta había tocado ya en las poesías escritas antes de salir para el destierro.

Los *Romances históricos* son dieciocho narraciones divididas en varias partes llamadas romances, numerados correlativamente y a menudo con subtítulo particular a cada uno. Estas composiciones, todas en octosílabos, varían notablemente de extensión: desde 116 versos («La muerte de un caballero») hasta «Recuerdos de un grande hombre», que tiene 1.409; aunque Rivas prefiere las que oscilan entre los 400 y 600 versos, hay cinco que cuentan entre 800 y 1.400.

La división en romances tampoco sigue un criterio fijo. Hay relatos limitados a uno sólo (la ya citada «Muerte de un caballero») y otros que necesitan seis para desarrollarse; «El cuento de un veterano» lleva una «Introducción» que precede a seis romances. También las dimensiones de éstos varían: el más breve es el IV en «La buenaventura», con veinte versos, y el más extenso, el III de «Recuerdos de un grande hombre», con 388.

Estas composiciones están escritas en estrofas de cuatro versos, asonantados los pares, con asonancia que cambia en cada romance. Las más frecuentes son *é-o* (14 romances), *á-a* (8) y *é-a* (7); raras son las agudas en *-á, -é, -ó* que aparecen una sola vez.

Como excepciones, señalo algunos versos de otra índole mezclados con octosílabos. En «Bailén», III, los versos 245-272 son hexasílabos con este esquema: *abbcc, addcc, affg, ahhg, jkkcc, jllcc.* Se trata de una canción de los invasores alabando a Napoleón, donde la línea final *c,* «¡Viva el Emperador!» hace oficio de estribillo. Más adelante —versos 293-298— hay otra canción, esta vez de los patriotas españoles, en la que cambian ritmo, eneasílabos y octosílabos, y rima: *á-o, -ó, á-o, -ó, á-a, -ó.*

Los versos 309 a 364 de «La buenaventura», II, son catorce redondillas de la forma *abba, cddc,* etc., en las que el viejo don Martín da los últimos consejos a su hijo Hernando al embarcarse para las Indias. En «El cuento de un veterano», diecisiete redondillas *abba, cddc,* forman los 68 versos de la «Introducción» en que describe al narrador del cuento y su ambiente. Una vez dentro de la historia, la protagonista envía al galán dos cartas, una en el romance II (versos 289-320) y la otra en el IV (versos 545-572), escritas respectivamente en ocho y siete redondillas del mismo tipo *abba, cddc.* «Recuerdos de un grande hombre» termina con el endecasílabo «¡Viva Colón, descubridor de un mundo!», tomado de otra poesía de Rivas, «Cristóbal Colón», escrita en Londres en 1824.

Los protagonistas de los *Romances históricos* no son del mismo linaje que los del romancero tradicional. Aquéllos eran héroes, y los creados por Rivas, lo sean o no, se distinguen por el aura que rodea a los seres de excepción. Son los mismos personajes que aparecen en las novelas y en los dramas históricos del periodo romántico y no han sido escogidos por sus virtudes, sino por lo que representan.

Entre los de Rivas, unos encarnan cualidades atribuidas a los españoles rancios, como el desprendimiento y el sentido del honor del viejo conde de Benavente, la serenidad ante la muerte de don Álvaro de Luna, la donjuanía de Lara en «El cuento de un veterano», el orgullo de don Antonio de Fonseca cuando se enfrenta con el rey de Francia («Un embajador español»), el caprichoso espíritu justiciero y la generosidad del rey don Pedro o el heroísmo colectivo de los Tercios.

Es más, Rivas no retrata a los personajes en la plenitud de su gloria, sino frente a la aventura, en batalla, ante la muerte, siempre en momentos cruciales en los que éstos revelan su hombría y su temple moral.

Decir que el autor apenas profundiza en la psicología de sus héroes, no es nada nuevo, y hasta los más complicados se comportan según los dictados de la historia o de la leyenda.

Boussagol señalaba que el interés de Saavedra por ciertos personajes de la historia nacional obedecía al parentesco, más o menos lejano de éstos con su propia familia. Así, el conde de Benavente estaba relacionado con los Rivas y con los duques de Frías, sus parientes. Por consanguinidad con los Benavente se ocupa de «Don Álvaro de Luna»; «El solemne desengaño» está dedicado al duque de Osuna, quien era descendiente a un tiempo de los Lombay y de los Benavente. «Recuerdos de un grande hombre» va con dedicatoria a don Cristóbal Colón y de la Cerda, descendiente del descubridor y sobrino del propio autor. La princesa de Éboli («Una noche de Madrid») estaba emparentada con los Colón y, por consiguiente, con Rivas y, en fin, doña María de Saavedra, esposa del tercer marqués de Rivas, se apellidaba Colón, como el alcalde en «Una antigualla de Sevilla».

Conocido es el escaso respeto que tuvieron por la historia los dramaturgos, novelistas y poetas del periodo romántico. A juzgar por estos romances, Ángel Saavedra fue hombre de amplias lecturas y con interés por la historia patria, pero no un estudioso; en general, siguió tanto las leyendas como a cronistas e historiadores y se dejó llevar de su imaginación cuando le pareció oportuno. En su edición de los *Romances históricos* y en notas muy cuidadas, Cipriano Rivas Cherif identificó las diversas fuentes librescas de estos personajes.

No comparto la opinión de N. D. Shergold de que para Rivas

> los reyes son siempre malvados como lo son con frecuencia en los «romances viejos», y los nobles son héroes, por eso resulta difícil no ver en estos poemas un poco del resentimiento personal de Rivas contra Fernando VII, su propio rey[14].

Los reyes que aparecen en estos romances tienen personalidades varias: Juan II carece de voluntad propia, Carlos VIII de Francia es un hombre de mala fe, Isabel y Fernando y, sobre todo, el emperador Carlos V son grandes monarcas, el vanidoso Francisco I de Francia lucha con valentía y acepta caballerosamente la derrota, y Felipe IV es un marido humillado que toma venganza. Como a otros autores contemporáneos, a Rivas le atraía alguien tan contradictorio y fuera de lo normal como el rey don Pedro, unas veces «Cruel» y otras «Justiciero» y le hizo protagonista de tres romances que muestran tres aspectos diferentes de su carácter[15]. Tanto éste como Felipe II, fueron frecuente blanco de los escritores liberales.

Ya vimos que el Duque era monárquico por educación, clase y principios, aunque en su juventud, por de-

---

[14] N. D. Shergold, «The *Romances* of the Duque de Rivas», *Studies of the Spanish and Portuguese Ballad,* ed. N. D. Shergold, Londres, Tamesis Books, 1972, pág. 130.

[15] Ver J. R. Lomba y Pedraja, *El Rey don Pedro en el teatro* (Madrid, 1899), y Gonzalo Moya, *Don Pedro el Cruel* (Madrid, Ediciones Júcar, 1975).

fender la Constitución, le persiguió el absolutismo fernandino. Aunque pinta a algunos reyes de manera muy desfavorable, no ataca nunca a la monarquía, institución de origen divino y cuya esencia no afecta el comportamiento individual de los reyes.

Deber del vasallo es obedecer a su señor ante todo como lo hacen Men Rodríguez de Sanabria, fiel a don Pedro de Castilla en la desgracia; Beltrán Claquín: «Considerad que sirviendo / al Infante Enrique estoy, / que le juré pleitesía»; Bayardo, al morir gozoso por su rey y por su patria; o el conde de Benavente quien prende fuego a su palacio pero obedece al emperador:

> Soy, señor, vuestro vasallo:
> Vos sois mi Rey en la tierra,
> a vos ordenar os cumple
> de mi vida y de mi hacienda
>
> (vs. 213-216)

El poeta alaba al embajador Fonseca cuando se enfrenta con el rey de Francia pues lo hace por defender los intereses del rey de España, su señor natural. En cambio, ve a Enrique de Trastamara como un usurpador que mató a «su rey», y repetidamente hace patente su desprecio por el duque de Borbón, «un fementido traidor, / que contra su Rey combate». Aunque «La vuelta deseada» y «El sombrero» se prestasen para criticar a Fernando VII, no lo hizo[16]; habla en ellos de la emigración sin dar detalles y atribuye el exilio de Vargas a indeterminados «trastornos, persecuciones, / desventuras, injusticias».

Excepto en «El cuento de un veterano» donde Juan de Lara queda a merced de la monja parmesana, muy supe-

---

[16] En su poesía juvenil «El desterrado», publicada en *Ocios de españoles emigrados* en 1824, el autor atacaba la «perfidia» y «el corazón cobarde del necio rey» en unos versos que suprimió en ediciones posteriores.

rior a él en recursos y en arrojo, el protagonismo en estos *Romances históricos* está reservado a los hombres. Las mujeres apenas tienen vida propia y de ellas sabemos poco más que que son bellas, generosas, sensibles al amor y delicadas al igual que otras pasivas heroínas románticas del tiempo. Se diría que el autor las trata con cierto desinterés o, mejor, con cierto recato para no empañar su memoria; doña María de Padilla, bondadosa y sufrida, es lo contrario de la arpía que cantaron los romanceros viejos; la princesa de Éboli es víctima de las maquinaciones de Felipe II; la emperatriz es recatada y etérea; y la esposa de Felipe IV vive enamorada de Villamediana pero sometida a su marido. Destacan la humilde Rosalía («El sombrero»), cuya briosa figura hace presentir aquellas pescadorcitas napolitanas de las que, años después, gustaría tanto el duque, ya embajador de España; la inolvidable vieja del candilejo que vio el crimen del rey don Pedro; y aquella ventera partidaria de don Álvaro de Luna que tan graciosa bronca tiene con su marido.

Hay romances en los que falta la intriga amorosa. En otros, sirve de complemento al tema principal: en «Amor, honor y, valor» interesan tanto la glorificación del ejército español como el temple moral del enamorado Alonso de Córdoba; y en «El conde de Villamediana», tanto como en «Una noche de Madrid» o en «El solemne desengaño», el amor sirve para destacar la desventura de los respectivos protagonistas masculinos; «El cuento de un veterano» es una terrorífica aventura galante. Excepcionales resultan «El sombrero» y «La vuelta deseada», que ensalzan la profunda fuerza del amor; los dos son de tema contemporáneo y sus personajes idealistas y sensibles.

Al amor está reservado en estos *Romances* el ingrato papel de instrumento visible de un hado adverso y destructor; por eso no nos abandona el recuerdo de *Don Ál-*

varo al conocer el sino de otros predestinados: Villamediana por «picar tan alto», Escobedo, la Éboli, y Antonio Pérez, la Padilla y el Maestre don Fadrique, el marqués de Lombay y, como es natural, el libertino don Juan de Lara.

Conocida es la afición a la pintura del Duque de Rivas, que incluso se dedicó a ella como medio de vida durante la emigración en Francia, afición que halla eco en su obra literaria. En estos *Romances* hay referencias a pintores favoritos, Rafael, Tiziano, Velázquez, Murillo y Zurbarán, y en más de una ocasión su descripción de un personaje está basada en un cuadro conocido. Así, Carlos V, según el retrato del Tiziano, o Felipe II, según el de Pantoja.

Sus descripciones de personajes, llenas de colorido y de fuerza, tienen el carácter estático de retratos. Son frecuentísimos los de gente a caballo para los que se inspiró tanto en los romances moriscos como en aquéllos debidos a Moratín padre, autor también de *Las naves de Cortés destruidas,* poema épico en el que la descripción de arreos y divisas ocupa más de un tercio. Bayardo entra en combate

> En un normando morcillo
> que respira espuma y fuego,
> cuya ligereza es rayo,
> cuyos relinchos son trueno;
> con un arnés que deslumbra
> del mismo sol los destellos,
> y en parte una veste oculta
> de carmesí terciopelo;
> y sobre el bruñido casco,
> dando vislumbres al viento,
> un penacho blanco y rojo
> con rica joya sujeto.
>
> («La muerte de un caballero», 21-32)

38

Tipo de caballo, ropas, armas y adornos del jinete pintados con gusto, detalle y colorido: he aquí la fórmula de Saavedra para los retratos ecuestres.

Sus descripciones de batallas, de cortejos, de fiestas de toros y juegos de cañas, a pleno color o en tonos sombríos son de gran belleza y propios de un pintor de historia. Destacan en ellas el gusto por la pompa y por el lujo, la profusión de personajes, el amor al detalle, y los contrastes de color, de luz y de sombras.

El autor de «El ventero» y «El hospedador de provincia» tenía grandes dotes de costumbrista, harto visibles en *Don Álvaro*. No así en estos *Romances* donde el costumbrismo es de índole retrospectiva y habría que buscarlo en los cuadros de historia.

Quien con tanta fidelidad describe a los hombres, sabe también pintar una naturaleza majestuosa en salidas de sol, atardeceres, tempestades y galernas. Como hecho curioso y contradictorio, se puede mencionar que el poeta, al decir de su pariente Cueto, era insensible a los encantos de la naturaleza y no gustaba de la vida en el campo[17].

Es frecuente que la situación atmosférica corresponda al estado anímico de los personajes. La violencia del huracán y el aguacero reflejan la que predomina entre las gentes de don Pedro encerradas en Montiel; en «El sombrero», la tempestad aumenta a la par que la zozobra de la protagonista, cifrada en una «nube oscura y encapotada». La desesperanza, la angustia y el frío crecen con el aguacero y la luz «parda y siniestra» del amanecer anuncia el fin de los amantes. Vuelta la calma, el sol borra las huellas de una tragedia enternecedora y anónima.

Ni la mañana, que suele coincidir con el comienzo de una acción, como la llegada de Colón a la Rábida o el

---

[17] Valmar, *Discurso...*, pág. 521.

embarque de Hernán Cortés, ni el día, cuando tienen lugar viajes, fiestas y batallas, adquieren significado especial. En cambio, el ocaso que invade

> a los ya enlutados bosques,
> a las calladas llanuras,
> a los altos campanarios
> que entre nieblas se dibujan

hace presentir el fin de don Álvaro de Luna, del rey don Pedro o de Escobedo. La noche convierte la ciudad en un cementerio y su oscuridad encubre citas de amantes, duelos y asesinatos. Don Pedro acude a su cita mortal con don Enrique en

> ...una noche de marzo,
> de un marzo invernal y crudo
> en que con negras tinieblas
> se viste el orbe de luto.

En *Rivas y Larra* escribió Azorín refiriéndose principalmente a los *Romances históricos* y a *Don Álvaro*:

El Duque de Rivas es un artista que ve la obra en un solo plano, de un modo no evolutivo, no dinámico, sino estático. Todas sus obras son visiones de un solo momento, o bien series de momentos independientes. No hay movimiento en la concepción estética de Saavedra; cuando el poeta quiere darnos el movimiento, el encadenamiento de las cosas, la evolución de un hecho o de una vida, entonces fracasa; entonces se ve precisado —para formar la obra— a unir varias visiones sueltas y a ofrecernos una serie de momentos en que la solución de continuidad sea lo más breve posible, para que así tengamos la ilusión de la solidaridad y coherencia[18].

[18] *Rivas y Larra. Razón social del romanticismo en España*, Buenos Aires, Espasa-Calpe Argentina, Colección Austral, 1947, pág. 16.

Sin duda, tiene Rivas tendencia a presentar retratos de personajes y escenas ricos en plasticidad y color pero carentes de movimiento. No obstante, estos romances están estructurados como novelas históricas, o mejor, como dramas. Cada *Romance* está dividido en varios a modo de capítulos o de actos, y suelen llevar un título; estos últimos romances, a su vez, están subdivididos en partes que corresponderían a las diferentes escenas de un drama. Pienso que en estas narraciones el argumento se desarrolla con fluidez y que junto a las elaboradas descripciones, propias de cuadros y escenas, hay narraciones que reflejan adecuadamente el dinamismo de la acción.

A pesar del romanticismo formal de *Don Álvaro*, en los *Romances históricos* se muestra el Duque de Rivas tan observante con las unidades que, en este respecto, la mayoría de ellos podrían llegar a representarse. En efecto, respetan la unidad de acción, con muy pocas excepciones la de lugar y, salvo en tres romances, la acción se desarrolla en un periodo de tiempo que a lo máximo alcanza veinticuatro horas. Rivas escogió como asunto momentos de crisis con desenlace rápido, y tales prisas disgustaban a Azorín quien criticaba, como ejemplo, el fluir de acontecimientos, tan atropellado e inverosímil, en «El cuento de un veterano».

En ocasiones, presenta Rivas a sus protagonistas con el efectismo propio de personajes en un drama romántico. Así, en «Una antigualla de Sevilla», que tiene 428 versos, el nombre del asesino no se revela hasta el final (en el verso 379) y entonces, en el claroscuro medroso de la cárcel y con la escena del tormento como fondo, aparece el rey que rompe el atemorizado silencio con el sonar de sus choquezuelas; en «Una noche de Madrid», sólo al concluir el tercer romance conocemos la identidad de los tres misteriosos galanes de la princesa de Éboli.

Hay romances en los que la narración cede el paso al

diálogo y éste se desarrolla en un escenario convencional de drama romántico: en una venta castellana, en aposentos de un palacio, en la celda de una monja, al anochecer y al pie del castillo de Montiel, o en una mazmorra abovedada. Es más, en «Una antigualla de Sevilla» (II), las palabras de cada interlocutor sólo van precedidas de su inicial,

> R.—Más pronta justicia, Alcalde,
> ha de haber donde yo reino,
> y a sus vigilantes ojos
> nada ha de estar encubierto
> A.—Tal vez, señor, los judíos,
> tal vez los moros, sospecho...
> R.—¿Y os vais tras de las sospechas...,

y en «Una noche de Madrid» (III) tan sólo el sentido de las frases cambiadas entre Felipe II y Antonio Pérez nos indica quién las dice.

De índole teatral serían también la súbita aparición de personajes a través de puertas falsas disimuladas tras un tapiz («El solemne desengaño», I; «El conde de Villamediana», III) o la inesperada caída de un cadáver sobre Enríquez de Lara cuando abre un armario («El cuento de un veterano», V).

No escasean aquellos elementos macabros, sangrientos y fantasmales que Mesonero Romanos llamó «de tumba y hachero». Si atendemos a la fecha en que se compusieron, cuchilladas y torturas parecen darse con más frecuencia entre los de data más temprana. «La vuelta deseada», «El sombrero», los tres romances sobre el rey don Pedro, «Don Álvaro de Luna» y «El conde de Villamediana» se escribieron de 1833 a 1838, y a la última época, 1839 y 1840, pertenecen «Bailén», y la serie de las guerras de Italia.

El miedo es una sensación difusa y omnipresente: miedo invencible sienten los vasallos de don Pedro, afligidos por los resquemores y el veleidoso sentido de la justicia de su rey, también lo sienten los de Felipe II, el monarca frío, taciturno y vengativo, o el joven Lara, víctima de una mujer enloquecida por la venganza.

Don Pedro, Felipe II, la monja de Parma son parte de esa galería de personajes malditos que trajo el Romanticismo, comparados a tigres, hienas o furias, con ojos que relumbran como rayos o como brasas, y que celebran sus maldades con risa satánica.

Domina aquí la violencia: nobles caballeros caen en cruentas batallas, otros mueren en duelos y en cualquier callejuela oscura, muchos son asesinados a traición, víctimas de la venganza o del capricho de enemigos ocultos, don Álvaro de Luna termina en el cadalso. El odio no respeta parentesco ni amistades y la tortura es el mejor argumento de la justicia. Saavedra evoca así la historia de una España conflictiva y turbulenta a la vez que gloriosa en su destino imperial y colonizador, con unos héroes históricos o legendarios tan extremados en sus virtudes como en sus pasiones.

Rivas es un maestro para crear ambientes en los que llegan a confundirse la realidad y la fantasía. Son ejemplares la apertura del ataúd de la emperatriz por el marqués de Lombay, descrita con terroríficos detalles visuales y sensoriales dignos de Valdés Leal; o el interrogatorio de la vieja sevillana con su fondo de oscuridad, personajes siniestros y un silencio entrecortado por el crepitar de la lámpara, la risa de los verdugos y los alaridos de la víctima.

De gran plasticidad y gran efecto escénico, es la descripción en estos *Romances* de escenas tan sólo iluminadas por un punto de luz que nos recuerdan otras muy semejantes en *Don Álvaro*. El juego de luces y sombras revela detalles realistas de mobiliario y decoración y hace resaltar a los personajes enmarcados en un ambiente que evoca el temor o el misterio. Como muestra, vaya la descripción de la cámara donde duerme el rey don Pedro en Montiel:

> Del hogar la estancia toda
> falsa luz recibe apenas
> por las azuladas llamas
> de una lumbre casi muerta.
> Y los altos pilarones,
> y las sombras que proyectan
> en pavimento y paredes,
> y el humo leve que vuela
> por la bóveda y los lazos
> y los mascarones de ella,
> y las armas y estandartes
> que pendientes la rodean,
> todo parece movible,
> todo de formas siniestras,
> a los trémulos respiros
> de la ahogada chimenea.
>
> («El fratricidio», vs. 257-272)

Conocido es el desarrollo que adquirieron las leyendas como género literario con el Romanticismo, y pocos fueron los autores del tiempo —a la cabeza el mismo Rivas, Zorrilla y luego Bécquer— que no escribieron alguna. Para dar más visos de antigüedad a sus *Romances,* Rivas utilizó algunos recursos literarios propios de las leyendas, las consejas y los cuentos populares.

El pretendido recuerdo infantil del veterano que contaba cuentos en la cocina del cortijo sirve de marco a la pavorosa historia de la monja parmesana; otros recuerdos de juventud evocan el alcázar de Sevilla y la sombra de don Pedro; y algunos romances comienzan a modo de cuento: «Mas ha de quinientos años, / en una torcida calle...» («Una antigualla de Sevilla») o «Era en punto me-

44

dianoche, / reinaba hondo silencio...» («La buenaventura»).

También las ruinas tienen papel considerable. El caserón vetusto, unas piedras desperdigadas o la torre medio caída y cubierta de maleza fueron testigos de historias viejas y estremecedoras y morada antaño de hombres que hoy son olvidados fantasmas. El monasterio de la Rábida donde comenzó la gesta colombina «descuella desierto, solo, / desmantelado»; una «torre fulminada, / hoy nido de aves marinas» será escenario de «El sombrero», y un caserón del viejo Madrid recuerda la misteriosa muerte de Escobedo. Claro está que algunos restos son recién inventados como los de la venta donde esperaron los frailes a don Álvaro de Luna, o los ahumados paredones del palacio del conde de Benavente. Escombros, en fin, que suman al peso de la antigüedad la emoción de haber sido teatro de la historia y de la leyenda. Así veía el pasajero romántico el abandonado castillo de Montiel:

> Esqueleto de un gigante,
> peso de un collado inculto,
> cadáver de un delincuente
> de quien fue el tiempo verdugo;
> nido de aves de rapiña,
> y de reptiles inmundos
> vivar, y en que eres lo mismo
> de lo que eras ha cien lustros;
> pregonero que publicas
> elocuente, aunque tan mudo,
> que siempre han sido los hombres
> miseria, opresión, orgullo;
> de Montiel viejo castillo,
> montón de piedras y musgo,
> donde en vez de centinelas
> gritan los siniestros búhos.
>
> («El fratricidio», vs. 85-100)

En el vocabulario, hay elementos de procedencias diversas; en primer lugar, los de estirpe neoclásica casi han desaparecido; en «Bailén», romance con cierto carácter épico, hallamos ocasionalmente palabras y expresiones como «el Pirene», «armígeros caballos» o «la sien ceñida de lauros»; son muy frecuentes los arcaísmos relacionados por lo general con la vestimenta y las armas —«cuja», «almete», «brial»— que desempolvaron Durán y otros amantes de la tradición y que, en este caso, al parecer, provienen de Moratín y del Romancero; propias del Romanticismo serían expresiones como «sepulcral silencio», «alarido de infierno», y prosaísmos como «sudosa», «reventazón» o «vulgacho» que la nueva escuela incorporó al lenguaje poético.

Hay muchos casos de transposiciones sintagmáticas dentro de la frase —«Don Álvaro era de Luna / Del Rey Don Juan favorito»— que tienen el propósito de dar una sensación de lentitud, de «crear una atmósfera estética adecuada para la evocación»[19]. Abundan también las metáforas y las comparaciones que, por lo general, son, como observa N. D. Shergold, bastante convencionales («inmóvil como una estatua», manos frías «como hielo»)[20], contrastes, anáforas y enumeraciones, algunas tan llenas de color y de vida como ésta de los tipos que pueblan los muelles sevillanos:

> Moros, moriscos y griegos,
> egipcios, israelitas,
> negros, blancos, viejos, mozos,
> hablando lenguas distintas.
> Mercaderes, marineros,

[19] Olga Tudorica Impey, «Apuntes sobre el estilo romancístico del duque de Rivas», *Actes du XIIᵉ Congrès International de Linguistique et Philologie Romane*, Québec, Les Presses de l'Université Laval, vol. II, págs. 895-904.
[20] Shergold, pág. 132.

soldados, guardas, espías,
alguaciles, galeotes,
canónigos, y sopistas,
caballeros, capitanes,
frailes legos y de misa,
charlatanes, valentones,
rateros, mozas perdidas,
mendigos, músicos, bravos,
quincalleros y cambistas,
galanes, ilustres damas,
gitanos, rufianes, tías.

(«La buenaventura», III, vs. 421-436)

Cuando predomina la acción, la técnica es narrativa como ocurre en «Un embajador español» o en «La muerte de un caballero», que son anécdotas breves contadas sin digresiones. En otros casos, aunque el asunto dé para poco, las descripciones suplen la falta de acción. Así, la muerte del conde de Villamediana, que podría haberse contado en un centener de versos como lo fue la de Bayardo, es la culminación de cerca de novecientos divididos en tres romances. De índole excepcional es «El sombrero» sin acción alguna y en el que la descripción de la naturaleza refleja muy bien la ansiedad de los protagonistas.

Precisamente, la capacidad de observación, la atención al detalle y el sentido colorista del poeta hallan cumplida expresión en las magníficas descripciones que son uno de los mayores méritos de estos romances. Buenos ejemplos serían los de la comitiva fúnebre de la emperatriz en «El solemne desengaño» la tortura de la vieja en «Una antigualla de Sevilla» o las fiestas de toros y de cañas en «El conde de Villamediana».

Sin embargo no parece que a Rivas le preocupara repetir ciertas fórmulas descriptivas y las utilizó con ligeras variantes en muchas ocasiones. Sus malvados ríen con

47

risa «diabólica» o «satánica» y tienen los ojos «como brasas», «encendidos» o «de una hiena». Cuando, por inapelable voluntad de Dios, muere un ser querido, el personaje «alza el rostro y ambas manos / hacia los cielos extiende» («El solemne desengaño», V, vs. 1035-1036), «alza los ojos al cielo / y entrambas palmas eleva» (*ibíd.*, III, vs. 691-692), «alza el rostro y levantando / la diestra, señala al cielo» («La vuelta deseada», II, vs. 277-278). Sucede lo mismo con las puestas de sol, siempre hermosas pero siempre parecidas y con una escasa gama de colores: «Una tarde sosegada / de Abril, cuando al horizonte / entre dorados celajes / y entre ligeros vapores / el sol claro descendía...» («Una noche de Madrid», I, vs. 180-15), «Ya el sol descendido había, / dejando estos horizontes / envueltos en vagas sombras / de una sosegada noche...» («Recuerdos de un grande hombre», V, vs. 1073-1076).

Finalmente, los retratos ecuestres, están cortados por un mismo patrón y algunos podrían ser intercambiables. El infortunado don Fadrique cabalga «Sobre un morcillo lozano / que espuma respira y fuego» («El Alcázar de Sevilla», IV, vs. 425-426) mientras que Bayardo lo hace «En un normando morcillo / que respira espuma y fuego» («La muerte de un caballero», vs. 21-11).

Ya vimos cómo cada *Romance histórico* está formado por una o más partes a modo de actos en un drama o capítulos de novela. En casi todos los finales de estas partes y en el de cada romance, al concluir la narración, supo el Duque de Rivas hacerlo de manera admirablemente concisa y rotunda. Nada más acertado que el relato de las muertes de don Fadrique, de don Pedro I, del conde de Villamediana o el ajusticiamiento de don Álvaro de Luna —«El hacha cae como un rayo / salta la insigne cabeza, / se alza universal gemido, / y tres campanadas suenan»— descritas con elegante sobriedad.

En otras ocasiones, concluido el argumento del romance, el poeta añade unos versos para explicar qué ocurrió después, cómo el marqués de Lombay llegó a ser santo o cómo el desconocido extremeño conquistó México.

Para concluir, ¿de qué modo contribuyó el Duque de Rivas al acervo romanceril castellano? En el prólogo a los *Romances históricos* afirmaba que pretendía «volverlo [al romance] a su primer objeto y a su primitivo vigor y enérgica sencillez» aunque ni él ni sus contemporáneos lo hicieron.

Ya vimos que sus héroes no son los mismos del romancero tradicional, sino hombres que tienen «gestos», que hacen desplantes, cosas mucho más populares siempre que el carácter y la fuerza de voluntad. Como escribía Galdós, «En España, los audaces de buena cepa, aunque sean bandidos o tenorios, son siempre queridos y admirados del pueblo, que lo perdona todo a excepción de la cobardía y la avaricia»[21].

Rivas además escribe para otro público y, como señala N. D. Shergold, sus romances están más cerca de los *artísticos* que de los *viejos,* transmitidos oralmente. Por eso, «Rivas no usa el recurso de repetición formulística que es característico de los romances viejos, o de otros moldes repetitivos tradicionales»[22]. Las digresiones y la moralización, las detalladas y largas descripciones y el gusto por lo sentimental, lo fúnebre y lo misterioso, quitan a estos *Romances* la sobriedad y la fuerza de los primitivos.

Los *Romances históricos* tuvieron gran éxito en su tiempo, desde entonces se han leído mucho, y pocas han sido las antologías escolares que no incluyeran, al menos, el romance de «Un castellano leal» que los alumnos solía-

---

[21] Benito Pérez Galdós, *El equipaje del rey José,* Madrid, Librería y Casa Editorial Hernando, S. A., 1953, pág. 119.

[22] Shergold, pág. 131.

mos aprender de memoria y recitar luego con gran énfasis y mucho manoteo.

Tienen versos hermosos y sonoros, descripciones brillantes, personajes briosos e inolvidables, finales certeros, ambientes grotescos y terroríficos, y situaciones melodramáticas, más propias para ser llevadas al escenario que para ser leídas.

La moralización y la ideología son simplistas pues fueron escritos para emocionar, para enardecer incluso, a los lectores con la evocación de hombres y hechos gloriosos de nuestra historia. Rivas y Zorrilla fueron en aquel siglo los más entusiastas cantores del pasado. El primero escribió *El paso honroso*, *Florinda* y *El moro expósito* y llevó a la escena, entre otros personajes, a Lanuza, a Arias Gonzalo y a Carlos V vencedor en *Solaces de un prisionero*. Por su parte, el autor del *Tenorio*, *El zapatero y el rey* y las *Leyendas* hizo buenos aquellos versos suyos que dicen «Mi voz, mi corazón, mi fantasía / la gloria cantan de la patria mía», y todavía en 1882 parafraseaba el romancero en *La leyenda del Cid*.

Sin duda, el Duque de Rivas, con los *Romances históricos* sirvió de ejemplo y de estímulo a unos contemporáneos que por sí mismos iban descubriendo las grandes posibilidades que ofrecían los romances castellanos dentro de la nueva literatura[23]. Si tenemos en cuenta los escritos por Zorrilla y por Arolas, y la fiebre romancesca que vino luego, es evidente que Rivas despertó el interés de sus contemporáneos por el romance y por las viejas glorias de una España que por entonces vivía en constantes crisis y apuros.

---

[23] *Las ideas literarias...*, págs. 73-83.

Sobre los *Romances históricos* en particular[24]

UNA ANTIGUALLA DE SEVILLA

Consta de tres romances: I, 104 versos en *á-e,* II, 124, *é-o* y III, 200, *ú-a.* Total, 428 versos.

Compuesto en Sevilla en 1838 y publicado en marzo del mismo año en el *Liceo Artístico y Literaria español,* su fuente son los *Anales eclesiásticos y seculares de la muy noble y muy leal ciudad de Sevilla* (Madrid, 1677) de Diego Ortiz de Zúñiga, aunque John Dowling sugiere también las comedias *El diablo está en Cantillana* de Vélez de Guevara, y *El montañés Juan Pascual, primer asistente de Sevilla* de Hoz y Mota, y la segunda parte de la *Historia, antigüedades y grandezas de la muy noble y muy leal ciudad de Sevilla* de Pablo Espinosa de los Monteros[25].

Este romance, a mi parecer uno de los mejores de Rivas, muestra bien cómo se trataba un tema histórico a la manera romántica, aunque el episodio mismo, sucedido a principios de 1354, según Zúñiga, es de autenticidad dudosa. Rivas, pintor, tiene ocasión de crear aquí claroscuros y dramáticos contrastes de luz y sombra; como poeta, de trazar ambientes y personajes de manera magistral.

Se trata de una composición breve y bien construida en tres romances. Recordemos, en el I, el tono de leyen-

---

[24] Para el estudio de las fuentes y fecha de composición de los *Romances históricos,* véase Gabriel Boussagol, *Ángel de Saavedra Duc de Rivas. Sa vie, son oeuvre poetique* (París, 1926), págs. 246-260 y 283-304; y «Ángel de Saavedra, Duc de Rivas. Essai de Bibliographie critique», *Bulletin Hispanique,* XXIX (1927), 10-40.

[25] Véase John Dowling, «The King with the Clicking Knees: The Duque de Rivas' Una antigualla de Sevilla», *South Atlantic Review,* vol. 46, núm. 1 (enero, 1981), 1-15.

da antañona que afecta al principio, la ambientación —medrosa y nocturna— que prepara el duelo, y la espectacular aparición de la vieja a la vacilante luz del velón, entonado todo en rojos y negros que oscilan con la llama. Rivas no retrata a la fisgona hasta el final pues va sabiamente enumerando la ventanilla, la mano, el brazo, luego el candil y sólo al final el rostro. La estancia del tormento y sus accesorios —potro, cuerdas, garfios y garruchas— creo que tienen filiación moderna, y ultrapirenaica, pues recuerdan demasiado a otras escenas parecidas de mazmorras inquisitoriales.

El vocabulario reitera la sensación de oscuridad y luto («ocaso», «negro bulto»), el carácter fúnebre («corrompidos restos», «voz moribunda», «faz difunta») y una combinación del «sepulcral silencio» con sonidos onomatopéyicos («rechina... una garrucha», «chasquido de los huesos»). El final, intencionadamente del gusto popular, glorifica al déspota sanguinario que borra con dádivas extravagantes sus pasadas tropelías.

EL ALCÁZAR DE SEVILLA

Tiene cuatro romances: I, de 120 versos, rima *i-a;* II, 148, *á-a;* III, 124, *á-o* y IV, 220, *é-o,* total de 612 versos.

Apareció sin fechar, junto con otros cuatro romances en la edición de *El moro expósito,* volumen II, páginas 451-475 de 1834. Afirma Boussagol que fue compuesto en París en 1833, y que Rivas probablemente conocía la versión francesa de una obra de Trueba y Cosío, *L'Espagne Romantique* (traducción de Ch. A. Defauconpret, París, 1832, 3 vols.) en cuyo volumen II se cuenta la muerte de don Fadrique[26]. No creo imposible que Ri-

---

[26] *The Romance of History. Spain,* II (Londres, 1830), «The Master of Santiago», págs. 285-329.

vas conociera el original inglés *The Romance of History. Spain,* aparecido en Londres en 1830, y que incluso adoptase el orden cronológico en que Trueba presenta sus episodios en este libro para hacer lo mismo más tarde con sus *Romances históricos.* No obstante, trata la muerte de don Fadrique de modo tan diferente al de Trueba que no hay puntos de contacto entre ambos.

También el mismo crítico atribuye a *The Castilian*[27], otra novela de Trueba sobre don Pedro el Cruel, el origen de las idas y venidas del monarca por Sevilla, el desfile de víctimas y el característico sonido de las «canillas y choquezuelas» del rey[28]. Aquí, Rivas sigue con fidelidad la *Crónica de don Pedro I* (Año 9, capítulo III), de Pedro López de Ayala[29] y tan sólo se aparta de ella al final, para mayor dramatismo, cuando deja agonizante al Maestre por unas horas.

En el exilio parisino, recuerda el poeta con melancolía la Sevilla de jardines y alamedas, y su emocionada evocación del Alcázar sirve de fondo a la figura del rey don

---

[27] *The Castilian* (Londres, 1829), en 3 vols. El rey don Pedro interesó tanto a Trueba y Cosío que, además de esta novela, le dedicó dos episodios en *The Romance of History* («A Legend of Don Pedro» y «The Master of Santiago», ya citado) y un drama, *The Royal Delinquent,* hoy perdido, que se presentó en Londres, en el Royal Victoria Theatre los días 10, 11 y 15 de enero de 1834. Véase mi libro *Don Telesforo de Trueba y Cosío (1799-1835). Su tiempo, su vida y su obra,* Santander, Institución Cultural de Cantabria, 1978.

[28] Boussagol duda que Rivas conociera directamente los *Anales de Sevilla* de Zúñiga, y sospecha que el detalle de las choquezuelas, tan sólo citado por este cronista, se lo sugirió una nota en *The Castilian.* Aunque Trueba menciona a Zúñiga (nota 11, págs. 114, vol. I, ed. citada), ni en esta nota ni en el texto alude a tal detalle. No obstante, al enjuiciar «Una antigualla de Sevilla» (páginas 287-289), Boussagol afirma que en esta ocasión Rivas «avait parcouru Zúñiga en entier» y más adelante vuelve a referirse a la nota 11 en *The Castilian,* «oú Trueba résume l'anecdote du "candil" d'apres les *Anales de Sevilla* de Zúñiga, qui deviendront la source fondamentale du romance de Rivas: Trueba l'a mis sur la voie».

[29] En su edición de los *Romances* (Madrid, 1911), Cipriano Rivas Cherif da detalladas notas, tanto de fondo histórico como acerca de los cronistas e historiadores en los que se basan estas narraciones.

Pedro de cuya novelesca historia son tres capítulos los tres *Romances históricos* que le dedica.

EL FRATRICIDIO

Cuatro romances: I, 72 versos en -*ó;* II, 140, *ú-o;* III, 136, *é-a* y IV, *ó-o.* Total, 468 versos.

Este romance, cuyo primer título era *El castillo de Montiel,* fue leído en el Liceo de Sevilla el 15 de junio de 1838 y publicado luego en la *Revista de Madrid,* II (agosto de 1838), 86-97. La fuente del romance I es la mencionada *Crónica de don Pedro* de López de Ayala (capítulo IV, año 20); la del II, varios elementos dispersos en *The Castilian;* y el III, que describe las pesadillas nocturnas del rey, lleva como nota al verso 321 una cita de Shakespeare: «A horse! A horse! My kingdom for a horse!» *(King Richard III,* acto V, escena IV). Esa nota figura en la primera edición de los romances, lo cual hizo pensar a Rivas Cherif en una influencia directa del dramaturgo inglés sobre Rivas[30]. Boussagol advierte, sin embargo, que Trueba encabeza el capítulo XII de *The Castilian,* II, con idéntica cita y que en el XI, «The Dream», del tomo III, describe asimismo el angustiado sueño del rey. Aunque la fuente del último romance continúa siendo Ayala, Saavedra adjudica a Du Guesclin el papel de traidor, en lo que sigue al padre Mariana, único que lo vio de este modo.

En el romance II destacan la caótica escena nocturna en el castillo de Montiel, y la descripción de su presente ruina. Notable es también la pesadilla de don Pedro, en el III[31]. Aunque termina siendo víctima de su propia vio-

---

[30] También recoge la cita Ochoa, quien reproduce este romance en *Apuntes para una biblioteca de escritores españoles contemporáneos en prosa y en verso,* II (París, Baudry, 1840). Lo dedicado a Rivas ocupa las págs. 694-704.

[31] Con excepción de las ediciones de Madrid y de París, ambas de 1841, en

lencia, en ésta y en otras ocasiones, don Pedro se nos presenta cruel pero desgraciado, atrabiliario pero amante de la justicia y consciente siempre de su dignidad de monarca.

DON ÁLVARO DE LUNA

Cuatro romances: I, 180 versos en *é-o;* II, 140, *í-o;* III, 184, *ú-a* y IV, 160, *é-a*[32]. Total, 592 versos.

Entre las crónicas de la vida y muerte de don Álvaro de Luna que utilizó Rivas están la *Crónica del Cardenal González de Mendoza. Apología de D. Álvaro de Luna.* Parte V, de Pedro Salazar de Mendoza; la *Crónica de D. Álvaro de Luna,* de autor anónimo; la *Crónica de D. Juan II,* año 1453, cap. II de Fernán Pérez de Guzmán y, en particular, el *Centón epistolario,* superchería que corrió mucho tiempo a nombre del bachiller Fernán Gómez de Ciudarreal. Quizás la idea de tratar este asunto le viniera de Quintana, cuya *Vida de don Álvaro de Luna,* también basada en el mismo *Centón,* apareció en 1833, ya que Rivas dio fin a este romance en París y en el mismo año[33].

Destacan aquí la escena costumbrista inicial, la descripción de la comitiva, en la que contrastan los colores que viste el Maestre con el blanco y negro de sus acompañantes; severidad y luto que se repite más adelante con motivo del cortejo camino del cadalso.

El de Luna es «un cristiano, un caballero, / un hombre de fe y de alcurnia» que pasa por el romance como una imagen de resignado infortunio. Cada vez más cerca-

---

todas las demás el Romance III aparece privado de los últimos veinte versos. Véase «Nuestra edición», págs. 71-72.

[32] Fechado por la edición de 1854 en «París, 1833».

[33] *Vidas de españoles célebres,* III (Don Álvaro de Luna y fray Bartolome de las Casas), Madrid, Imprenta Real-Miguel de Burgos, 1833.

no su fin, crece en dignidad y estatura moral, mostrándose superior a cuantos le rodean y al mismo rey —«¡Grande mal es la flaqueza / en hombre que cetro empuña!»—, quien es víctima de su falta de ánimo y de su impotencia.

Hasta el espléndido final, sigue el poeta muy de cerca el supuesto relato de Ciudarreal, aunque haya substituido el puñal de la *Crónica* y de los romances por un hacha, más efectista y más noble, que pone fin a la vida del Condestable.

RECUERDOS DE UN GRANDE HOMBRE

Seis romances: I, 136 versos en *í-a;* II, 296, *é-a;* III, 388, *á-a;* IV, 248, *é-o* y VI, 153, *ú-o.* Total 1409 versos.

Lo mismo que *Recuerdos de un veterano,* va fechado en Gibraltar y en 1837, durante el segundo exilio de Rivas, y es el más extenso de todos los *Romances históricos.* Cuenta la historia de Colón desde su llegada a la Rábida hasta el descubrimiento de la tierra americana. Fuente principal es la *Vida y viajes de Cristóbal Colón* de Washington Irving, a la que se pueden añadir los recuerdos que el propio Rivas guardaba de Córdoba y de los alrededores de la Rábida. El episodio final (IV) nos recuerda otra composición suya, «Cristóbal Colón» («Un mar desconocido ronco brama...»), fechada en Londres en 1824[34].

Por más que este romance sea fiel a la historia, tal como la cuenta Irving, y rebose entusiasmo patriótico, no me parece de los más felices. La detallada y extensa narración en verso de los infortunios de Colón termina por hacerse fastidiosa y llega a perder interés tras algunos cientos de versos. Brillantes son las descripciones de Cór-

---

[34] Jorge Campos, *Obras completas del Duque de Rivas,* I (Madrid, 1957), página 501.

56

doba en tiempo de guerra (III), del gabinete de la reina
Católica (V) y del largo temporal que padecen los descu-
bridores (VI).

Un embajador español

Dos romances: I, 100 versos en *á-a;* II, 80, *-é.* Total,
180 versos.

Es el primero, cronológicamente, de los romances que
dedicó a las guerras de Italia y relata un hecho histórico:
en 1494 Carlos VIII de Francia, en flagrante violación
del tratado con España de no atacar al Papado, invadió
los Estados Pontificios a pesar de los ruegos de Alejandro VI.

No hay apenas descripciones. Rivas cuenta muy bien y
con soltura la entrevista de don Antonio de Fonseca, embajador de los Reyes Católicos, con el monarca francés.
El «fatuo orgullo» de éste no puede vencer la determinación del embajador, quien se mantiene hasta el fin «con
respeto y firmeza», dos conceptos que definen la actitud
del personaje.

El cura de los Palacios[35], cuyo relato sirve de fuente
para este romance, escribe que Fonseca, ante las burlas
del rey, hizo pedazos el tratado y se inclinó luego ante el
monarca. Rivas Cherif cita un romance de Gabriel Lobo
Laso de la Vega («Entre el rey Carlos de Francia...»),
núm. 1027 del *Romancero* de Durán, en el que Fonseca,
además de romper el tratado, saca la espada, «Con esta
pluma / mi rey firmará el contrato», le atacan los nobles
franceses y el soberano ha de poner paz.

---

[35] *Crónica de los Reyes Católicos,* caps. CXXXVII y CXXXIX.

La buenaventura

Cuatro romances: I, 112 versos en é-o; II, 160, í-o; III, 312, í-a y IV, 20, ó-e. Total, 604 versos.

Fechado el 13 de julio de 1838, apareció al año siguiente en la *Revista de Madrid*. Su fuente es la *Crónica* de Gómara[36] aunque Boussagol añada, con reservas, que quizás utilizase también *Life of Hernán Cortés* de Trueba y Cosío[37].

Trueba sigue fielmente a Gómara, y en cualquiera de los dos que se inspirase, Rivas centra su atención en el joven Cortés, personaje soñador y exaltado que marcha a las Indias impelido por un destino ineludible, tan glorioso como desgraciado, que le predijo la hechicera de Sevilla. Como en otros momentos felices, el autor se aparta de la historia y prefiere la conseja que no pone límites a lo maravilloso.

La muerte de un caballero

Escrito entre fines de 1839 y principios de 1840, juntamente con «Amor, honor y valor» y «La victoria de Pavía», es el primero de los tres en orden cronológico.

Un solo romance de 116 versos, con rima en é-o, cuenta la muerte del caballero Bayardo (1473-1524), a quien, según la *Histoire de Bayart* (capítulos LXIV y LXV)[38] en una retirada de los franceses hirió una bala

---

[36] Francisco López de Gómara, *Segunda parte de la Crónica General de las Indias que trata de la Conquista de Méjico.*

[37] Edimburgo, Constable & Co., 1829, cap. I, págs. 29-38.

[38] *Nouvelle collection des mémoires pour servir a l'histoire de France depuis le XIIIe siècle jusqu'a la fin du XVIIIe*, MM. Michaud et Poujoulat, tome IV (Lyon, Guyot Frères, 1851).

salida «de oscuro arcabuz». Murió al cabo de dos o tres horas, rodeado de amigos y enemigos, entre ellos el marqués de Pescara. Los españoles le prepararon un lecho de campo y allí se confesó y murió. En su versión, Rivas describe una enconada escaramuza en la que cae Bayardo y «el mismo Pescara llega / de llanto el rostro cubierto» a recogerle en sus brazos. El moribundo pide perdón a Dios, ensalza a su rey, a su patria y a los soldados españoles, «hijos de la nación más grande».

El retrato de Bayardo a caballo es de los más briosos que ha hecho Rivas, a quien fascina este prototipo de caballeros. En cuanto al estilo, aún quedan ecos de fraseología dieciochesca: el alma que vuela a tomar «entre los héroes asiento», y el cadáver, «de lauro inmortal cubierto», son buenos ejemplos de ello.

Amor, honor y valor

Tres romances: I, 240 versos en *é-o*; II, 172, *í-o* y III, 124, *é-a*. Total, 536.

Basado en la *Historia de la vida y hechos del Emperador Carlos V* (libro XII, partes xxv, xxvi, xxvii) de fray Prudencio de Sandoval, texto que Rivas sigue muy a la letra, incluso en la descripción particular de los caballeros del ejército imperial. Entre ellos, destaca el Condestable de Borbón presente en este romance, en «La victoria de Pavía» y en «Un castellano leal». Era segundón del duque de Montpensier y primo de Francisco I, con quien se enemistó. Sirvió a Carlos V, quien le apreciaba mucho aunque tanto los españoles como los franceses le detestaron por luchar contra su rey natural.

Mientras «La victoria de Pavía» es una descripción global, centrada luego en la figura del rey francés, aquí los preparativos para la batalla son prólogo y telón de fondo para la historia sentimental de un personaje secundario. Aunque le interese más la anécdota que el «episodio nacional», prosigue Rivas también la alabanza del ejército español, comenzada en el romance de Bayardo y que culminará con «La victoria de Pavía».

En III, tienen lugar los esponsales en el mismo campo de batalla y en presencia del ejército cuando ya silban saetas y balas. Se aparta así del relato de Sandoval, más verosímil aunque menos efectista, donde la boda es al amanecer y concluye cuando «ya comenzaban los atambores a la orden».

LA VICTORIA DE PAVÍA

Cinco romances: I, 320 versos en *ó-e*; II, 172, *é-o*; III, 180, *á-e*; IV, 152, *í-a* y V, *á-o*.

Sin dejar de atenerse a Sandoval, el poeta cuenta los hechos mezclando colores, elementos realistas e hiperbólicas imágenes. Destaca la magnificencia de los franceses, mandados por Francisco I, con gran golpe de caballeros, lucida artillería y poderosos aliados, «dos veces más numerosos» que los Tercios y gente de España, de pobre aspecto. Tal contraste entre los enemigos y en especial las galas del rey francés —cuyas elaboradísimas y soberbias armas y divisas describe con detalle—, hacen más heroica la victoria total de los imperiales al mando del marqués de Pescara, valeroso y sin pretensiones. A pesar de la gran inferioridad numérica, los españoles se imponen por su táctica y arrojo, y la derrota de los franceses, tan orgullosos antes, es completa.

Respetuoso siempre con los reyes, tiene palabras de elogio para el de Francia, bien que describa, también sin ahorrar detalle, su apresamiento y despojo por unos soldados. Tan estrepitosa caída le dicta las acostumbradas consideraciones morales sobre las «inconstancias de fortuna».

Resalta el aspecto caballeresco de esta guerra: Pescara es modelo de respeto y generosidad mientras que Francisco I, «esforzándose orgulloso / en dar a su faz sonrisa» va siempre «gallardo ... afable» y «risueño».

Añade al final unos recuerdos de juventud: siendo guardia de Corps y pocos días antes de comenzar la guerra de la Independencia, en abril de 1808, hubo de escoltar la espada que Francisco I perdió en Pavía (¡y que, dicho sea de paso, no era la auténtica!), devuelta por el gobierno español a los franceses. Galofobia y odio a Napoleón quedan compensados por el recuerdo de la victoria de Bailén, mayor que la de Pavía en el sentir de Rivas, quien le dedicará luego otro romance.

Un castellano leal

Cuatro romances: I, 40 versos en -*á;* II, 96, *e-o;* III, 108, *é-a* y IV, 40, *é-o.* Total, 284 versos.

No se conoce la fecha en que fue compuesto este romance, relacionado también con las guerras de Italia, pues uno de los protagonistas, el duque de Borbón, vencedor en Pavía, acude a Toledo para entrevistarse con el emperador.

Sin duda, es este el más popular entre los romances de Rivas y no sin razón: en menos de 300 versos, relata el enfrentamiento del duque de Borbón y el conde de Benavente, encarnación de la raza, quien resuelve de modo ejemplar el conflicto moral que le plantean la obediencia a su rey por un lado y el sentimiento de la libertad y el honor por otro.

Advierte Rivas Cherif que algunos historiadores como Guicciardini y Gonzalo de Illescas recogieron este suceso, aunque luego el conde de Cedillo, apoyándose en el testimonio de Gonzalo Fernández de Oviedo afirmó que, durante su estancia en Toledo, el duque de Borbón se hospedó en casa del conde de Cifuentes[39].

Destacan aquí el tan popular romance II («En una anchurosa cuadra...») con la descripción de Carlos V, según el lienzo de Tiziano que se guarda en el Museo del Prado; y el III, también con un retrato notable del conde de Benavente[40].

El solemne desengaño

Va fechado en «Madrid, 1838» y consta de cinco romances: I, 236 versos en *é-o;* II, 184, *í-o;* III, 360, *é-a;* IV, 148, *í-a* y V, 236, *é-e.* Total 1164 versos.

Aunque Rivas sigue fielmente la *Vida del Grande San Francisco de Borja* del cardenal Álvaro de Cienfuegos, señala Boussagol que la fuente primera sería «El marqués de Lombay», una fantasía en prosa de Mariano Roca de Togores, que apareció en el *Semanario Pintoresco*[41]. Aunque éste se basó también en Cienfuegos, introdujo ciertos elementos novelescos, alguno de los cuales usó Rivas.

El romance tiene grandes aciertos: el paso del impresionante cortejo por las aldeas y caminos de España (IV), las exequias a la luz de los blandones, reflejada «en los ojos y en los dientes / de un enjambre de cabezas» y, sobre todo, la apertura del féretro. La desilusión de San

---

[39] Pietro Guicciardini, *Historia de Italia* (libro XVI); Gonzalo de Illescas, *Segunda Parte de la historia Pontifical y católica*, libro VI (Salamanca, 1573); conde de Cedillo, *Discurso de recepción en la Real Academia de la Historia. Ilustraciones y documentos. Una tradición infundada.*

[40] Acerca del españolismo del conde de Benavente, cfr. Rivas Cherif, *Romances*, II, pág. 14, nota 164.

[41] «El Marqués de Lombay», *Semanario Pintoresco* (1836), 121-125.

Francisco de Borja da ocasión a Rivas, tan dado a moralizar, para hacerlo en grado extraordinario y sus intervenciones sentenciosas pretenden mostrar «Lo malo que es el mundo», título del último romance.

UNA NOCHE DE MADRID

Cinco romances: I, 164 versos en *i-a;* II, 116, *ó-e;* III, 92, *á-a;* IV, 132, *ó-a* y V, 40, *é-o.* Total, 544 versos.

Se ignoran tanto la fecha de composición como las fuentes, pero Boussagol supone este romance posterior a la estancia de Rivas en Gibraltar en 1837, y que tanto Trueba y Cosío como una narración anónima aparecida en el *Semanario Pintoresco* en 1838, serían las fuentes posibles[42]. Ni pienso que Boussagol recordara bien «The Secretary Perez» de Trueba, ni creo que Rivas lo tomara por modelo, ya que su versión contrasta con la del autor de *Romance of History,* donde Escobedo es un intrigante y Antonio Pérez un brillante joven enamorado de la princesa, que le corresponde[43]. Doña Ana de Mendoza y la Cerda, de gran belleza e hija única de los condes de Mélito, casó muy joven con el noble portugués Ruy Gómez de Silva. Éste sirvió fielmente a Carlos V y a Felipe II quien le hizo Grande de España, consejero de Estado, príncipe de Éboli y duque de Pastrana. Doña Ana tuvo una vida apasionada y turbulenta y Rivas Cherif recoge los conflictivos testimonios de los historiadores acerca de sus relaciones amorosas con Felipe II, con Escobedo y con Antonio Pérez[44]. Rivas describe al último como un advenedizo intrigante, mientras que Escobedo, secretario

---

[42] Se trata de «Antonio Pérez (1577-1596)», *Semanario Pintoresco* (1838), 448-451 y 456-460.

[43] Vol. III, «The Secretary Pérez», págs. 229-270.

[44] Cfr. las notas de Rivas Cherif en II, págs. 23-48.

y amigo de don Juan de Austria, comparte con éste las simpatías que en el poeta despiertan siempre los personajes con mala estrella.

Felipe II es un ser diabólico y lo presenta, como le retrató Pantoja, inquietante y funesto, aunque ni le colma de diatribas ni exagera sus maquinaciones.

El romance IV es excelente: Felipe II, «los ojos, cual de raposa», aterroriza a la princesa al tiempo que, agorera, «entra la brisa en la sala, / agita las luces todas, / y a su ondulación parece / que todo se mueve y borra». A poco de sonar las Ánimas, entra Pérez y la de Éboli reconoce aquella cartera verde con una melodramática gota de sangre fresca. No hace falta decir más.

La narración comienza con la presentación de los personajes y termina dando cuenta de su fin: asesinato de Escobedo, muerte de Pérez en el exilio, y del rey en la senilidad; los tres —y aquí Rivas da una zapateta inesperada— se habrán encontrado en el infierno.

El conde de Villamediana

Cuatro romances: I, 228, *á-o;* II, 212, *á-a;* III, 235, *ó-e* y IV, 240, *é-o.* Total, 880 versos.

Terminado en París en la segunda mitad de 1833, cuenta la misteriosa muerte de don Juan de Tasis, conde de Villamediana, poeta e ingenio cortesano de accidentada carrera política. Su fortuna varia le vio perseguido por Felipe III y en favor del IV hasta ser alcanzado por una muerte repentina y violenta. Ni los contemporáneos ni los historiadores están de acuerdo en las causas aunque coinciden en que el difunto no supo ocultar su pasión por la reina[45] y que fue tan detestado como temido por su maledicencia.

---

[45] Curiosamente, como ha demostrado Alonso Cortés, Villamediana era ho-

Aquí es el conde un galán caballero, justador y poeta aunque predestinado por la imposibilidad de sus amores. Triunfos y muerte suceden en un mismo día, el del cumpleaños del rey, cuando la villa arde en fiestas. Por la mañana, toros, donde se luce don Juan; máscaras y cañas por la tarde. Jefe de una cuadrilla es Villamediana, y su indiscreta divisa, la causa de su desgracia.

En el sarao, lleno de color y vida, el poeta junta a los ingenios del tiempo: Lope, Quevedo, Góngora, Paravicino, el mismo Villamediana, Melo y Velázquez, y deja sin nombrar a potentados y cortesanos, gente del momento, condenada al olvido.

Rivas atribuye a Felipe IV el fin del conde y lo enriquece con detalles tan teatrales como la conversación entre la sorprendida esposa y el rey, o el episodio del ballestero oculto. Este es uno de los romances donde moraliza más, pues le dan ocasión a ello la despreocupación de una España al borde de la catástrofe, y la confiada soberbia de Villamediana.

EL CUENTO DE UN VETERANO

Escrito en 1837, tiene una «Introducción» de 68 versos asonantados y seis romances: I, 104 versos en *á-a;* II, 148, *ó-a;* III, 124, *á-o;* IV, 156, *á-e;* V, 296, *í-o* y VI, 144, *ú-a.* Total, 1140 versos.

La acción tiene lugar a mediados del siglo XVIII durante la guerra de Sucesión de Austria (1741-1748), en la que intervino Felipe V junto con Nápoles y Francia en

---

mosexual y, a raíz de su muerte, varios de sus servidores fueron condenados a la hoguera por su «pecado nefando». Narciso Alonso Cortés, *La muerte del Conde de Villamediana,* Valladolid, 1928, págs. 79-83. Sobre la producción literaria del conde, véase Villamediana, *Obras,* Edición de Juan Manuel Rozas, Madrid, Clásicos Castalia, 1969.

contra de los austriacos. Se recordará que en esta misma guerra sirvió también don Álvaro *(Don Álvaro o la fuerza del sino*, jornadas III y IV), a quien Saavedra hizo asistir a la batalla de Véletri como capitán de Granaderos.

Tanto Enrique Gil como Valera, para quien era «un primor de cuento», gustaron mucho de este romance, de tan misteriosa y evocadora estirpe romántica[46]. No pensaba lo mismo el padre Blanco García, para quien era una «repugnante galería de escenas nocturnas, amores sacrílegos y venganzas femeninas, cuyo teatro no quiso el poeta que fuese España»[47]; Azorín, más tarde, valiéndose del recurso que usó para criticar *Don Álvaro*, lo juzgaba dechado de lo inverosímil e incoherente[48].

No hay que pedir lógica a consejas contadas junto al fuego; el poeta refiere la aventura de don Juan Enríquez de Lara sin digresiones, y graduando el desarrollo de la trama de tal modo que, cuanto más se complica, más interés despierta en los lectores. El protagonista comparte las virtudes y los defectos propios del tipo donjuanesco. Rico, gallardo y valiente parecía «un caballo sin freno, / un demonio en carne humana» al que sólo detuvo momentáneamente el temor al sacrilegio. Pueden más el deseo de aventura y el temor a pasar por cobarde que el respeto a la clausura. Una vez en la celda de la linda monja, el «audaz libertino» intenta la seducción con la técnica acostumbrada: «Un volcán arde en mi pecho... delicioso martirio... vos, sola vos...», sin sospechar todavía que el seducido ha sido él. Destacan aquí esta escena en la celda, así como la magistral ambientación del entierro nocturno a la luz de un farol.

---

[46] Enrique Gil, *Obras completas*, «Romances históricos por D. Ángel Saavedra, Duque de Rivas» (Madrid, 1954), pág. 515; Juan Valera, *Crítica literaria*, pág. 743.

[47] *La literatura española en el siglo XIX*, I, pág. 148.

[48] *Rivas y Larra* (Madrid, 1947), págs. 17 y ss.

Azorín hallaba en este romance influencias de la *Colomba* de Merimée, aparecida en 1840. La monja parmesana, obsesionada por vengar el honor familiar tiene no pocos puntos de contacto con ella y pienso que también un parentesco con esas mujeres llenas de arrestos, tan corrientes en nuestra literatura, que se visten de hombre, salen a los caminos y toman venganza de quienes mancillaron su honor[49].

BAILÉN

Tres romances: I, 108 versos en *á-a;* II, 120, *ó-o* y III, 186, *ú-o.*

Aunque la fecha es de Sevilla, el 3 de agosto de 1839, veinticinco años después de terminada la guerra de la Independencia, Rivas canta la victoria de Bailén con el mismo entusiasmo patriótico y el mismo sentimiento antinapoleónico y antifrancés de los años mozos.

No ha existido crítico que gustase de este romance con excepción de Cueto, el cual, sin embargo, advertía que estaba «frisando en la oda»; para Juan Valera, tanto éste como los de Pavía no pasaban de ser intentos épicos de corto vuelo.

En efecto, Bailén se quedó a medio camino entre la simple narración y el canto heroico, abunda en los mismos clichés neoclásicos que usaba Rivas durante su juventud y, lo que es peor, se nos antoja trasnochado después de haberse escrito tantos himnos a la Libertad, denuestos contra la Tiranía y cantos patrióticos de todo tipo.

---

[49] En el *Romancero* de Durán hay varios romances acerca de mujeres principales que, impulsadas por la venganza, se convierten en seres desalmados y temibles. Cfr. «Doña Josefa Acevedo» (núm. 1327); «Doña Juana Ramírez» de Pedro de Fuentes, I y II (1328 y 1329) y «Espinela» (1330).

LA VUELTA DESEADA

Dos romances: I, 112 versos en *i-a;* II, 196, *é-o.* Total, 308 versos.

No hay datos seguros sobre el lugar y fecha de composición de este romance, uno de los cinco publicados en 1834, y que, como «El sombrero», conserva el sabor de los tiempos en el exilio[50]. Andan de por medio «cartas trazadas con llanto, / cartas con el alma escritas» en seis años de emigración, y también vuelve un hombre en busca de su amada. El final tiene fuerte colorido romántico: el cadáver de este hijo del siglo, emigrado y amante, flota Guadalquivir abajo, «a la luz de escasa luna», camino del olvido[51].

Tanto Menéndez Pelayo como Pedro Salinas advirtieron el papel precursor de Meléndez Valdés con sus romances de «Doña Elvira»[52] y la situación no deja de tener cierta semejanza: la misma mezcla de recuerdos, deseos y temores; con los malos agüeros y el desastrado final.

EL SOMBRERO

Tres romances: I, 140 versos en *á-a;* II, 84 en *é-o;* III, 108 en *é-a.* Total, 332 versos.

Compuesto probablemente en Tours en 1833 y publicado un año después en la primera edición de *El moro ex-*

---

[50] También inspiradas por la emigración son las poesías «El desterrado» (Gibraltar, 1824), «El sueño del proscrito» (Londres, 1824) y «El faro de Malta» (Malta, 1828).

[51] Para Azorín sobraba el suicidio y pensaba que habría sido mejor haber dejado a los lectores «en la incertidumbre inquietante respecto al destino de ese simpático personaje», *Rivas y Larra,* pág. 17.

[52] Pedro Salinas, *Meléndez Valdés. Poesías* (Madrid, 1965), pág. L.

pósito. Tres romances, «La tarde», «La noche» y «La mañana», ilustran la historia de una esperanza ilusionada al principio, combatida luego y trágicamente disipada con el amanecer.

Este romance, que es uno de los más logrados del autor, tiene por escenario las playas andaluzas cercanas al Peñón. Sabido es que en Gibraltar buscaban asilo los españoles perseguidos por sus ideas políticas y cómo don Ángel Saavedra se refugió allí en varias ocasiones.

Mar y cielo son barrunto de una tempestad que se prepara al anochecer, estalla en la oscuridad y cesa con la mañana, paralelamente a las esperanzas de Rosalía. La acción está sustituida por la conmoción de la naturaleza, las velas del guardacostas, un toque de ánimas agorero y aquel ruido de cañonazos que culminan con el sombrero traído por las aguas. La playa queda vacía; la calma y la soledad indican la tragedia mejor que cualquier descripción. El mar ha sido «lecho nupcial» de un hombre y una mujer constantes hasta la muerte.

Junto con «La vuelta deseada» y «El cuento de un veterano», Valera clasificó este romance como «de pura fantasía» y sus protagonistas, gente particular, de clase media o humilde, le recuerdan la *Evangelina* de Longfellow y *Herman y Dorotea* de Goethe, aunque da prioridad a los romances por su mayor fuerza dramática. «El sombrero» —escribe— podría servir de modelo al *pequeño poema,*

> donde el terror trágico, la compasión y el interés profundo por desventuras y afectos humanos no se infundan en el ánimo del lector con disertaciones y lamentaciones líricas sino con la sencilla narración de hechos atinadamente referidos, ordenados y puestos de realce[53].

---

[53] *Crítica literaria*, pág. 743.

Y tras citar a Cañete, para quien tanto «La vuelta deseada» como «El sombrero» no eran más que «historias dul-
cemente melancólicas», Azorín afirma que «no ha hecho
Rivas nada más honda y desesperadamente trágico que
esos romances»[54].

[54] *Rivas y Larra*, pág. 70.

Nuestra edición

La primera edición de los *Romances históricos* lleva fecha de 1841, y simultáneamente aparece en Madrid, estampada en la Imprenta de Vicente de Lalama, y en París, a nombre de la Librería de Vicente Salvá. Hemos cotejado ambas impresiones, y no difieren sino en los inevitables errores tipográficos que hacen perceptibles la lectura y la comparación de ambos textos. Se han subsanado estos defectos y actualizado la ortografía y puntuación. Los romances van ordenados del mismo modo en que aparecieron en las ediciones de 1841.

Cinco de estos *Romances*, «La vuelta deseada», «el sombrero», «El conde de Villamediana», «Don Álvaro de Luna» y «El Alcázar de Sevilla», se habían publicado ya, junto con *El moro expósito* (París, Librería Hispano-Americana, 1834); las variantes que ofrece tal impresión se registran con el indicativo *1834*. La primera edición de sus *Obras completas* tuvo lugar en vida del autor (Madrid, Imprenta de la Biblioteca Nueva, 1854-1855); los *Romances históricos* se recogieron en el tercer volumen y presentan algunas variantes que se consignan con la indicación *1854*.

Señalaré, como caso curioso, que durante el proceso de impresión de estas *Obras completas* desaparecieron los veinte versos que rematan el romance III de «El fraticidio». Es de presumir que quien preparó la edición se valiese, para los *Romances históricos,* de la versión de Madrid, 1841; en ella el verso 348 («Haga el cielo lo que quiera») es el último de la página 59, pasando los veinte versos finales a la página 60. Éstos debieron de quedar inadvertidos para los tipógrafos, y como el hilo del relato no quedaba truncado y el verso 348 parece un final oportuno, ni correctores ni lectores se apercibieron de la omisión, que, naturalmente, queda hoy salvada.

Más notable nos parece que ni Allison Peers, Boussagol y demás críticos, ni la generalidad de los sucesivos editores repararan en tal anomalía, deduciéndose por las apariencias que todos manejaron la edición defectuosa de 1854, o cualquiera de sus derivadas, y no la primera de París o Madrid. Este parece ser el caso de las impresiones siguientes: *Obras completas* (Barcelona, Montaner y Simón, 1884-85); *Romances históricos* (Madrid, Imprenta de la Correspondencia de España, 1885-86); *Obras completas* (Madrid, Sucesores de Rivadeneyra, 1894-1904); *Romances* (Madrid, Clásicos Castellanos, 1911-12); *ibid.* (Madrid, Austral, 1938); *Obras completas* (Madrid, Aguilar, 1945 y reimpr. de 1956) e *ibid.* (Madrid, BAE, 1957).

Del Duque de Rivas se han ocupado principalmente Gabriel Boussagol, al que se deben los estudios más exhaustivos sobre su vida, obra y bibliografía; E. Allison Peers, quien le dedicó varios trabajos críticos y Cipriano Rivas Cherif, autor de una edición de los *Romances* acompañada de valiosas notas. Mucho más recientes son dos artículos que dan una excelente visión de conjunto de esta obra: «Le Duc de Rivas et la resurgence du Romancero» de Albert Derozier, y «The *Romances* of the Duque de Rivas» de N. D. Shergold.

Bibliografía

OBRAS DEDICADAS AL DUQUE DE RIVAS

ADAMS, N. B., «The Extent of the Duke of Rivas' Romanticism», *Homenaje a Rodríguez-Moñino*, I (Madrid, 1966), 1-7.

AZORÍN, *Rivas y Larra. Razón social del Romanticismo en España*, Buenos Aires-México, Espasa-Calpe, Austral, 1947.

BILLICK, David J., «Ángel de Saavedra, Duque de Rivas: A Checklist of Criticism, 1927-1977», *Bulletin of Bibliography*, vol. 36, núm. 3, 113-118.

BOUSSAGOL, Gabriel, «Ángel de Saavedra, Duc de Rivas. Essai de Bibliographie critique», *Bulletin Hispanique*, XXIX (1927), 5-98.

— «Rectification et complements», *BH*, XXX (1928), 328-329.

— *Ángel de Saavedra, Duc de Rivas. Sa vie, son oeuvre poétique* (Toulouse, 1926).

CAÑETE, Manuel, *Escritores españoles e hispanoamericanos. El Duque de Rivas*, en *Obras* (Madrid, 1884), págs. 1-148.

CUETO, Leopoldo Augusto de, marqués de Valmar, *Discurso necrológico literario en elogio del Excmo. Sr. Duque de Rivas, Director de la Real Academia Española, leído en junta pública celebrada para honrar su memoria*, por el Excmo. Sr. Académico de número... *Memorias de la Academia Española*, año I, tomo II (Madrid, 1870), 498-601.

FERRER DEL RÍO, Antonio «Excmo. Sr. Duque de Rivas», *Galería de la literatura española*, Madrid, 1846, págs. 97-109.

La Estafeta Literaria, núm. 326 (1965), dedicado al Duque de Rivas.

LIÑÁN Y EGUIZÁBAL, José de, *El Duque poeta*. Separata de la *Revista de Historia y Genealogía Española* (Madrid s/a).

73

LOMBA, José Ramón, *«Rivas and Romanticism in Spain,* by E. Allison Peers...»*, BBMP,* VII (enero-marzo de 1925), 98-104.

LÓPEZ ANGLADA, Luis, *El Duque de Rivas,* Madrid, EPESA, 1972, 97 páginas.

LOVET, Gabriel, *The Duke of Rivas,* Boston, Twayne Publishers, 1977.

MAZADE, Charles de, «Poètes modernes de l'Espagne: Le Duc de Rivas», *Revue des Deux Mondes,* XIII (1845), 321-354.

PASTOR DÍAZ, Nicomedes, «Vida del autor... hasta el año de 1842», en *Obras completas* del Duque de Rivas, I (Madrid, 1894), págs. 1-86.

PEERS, E. A., «Ángel de Saavedra, Duque de Rivas. A critical study», *Revue Hispanique,* 133 (junio de 1923), 1-305; 134 (agosto de 1923), 305-600.

— *Rivas and Romanticism in Spain,* Londres, Hodder and Stoughton, 1923, XVIII + 132 páginas.

SHAW, D. L., «Sobre un aspecto de la lengua poética del joven Rivas: los símiles», *Romanticismò,* 2, Atti del III Congreso sul romanticismo spagnolo e ispanoamericano (Génova, 1984), 74-79.

TEJADO, Gabino, «Escritores contemporáneos: El Duque de Rivas», *El Siglo Pintoresco,* I (1845), 220-225.

TIBBETS, Cullen, «The Theme of Vengeance in the Works of the Duque de Rivas», Master's thesis, Texas Tech University.

VALERA, Juan, «Don Ángel Saavedra, Duque de Rivas», en «Notas biográficas y críticas», en *Obras completas,* II (Madrid, 1942), págs. 1299-1302.

— «Don Ángel Saavedra, Duque de Rivas», en «Crítica literaria», *Obras completas,* II (Madrid, 1942), págs. 716-754.

ESTUDIOS SOBRE EL DUQUE DE RIVAS
EN OBRAS DE CONJUNTO

AZORÍN, *Clásicos y modernos,* en *Obras completas,* XII, Madrid, 1919, «El Duque de Rivas», págs. 55-64 y 268-9.

BARJA, César, *Libros y autores modernos* (Los Angeles, 1933), págs. 100-107.

Blanco García, Francisco, *La literatura española en el siglo XIX,* I (Madrid, 1891), 135-158.

Foster, David William, «Un índice introductorio de los *tópicos* de la poesía romántica: lugares comunes en la lírica de Rivas, Espronceda, Bécquer y Zorrilla», *Hispanófila,* XIII, 1 (1969), 1-22.

Llorens, Vicente, *Liberales y románticos* (Madrid, 1968).

Ochoa, Eugenio de, *Apuntes para una biblioteca de escritores españoles contemporáneos* (París, 1840), págs. 693-704.

Peers, E. A., *Historia del movimiento romántico español,* II (Madrid, 1954), págs. 312-395 et *passim.*

Piñeyro, Enrique, *The Romantics of Spain* (Liverpool, 1934), págs. 40-67.

Estudios sobre los Romances históricos

Coello y Quesada, Diego, «Romances históricos del señor don Ángel de Saavedra, Duque de Rivas», *El Corresponsal,* 10 de febrero de 1841.

Dérozier, Albert, «Le Duc de Rivas et la résurgence du Romancero», *Les Langues Neo-Latines,* 68 (1974), 24-50.

Fitzgerald, Thomas Austin, «National Feeling in the Narrative Poems of the Duque de Rivas», Diss. John Hopkins University, 1940, 245 págs.

Gil y Carrasco, Enrique, «Romances históricos por D. Ángel Saavedra, Duque de Rivas», *El Pensamiento,* I (3.ª entrega, 1841).

Impey, Olga Tudorica, «Apuntes sobre el estilo romancístico del Duque de Rivas», *Actes du XIIIᵉ congrès international de linguistique et philologie romanes tenu a l'Université Laval* (Québec, Canada) du 29 aôut au 5 septembre 1971. Québec: P. de l'Université Laval, 1976, vol. II, págs. 895-904.

Jiménez Martos, Luis, «El Duque de los romances», *Poesía Española,* núm. 150 (1965), 3-4.

Gruppo di Studio della Facoltà di Magistero. Universidad de Génova, «Elecciones léxicas en los *Romances históricos* del Duque de Rivas», *Romanticismo 2. Atti del III Congresso sul Romanticismo espagnolo e ispanoamericano* (Génova, 1984), 80-90.

«Lúculo», «Romances históricos de D. Ángel Saavedra, Duque de Rivas», *El Iris* (1841), 67-69.

Perri, Dennis, «Note on the Sources of "El Alcázar de Sevilla"», *Romance Notes,* núm. 65, 556-559.

— «The Grotesque in Rivas' *Romances históricos*», *Hispania,* 59 (Dec., 1976), 827-834.

Rivas Cherif, Cipriano, Introducción a la edición de *Romances* del Duque de Rivas (Madrid, Clásicos Castellanos, 1911-1912).

Sciarrino, Anne, «The Functions of Nature in the Historical Romances of Angel de Saavedra, the Duke of Rivas», Master's thesis, University of Virginia, 1971, 44 páginas.

Shergold, N. D., «The *Romances* of the Duque de Rivas», en *Studies of the Spanish and Portuguese Ballad,* Ed. N. D. Shergold, Londres, Támesis Books, 1972, págs. 127-139.

Thomas, Florence Lee, «The Legendary and Historical Elements in *El moro expósito* and *Los romances históricos* del Duque de Rivas», Master's thesis, Columbia University, 1934, 83 páginas.

Ediciones de los Romances históricos

El / Moro espósito, / o / Córdoba y Burgos / en el siglo décimo, / leyenda en doce romances / por don Ángel Saavedra. / En un apéndice se añaden la Florinda y algunas otras / composiciones inéditas del mismo autor / ...París, en la librería hispano-americana de la calle Richelieu, número 60, 1834. 2 vols. En el II figuran *La vuelta deseada* (págs. 361-373), *El sombrero* (págs. 375-389), *El conde de Villamediana* (págs. 391-426), *Don ÁLvaro de Luna* (páginas 427-450) y *El alcázar de Sevilla* (págs. 451-475).

Romances / Históricos / de / D. Ángel Saavedra, / Duque de Rivas / París, Librería de D. Vicente Salvá, calle de Lille, núm. 4, 1841. En 8.º, 499 págs. Precedido de un retrato de Rivas y unas hermosas viñetas románticas.

Ídem, Madrid 1841: / Imprenta de D. Vicente de Lalama, / Calle de las Huertas, núm. 8. En 8.º, xxxv + 470 págs.

Ídem, París y México, 1841 (Colección Romántica, 157). Volumen en 12.º que no he podido ver, citado por Palau (283291).

Ídem, Madrid – M. Romeral, editor – Calle de Atocha, número 65, cuarto principal, 1843. 2 vols. en uno, 18$^1/_2$ cms. Edición exactamente igual a la de Lalama, de la que sólo se diferencia, aparte del pie de imprenta, en los tipos de la portada y contraportada.

Ídem, París, Fournier y Ca., 1844, 12.º mayor, 502 págs. («Publicado por D. Vicente Salvá para formar juego con los del *Moro Expósito»,* Palau, 283293).

Incluidos en *Obras completas,* Madrid, Imprenta de la Biblioteca Nueva, calle de las Infantas, núm. 17, 1854-1855. Con «Biografía» por Nicomedes Pastor Díaz, 5 vols. en 8.º. Los *Romances históricos* ocupan el volumen III, publicado en 1854 como «segunda edición».

Ídem, ilustradas con dibujos de Apeles Mestres, Barcelona, Montaner y Simón, editores. Calle de Aragón, núms. 309 y 311, 1855. 2 vols. en 4.º (XVIII, 430 págs y 528 págs.). Edición basada en la de 1854-55.

Romances históricos, Madrid, Imprenta de la Correspondencia de España, 1885-1886, 2 vols. en 8.º (Biblioteca de la Correspondencia de España).

Incluidos en *Obras completas,* «Colección de Escritores Castellanos», Madrid, Establecimiento Tipográfico «Sucesores de Rivadeneyra», Paseo de San Vicente, 20, 1898-1904, 7 vols. en 8.º. Los *Romances* ocupan el vol. 4 (1898), tomo 115 de la colección. Con «Biografía» de Pastor Díaz y una «Reseña biográfica» desde 1842 hasta 1865 por el hijo del autor.

Romances históricos, Madrid, Ibero-Americana (1906?) *(Oro viejo y oro nuevo,* VII). En 16.º, 182 págs., 1 h. (Palau, 183296).

Romances, Madrid, Tip. de «Clásicos Castellanos», 1912, 2 vols. en 8.º (311 y 285 págs.). Introducción de Cipriano Rivas Cherif. Varias reimpresiones.

Romances escogidos. Prologados y recopilados por M. R. Blanco-Belmonte, Madrid, 1916, 8.º, XIV y 352 págs. *(Páginas selectas de Literatura Castellana,* V) (Palau, 283298).

Romances, Espasa-Calpe, Col. Austral, núm. 46, 1938, 332 págs. Varias reimpresiones.

Incluidos en *Obras completas*. Prólogo de Enrique Ruiz de la Serna, Madrid, Aguilar, 1945, 18 cms., cii y 1528 págs.

Romances históricos. Selección, estudio y notas por J. M. Alda Tesan, Zaragoza, *Editorial Ebro*, 1946, 8.º, 125 págs., 1 h. (Clásicos Ebro. Serie Verso, XIX). Varias reimpresiones.

Incluidos en *Obras completas*. Prólogo del hijo del autor y apéndice de Antonio Alcalá Galiano, Madrid, Aguilar, 1956, 2.ª edición de la de 1945.

Ídem. Edición de Jorge Campos, Madrid, *Biblioteca de Autores Españoles*, 1957, 3 vols. (I, LXXI y 559 págs. (los *Romances* ocupan las págs. 311-424); II, 481 págs. y III, 426 págs.).

Romances históricos. Prólogo, selección y notas de José Montero Padilla, Tetuán, Edit. Cremades, 1958 *(Biblioteca Clásicos Bachillerato*, 3).

TRADUCCIONES

«Un' Anticaglia di Siviglia. Romanzo storico». Traduzione libera del C. Bartolommeo Secco Suardo. Milano, Dalla Tipografia di Vicenzo Guglielmini, 1844, 8.º, 28 págs., 1 h. Texto en verso italiano.

Romanze Storiche di Don Angelo Saavedra Duca di Rivas. Tradotte liberamente dalla Lingua Castigliana in verso Italiano dal C. Bartolommeo Secco Suardo. Bergamo, Dalla Stamperia Mazzolini, MDCCCXLVI (1946), 4.º (XV y 89 págs., 1 h.).

Romanzi storici... Versione dallo spagnolo... Napoli, 1846, 8.º, 192 págs. Traducción de Francisco Gómez de Terán y Negrete.

Romances históricos

Prólogo

Sea cual fuere la opinión que se adopte acerca del origen del romance octosílabo castellano, no puede dudarse que se confunde con el de la lengua misma, también llamada *romance*, y que fue el metro propio de nuestra poesía popular más antigua, de la que cantaba el vulgo, y de la que conservaba en su memoria las hazañas, los milagros, los amoríos y todo género de tradiciones. Tenemos muchos compuestos en la más remota antigüedad, ignorándose el nombre de sus autores y, aunque rudos e inarmoniosos, ofrecen sumo interés, y son tan vigorosos en la expresión y en los pensamientos, que nos encanta su lectura; encontrando en ellos nuestra verdadera poesía castiza, original y robusta, hinchando con una lengua naciente, estrecha, insonora y semibárbara. Su efecto es tan grande, como se advierte cuando los oímos intercalados con toda su rudeza y con su antiguo lenguaje, en el diálogo de comedias históricas muy posteriores. Célebres ingenios del siglo XVII dieron con ellos, aunque pertenecientes a época tan inculta y a una literatura tan atrasada, mucho realce a sus composiciones. Luis Vélez de Guevara en su drama titulado *Reinar después de morir*, Cubillo de Aragón en *El rayo de Andalucía* y los autores de *La más hidalga hermosura* lo hicieron así con mucho acierto, ingiriendo en estas comedias, los romances, que muchos años atrás andaban ya en los labios del vulgo, solemnizando, el infortunio de Doña Inés de Castro, la muerte y venganza de los Infantes de Lara y la noble determinación tomada por los castellanos de libertar a su conde Fernán González, preso a traición por el Rey de Navarra. Innumerables ejemplos pudiéramos citar de esto mismo. Y el apoderarse así a la letra de los antiguos romances, para realzar con ellos los dramas históricos ha merecido elogio hasta del severo y clásico Moratín en su obra titulada: *Origen del teatro español.*

El romance octosílabo más acomodado a los oídos y a la memoria del vulgo que los informes y pesados versos del poema del Cid y que los alejandrinos más ataviados y cultos de Gonzalo de Berceo, prevaleció sobre ellos, campeando siempre como verdadero metro nacional. No sólo se cantaban en él hazañas pasadas, sino que se escribían nuevos romances siempre que ocurrían acontecimientos notables y sucesos o hechos de armas, cuya memoria debía conservarse. Y había poetas de profesión en los campamentos de nuestros caudillos, y en las cortes de nuestros reyes, que cantaban en este metro sus proezas y sus conquistas. El glorioso rey San Fernando llevaba en las huestes con que ganó a Sevilla a *Nicolás de los romances,* sobrenombre que le dan las crónicas, y que demuestra cuál era su ejercicio, y ejercicio a que debió repartimiento después de la conquista, entrando a la parte con los guerreros, como poeta de la expedición, en el despojo de la victoria. ¿No recuerda esto la importancia que tuvieron los bardos de los antiguos pueblos del norte, porque eran los que conservaban la historia de sus hazañas?

La consideración que merecían los romances históricos de aquellos siglos, y el crédito y fe que se les daba, se conoce al recordar, que de las tradiciones conservadas en ellos se formaron muchas de las narraciones de las crónicas que se escribieron después. Narraciones que, aun cuando sean de hechos falsos o exagerados, y que por lo tanto hayan sido últimamente arrojados de la historia por la crítica moderna, tienen siempre para nosotros una ventaja inapreciable; la de darnos a conocer las ideas de los siglos en que se escribieron y creyeron.

Los romances más antiguos que poseemos refieren hazañas o milagros y caballerías de la corte de Carlo-Magno, por donde se ve que nuestra poesía tuvo el mismo origen que la de todos los países del mundo: la admiración de los grandes hechos y el entusiasmo religioso. Estos romances antiquísimos tienen la misma estructura con que hoy los hacemos, pues son versos de ocho sílabas, en que los impares van libres o sueltos y los pares rimados con una misma desinencia. Y en esta estructura particular y colocación alternada de la rima, apoya el ilustrado Conde su opinión, que es la más admitida, de que el romance castellano proviene de los versos árabes de dieciséis sílabas, pareados, esto es, rimados de dos en dos; que se escribieron, por ignorancia o de intento, divididos en hemistiquios, y cada uno de éstos en un renglón aparte, resultando la rima alternada y como hoy la colocamos en el romance.

Éstos fueron constantemente escritos en consonante rigoroso y uniforme, lo que les daba un monótono y continuado martilleo muy desapacible. Y en los más antiguos, como escritos en la infancia de la lengua y cuando aún no estaba fijada, los poetas añadían letras y sílabas a las palabras finales de los versos, ya para completar el número, ya para formar el sonsonete. Siendo, ciertamente, muy desagradable y fastidiosa la repetición del mismo sonido cada dos versos veinte o treinta veces, o acaso más, pues algunos de aquellos romances son de bastante extensión; los adelantos de la lengua y del buen gusto produjeron la invención y adopción del asonante. Bien sea éste, como muchos creen, y no sin fundamento, tomado del árabe; bien que se descubriese por mera casualidad;

bien que el deseo de evitar la pesadez de la repetición de un mismo consonante hiciese observar que en nuestra lengua basta la conformidad de las dos últimas vocales de una palabra con la de otra para formar una rima muy distinta y armoniosa. El romance se apoderó exclusivamente de este primor de nuestro idioma, de esta semidesinencia, que luego se introdujo en otros metros, como artificio exclusivo de la versificación castellana, y que, más adelante, admitió el vulgo, con particular y decidida preferencia, en sus seguidillas, tiranas, etc. Pero no hay ejemplo de esta ventajosa innovación anterior al siglo XVI.

Mucho ganó con ella el romance en soltura, facilidad y armonía; como ganó, bien que a costa tal vez de energía y severidad, en orden, gala y corrección, cultivado por los ingenios de aquella época aventajada. Y saliendo del estrecho campo a que estaba reducido, empezó en manos del fecundo Lope de Vega, del lozano Góngora, del portentoso Calderón y de otros buenos ingenios, a prestarse a todo género de asuntos, ya eróticos, ya filosóficos, ya místicos, ya satíricos, engalanándose, con todos los atavíos de la buena poesía. Entonces nacieron los romances *moriscos*, engañándose mucho los que, escasos de erudición, juzgan estas composiciones originariamente árabes. Error que se nota con sólo considerar que ni las costumbres, ni los afectos, ni las creencias, que en ellos se atribuyen a personajes moros, son los de aquella nación, advirtiéndose desde luego que son cristianos enmascarados con nombres y trajes moriscos; moda que produjo muy felices composiciones y que estuvo una temporada tan en boga entre nuestros poetas, que el mismo Góngora, que la ridiculizó festivamente en un romance jocoso, tuvo que obedecer a ella y escribió muchos y muy bellos romances moriscos. Inventados fueron, pues, éstos por los ingenios castellanos, y los que Pérez de Hita introdujo en su *Historia de las guerras civiles de Granada*, compuestos por él, como todo el libro, exornado con narraciones fabulosas. No es esto negar absolutamente que pueda acaso alguno de los romances moriscos de aquel tiempo ser traducción o imitación de alguna antigua composición árabe.

En pos de los romances moriscos vinieron los *pastoriles,* en que fue estremado el Príncipe de Esquilache, y en que perdió aquel metro mucho vigor y lozanía, ganando algo en ternura y en sencillez. El ingenio colosal de Quevedo se apoderó también del romance para la sátira, y le dio en este género un ensanche sin límite y una facilidad sin igual, haciéndolo asiento, no sólo de todas las festivas sales de nuestra lengua, sino de los pensamientos más nuevos y originales y de todas las frases más agudas y festivas de que es capaz idioma alguno.

El romance octosilábico castellano se adoptó muy desde luego por los poetas dramáticos, y en comedias anteriores a Lope de Vega lo vemos ya introducido y continúa hasta nosotros, siendo el metro favorito del teatro. Nuestros antiguos poetas cómicos lo mezclaron con quintillas, redondillas, cuartetas, décimas, octavas, sonetos, liras y aun versos sueltos, mirando como una belleza del drama la variedad de la versificación; pero en Lope, Alarcón, Tirso, Calderón, Moreto, Rojas y demás insignes dramáticos, se observa que emplearon casi exclusivamente el romance para las narraciones. Éste fue luego enseñoreándose completamente de la escena cómica, hasta que se hizo dueño absoluto de ella a fines de siglo pasado, arrojando de su término los demás metros. Castrillón fue el primero de los modernos que restableció el antiguo gusto de variar la versificación en la comedia, y hoy día se ha (en nuestra opinión con muy buen acuerdo) completamente restablecido.

La misma popularidad de que gozó el romance desde su origen por los asuntos que le fueron peculiares, la facilidad que adquirió su composición con la introducción del asonante, la vulgaridad que le dio el diálogo cómico, y la soltura y ensanches que debió, como dejamos dicho, al gigantesco ingenio de Quevedo, lo fueron entregando al brazo seglar de los meros versificadores y de los copleros vergonzantes. Y convertido al fin en su patrimonio exclusivo, murió a sus manos, ya hinchado y ridículamente culto; ya lánguido, trivial y chabacano. Desacreditándose hasta tal punto, que fue últimamente mirado como el verso escrito sólo para el vulgo, y como el que podía permitírsele al vulgo en sus groseras composiciones, y los hombres literatos comenzaron a asquearlo y a desdeñarlo.

En vano Luzán hizo su elogio y demostró su importancia en el renacimiento de la poesía española, a mediados del siglo pasado. En vano Meléndez justificó con su ejemplo la doctrina de aquel erudito, y escribió no sólo romances eróticos y descriptivos, sino también composiciones líricas de un género más filosófico y atrevido en el mismo metro. Y en vano se reimprimieron muchos romances antiguos, con razonados prólogos, tributando al género los elogios más encarecidos: el romance no resucitó. Los ingenios que han honrado nuestro parnaso después de Meléndez, apenas han escrito alguno que otro, ya erótico, ya jocoso, dedicándose exclusivamente al cultivo de los metros italianos. Y los poetas más recientes tampoco han hecho esfuerzo alguno a favor del romance, ya que tantos hacen por resucitar las coplas de arte mayor, y por aclimatar en nuestro suelo los cuartetos endecasílabos con consonantes agudos, que dan a nuestra lengua un giro mezquino, y una canturía, más propios del idioma francés que del castellano.

Es ciertamente extraño que en esta época de ensanche, y acaso de regeneración (en que la poesía, rompiendo los estrechos límites de reglas arbitrarias, aunque respetadas

86

por un siglo entero, pugna por volver a su origen, dejando a un lado la servil imitación de griegos y latinos y buscando inspiraciones propias en épocas más en armonía con las sociedades modernas), no haya renacido con muchas ventajas el romance octosílabo castellano. Pues buscándose en los tiempos feudales y en los siglos caballerescos los asuntos y el colorido de la poesía actual, ningún otro metro podía encontrarse más a propósito, como castizo y original; como nacido en la época misma de los héroes que ahora se celebran; como depósito de esos matices mismos que hoy se buscan con tanto empeño, y como el más adecuado, en fin, por su sencillez, facilidad y soltura, a todos los tonos de la poesía, y, por lo tanto, a los atrevidos, variados y desiguales vuelos del *romanticismo*.

Pero aún más extraño es que en esta época misma, literatos que gozan de justa nombradía, hayan emprendido proscribir *por principios* el romance, como indigno del Parnaso español, y como metro despreciable y chabacano. El primero que ha escrito contra el romance ha sido un extranjero, el alemán Schelegel, el que, sin negarle gracia y gallardía, decide que no es capaz de la poesía digna de elogios y de imitación. Que un extranjero se haya equivocado y sentenciado sin conocimiento de causa, no es de extrañar, pero sí lo es, y mucho, que le hayan seguido y reforzado escritores nacionales, y no ignorantes, por cierto, de nuestra literatura.

En una obra elemental, que anda de real orden en manos de la juventud, se deprime hasta con encono y se ridiculiza hasta con pueril acritud el romance octosilábico castellano, como indigno de la poesía alta, noble y sublime. Se asegura en ella que *aunque venga a escribirle el mismo Apolo no le puede quitar ni la medida, ni el corte, ni el ritmo, ni el aire, ni el sonsonete de jácara.* Y se sienta como positivo, que las más triviales y chabacanas se ocurren inmediata-

Handwritten annotations: "con emono = fiercely", "amor", "harshness", "Mount Parnassus (mountain where the muses lived)"

87

mente a todo español, que lee u oye una o dos coplas de romance, aunque éste sea muy bueno y de asunto muy grave y elevado. Decidir tan absolutamente contra un metro en que tan excelentes cosas se han escrito; que es, sin disputa, la forma en que apareció nuestra verdadera poesía nacional; que se ha amoldado siempre con ventaja a todos los géneros, a todos los tonos, a todos los matices, a todos los asuntos imaginables en manos de nuestros mejores poetas, y que, ya rudo, vigoroso y desaliñado, ya galano y florido, ya tierno y melancólico, ya templado y armonioso, ya jovial y satírico, se ostenta siempre como la mayor riqueza de nuestro parnaso, es un incomprensible atrevimiento, fundado en un aislado capricho que se opone a la opinión general.

Dígase enhorabuena que el romance octosílabo no es a propósito para escribir en él toda una *Epopeya* (si es que a alguien le da en este siglo la mala tentación de escribir alguna); pero excluirlo de la poesía sublime, de la poesía histórica, de muchas partes de la *Epopeya* misma, como las narraciones, las descripciones, las sentencias filosóficas, los cuadros poéticos, cuando tenemos tan excelentes trozos de estas clases escritos por nuestros mejores autores en romance, es demasiado pretender, es arrojársele con suma ligereza a dar una sentencia definitiva que carece de fundamento.

Dice el autor que impugnamos que todo romance recuerda una *jácara* vulgar. ¿Quién que tenga oído y alma recuerda las chabacanadas del vulgo cuando lee u oye el sencillo y sublime romance histórico en que se pinta *al señor de Hita y Buitrago* en la batalla de Aljubarrota, que, viendo a su rey con el caballo muerto, le da el suyo para que se salve de aquel desastre, le recomienda a su hijo y se entra a pie a morir como bueno en lo recio de la pelea?... ¿Quién recuerda las coplas de los ciegos cuando lee el riquísimo romance de Góngora a *Angélica y Medoro*, tan lleno de poesía, de amor, de encanto; o los romances del Cid, muchos de los pastoriles de Esquilache y los tiernos y de estructura lírica de Meléndez? ¿A quién, en fin, se le ocurren esas vulgarachadas, que tan presentes tiene el preceptista, cuando le encantan en el teatro los hermosísimos romances en que el gran Calderón hace sus exposiciones, y en los que todos los géneros, todos los estilos se ven tan maestramente manejados? Y en vano es alegar en contra nuestra el gran número de perversos romances que se han escrito; porque también se han escrito gran número de malísimas octavas, de enrevesados tercetos, de sonetos abominables. Y al que me arguya con los romances de Montoro y de Maruján, yo le opondré las ridículas y extravagantes silvas de Gracián y los desmayados y prosaicos endecasílabos de Iriarte, y no nos quedaremos nada a deber.

Ciertamente, aún no le ha ocurrido a ningún italiano el proscribir los sonoros y fluidos versos cortos cantables, tesoro inagotable de su idioma, y tan cultivado y engrandecido por Metastasio y otros grandes poetas, fundado en que son los mismos que cantan, vulgarizan y achabacanan los copleros improvisadores de las hosterías y de las plazas públicas. Y precisamente en ellos ha escrito el insigne Manzoni una de las odas más altas, sublimes y filosóficas de nuestros días, la que intitula *El 5 de mayo*, y cuyo argumento es la muerte de Napoleón.

Y el francés Béranger, ¿no ha colocado su nombre entre los primeros líricos de este siglo sin escribir más que en los metros más vulgares de su país?

No somos nosotros de los que creen que la poesía consiste únicamente en la forma con que se expresa el pensamiento, atribuyendo todo el encanto de este arte divino sólo a la expresión. Por lo tanto, no damos tanta importancia al metro que busca el poeta para transmitirnos las imágenes de su fantasía y los efectos de su alma. Creemos, sin embargo, que ciertas formas pueden contribuir a aumentar el efecto en algunos casos, y que ciertas armonías pueden excitar más o menos nuestras emociones. Pero fijar reglas en el particular, y que el frío preceptista decida magistralmente en la materia y marque (aunque sea citando a Horacio) en qué número y con qué armonía se han de expresar tales pensamientos, tales y tales pasiones, nos parece absurdo. Y esas reglas, ¿en qué pueden fundarse?... ¿No vemos la rotunda y pomposa octava, el verso heroico por excelencia, aplicada con tanta facilidad y magisterio por el flexible ingenio de Ariosto, a todos los tonos, desde el más sublime y apasionado, hasta el más trivial y burlesco; ya a la narración épica más alta, ya a la descripción más florida y lozana, ya a la relación más baja y vulgar? ¿Y no parece, al leer el *Orlando*, que la octava está inventada exprofeso para cada uno de estos géneros, para cada uno de estos estilos tan diversos y tan encontrados?... Lo mismo diremos de los demás metros. En los severos tercetos en que el terrible Dante nos pinta sus espantosas visiones, escribió el templado y melancólico Rioja sus pensamientos morales y apacibles, y en tercetos están escritas las sátiras de los Argensolas, y aun las más libres y sarcásticas de Quevedo y de Arriaza. ¿Y el soneto?... No hay combinación métrica y rítmica más artificiosa, de más pompa y majestad: parece hecha adrede para encerrar los pensamientos más sublimes y encumbrados. Pues tan felizmente se presta a los místicos y a los históricos, como a los profundos y filosóficos de los Argensolas, a los risueños y floridos de Arguijo, a los melancólicos y pastoriles del Bachiller Francisco de la Torre, y a los chistosos, libres y hasta chabacanos del gran Quevedo. ¿En qué ejemplos, pues, fundan los preceptistas reglas con que quieren tiranizar al ingenio y encadenar la imaginación?... Por fortuna, el ingenio creador y la imaginación fecunda producen sus grandes bellezas, sin acordarse de los preceptistas y echando mano del instrumento que su propio instinto les sugiere, como el más a propósito, en el momento de la inspiración.

Si todos los metros se prestan más o menos a todos los géneros de poesía, y en todos ellos pueden expresar felizmente sus ideas y sus afectos los verdaderos poetas, porque saben darles el tono, el giro y la armonía más conveniente a la expresión de sus pensamientos y de sus pasiones, el romance octosilábico castellano es acaso la combinación métrica que, obteniendo la primacía para la poesía histórica, como la más apta para la narración y la descripción, se presta más, naturalmente, a todo género de asuntos, a toda especie de composiciones. Su facilidad aparente, esa facilidad misma que le echan en cara los que creen que la poesía consiste en vencer dificultades de rima y de versificación, le da una elasticidad suma y es, sin disputa, uno de sus mayores méritos; y si se examina esa facilidad, se hallará acaso en ella un peligrosísimo escollo para el poeta. La variación de sus giros y de sus cortes (pues los que le niegan este dote no han leído los hermosos romances que Calderón introduce en sus comedias, y en que, con efectos sorprendentes, los ha diversificado hasta lo infinito) hacen al romance el metro más a propósito para el cambio de tono y para la variación de colorido. Y hasta la armonía del asonante, que en una composición larga puede de cuando en cuando variarse sin la menor dificultad, y que es tan exclusivamente española, tan grata a los oídos españoles, tan varia y de suyo tan dulce y tan poco fatigosa, hace del romance castellano el instrumento más a propósito para todo género de asuntos. Y su rapidez misma, ¿no está indicando que es el verso octosílabo el más adecuado para expresar los grandes pensamientos filosóficos, las sentencias profundas, y la sencillez y viveza de los afectos?

Engolfados en esta materia, fuerza es que citemos algunos ejemplos en apoyo de cuanto dejamos dicho, y, para demostrar más palpablemente cuán sin razón se ha pronunciado la sentencia contra el romance. Mas no iremos a buscar lo más exquisito y primoroso que en ellos se encuentra, sino que echaremos mano de lo primero que ocurra a nuestra memoria. Copiaremos, pues, algo de aquel romance anónimo de las exequias, del maestre don Álvaro de Luna. Dice así:

Iba declinando el día,
su curso y ligeras horas,
y el padre que al mundo alumbra,
para occidente se torna.
A los reflejos divinos
de aquella luz milagrosa,
pálidos, descoloridos,
cubiertos de negras sombras,
amenazaba la noche,
mustia, temerosa y sorda;
no de luceros vestida
de que se pule y se adorna.
La luna en el primer cielo
con las nubes se arreboza,
y en los escondidos valles
aljófar y perlas llora.
De las aldeas vecinas
dejan desiertas y solas,
unos las casas baldías,
otros las pajizas chozas.
Sonaba en Valladolid
el eco de voces roncas,
y responden los quejidos
de las apartadas rocas.
Hace señal San Benito,
y su rico templo adornan
con los funestos tapices
de bayeta lastimosa.
Murmuraban por las calles

de unas orejas en otras,
la no pensada caída
de aquella Luna hermosa.
Juntáronse los ilustres,
y las iglesias entonan
el entierro de aquel cuerpo,
que del cuello sangre brota.
En los hombros le reciben
cuatro con sus cruces rojas,
que le sirvieron en vida
y en la muerte le dan honra.
Pusieron el cuerpo helado
debajo una dura losa,
y con el peso insufrible
dio temblor la tierra toda.
Alrededor de la tumba
arden lumbres, todos lloran
de la miseria infelice
la tragedia lastimosa.
Sollozan sus tiernos hijos,
lamenta su triste esposa,
y de su vertida sangre
pide al cielo la deshonra, etc, etc.

Acaso para los que opinan que la poesía consiste en huecos sonidos y en pomposas cláusulas, no tendrán mérito estos versos. Pero a nosotros nos hacen mucho efecto y nos parece que están llenos de sublime sencillez, que son altamente poéticos y que este bellísimo trozo de poesía histórica no tendría ni más vida, ni más nobleza, ni más dignidad escrito en octavas o en tercetos.

Por no alargarnos demasiado no copiaremos algunos trozos de los romances de Bernardo del Carpio, llenos de robustez y de sensibilidad; o de los de Arias Gonzalo, en que tan bien pintadas están la lealtad y entereza de aquel insigne castellano, de aquel desventurado padre; o de los que refieren las bodas de doña Lambra con el Señor de

Villarén y de Barbadillo, tan llenos de interés y de vida; pues todos ellos, a pesar de la rudeza de estilo y de la estrechez del lenguaje, están rebosando poesía castiza y original.

El alcaide de Molina excita así a sus soldados a la pelea en un romance anónimo:

> Dejad la seda y brocado,
> vestid la malla y el ante,
> embrazad la adarga al pecho,
> tomad lanza y corvo alfange.
> Haced rostro a la fortuna,
> tal ocasión no se escape,
> mostrad el pecho robusto,
> al furor del duro Marte.

¿Son menos varoniles estos belicosos acentos por sonar en versos asonantados de ocho sílabas?

Léanse las maldiciones de las Troyanas a Helena; la pintura del rey don Rodrigo huyendo del desastre del Guadalete, y la lucha de don Pedro el Cruel y de don Enrique, en la que

> Riñeron los dos hermanos,
> y de tal suerte riñeron,
> que fuera Caín el vivo
> a no haberlo sido el muerto.

Recuérdense los lamentos del alcaide de Alhama cuando pierde esta fortaleza, y examínese, en fin, el razonamiento de Ruy Díaz del Vivar al Conde Lozano, desafiándolo para vengar a su ultrajado padre, y se verá hasta dónde se remonta el romance octosílabo castellano, en la narración y en la expresión de los elevados y heroicos sentimientos.

¿Será necesario a un español que escribe para españoles citar los trozos de las *Mocedades del Cid*, de Guillén de

Castro; del *Heraclio,* de Calderón, y aun de la *Verdad sospechosa,* de Alarcón, escritos en verso octosílabo asonantado, y tan hermosa y maestramente traducidos en versos franceses por el gran Corneille, el padre del teatro francés? Pues compárense los versos castellanos con la traducción y se verá que no son en nada inferiores, aunque de romance, a los pomposos alejandrinos en que se tradujeron, y que en éstos no ha ganado nada la expresión de los pensamientos de nuestros autores.

Si tanta energía y sencillez ofrece el romance para los asuntos históricos, ¡cuánto se presta a la descripción poética, y a los afectos blandos! No copiamos, porque es muy conocido, el bellísimo romance, ya mencionado, de Góngora a *Angélica y Medoro,* tan rico de poesía, tan armonioso, tan bien escrito. Léase esta preciosa composición y las descripciones de las fiestas de toros y cañas en otros romances moriscos, y el tierno y apasionado de Meléndez a *Rosana en los fuegos,* y se hallará en ellos la verdadera elocución poética, y se verá que en nada ceden a las mejores composiciones, que a los mismos asuntos han hecho grandes poetas en versos endecasílabos.

La poesía descriptiva que cabe en el metro que defendemos, puede verse en los versos siguientes:

> Entraron los Sarracinos
> en caballos alazanes,
> de naranjado y de verde
> marlotas y capellares.
> En las adargas tenían
> por empresas sus alfanges
> hechos arcos de Cupido,
> y por letra: *Fuego y sangre,* etc.

O en aquéllos:

> Cuando las sagradas aguas
> del ancho y sagrado Betis,

con la multitud de barcos
con dificultad parecen;
cuando entoldadas las popas
de juncia y de ramas verdes,
en el agua escaramuzan
a pesar de sus corrientes;
cuando mil alegres cantos,
que los sentidos suspenden,
interrumpen a los vientos
y enamoran a los peces;
cuando en las torres más altas
mil luminarias parecen,
y cual veloces cometas
atraviesan los cohetes;
entonces, etc.

O en éstos:

Nunca las puertas de oriente
abrió tan hermosa el Alba,
cuando saca de alhelíes
las bellas sienes orladas.

O en estos otros de Góngora:

Mirábalo en los ramblares
ora a caballo, ora a pie,
rendir al fiero animal
de las otras fieras rey.
Y con la real cabeza,
y con la espantosa piel,
ornar de su ingrata mora
la respetada pared.

Y en la expresión de los afectos, ya fuertes e impetuosos, ya tiernos y melancólicos, ¿qué metro aventaja al romance? No es posible expresar mejor la indignación, que lo está en el final de aquel romance, del desafío del moro Tarfe:

> Esto el moro Tarfe escribe
> con tanta cólera y rabia,
> que donde pone la pluma
> el delgado papel rasga.

Nótese el desorden de la armonía en este último verso.

¡Qué interesante y tierna melancolía reina en todo el romance de Góngora del *Forzado de Dragut!*, que empieza:

> Amarrado al duro banco
> de una galera turquesca,
> ambas manos en el remo,
> ambos ojos en la tierra, etc.

La tierna emoción del cautivo, que descubre desde el mar los montes y las torres de su patria, me recuerdan los siguientes cuatro versos de Matos al mismo asunto en la comedia titulada: *El Genízaro de Hungría:*

> Alargando iba los ojos
> hacia mi querida patria,
> a donde en prisión más dulce
> dejaba cautiva el alma.

¿Podría escribirse mejor en endecasílabos el terrible diálogo de Focas y Astolfo, en el *Heraclio* de Calderón, solicitando el tirano conocer la verdad para acabar con la sangre de su enemigo y obligándole el leal anciano a que la respete por temor de derramar la de su propio hijo? En romance está escrito este diálogo y, seguramente, al saborearlo en la escena nadie recuerda las jácaras que acaso acaba de oír al ciego en la esquina del teatro, por más que tengan el mismo *sonsonete*. Ningún otro metro se presta tanto, por su sencillez, como el romance a expresar las sentencias morales y los grandes pensamientos filosóficos. Recordemos aquellos dos versos de Guevara:

> Que con decir que son hombres
> no se disculpan los reyes.

O éstos de Calderón:

> O honor, fiero basilisco,
> que si a ti mismo miras
> te das la muerte a ti mismo.

Y aquellos otros:

> Hipócrita Mongibelo,
> nieve ostentes, fuego escondes;
> ¿qué harán los pechos humanos
> si saben mentir los montes?

Y los que dicen:

> ...Que nunca tuvo,
> lo no bien hecho otra enmienda,
> del arrojo que lo obró
> que el valor que lo sustenta.

Y los que pone en boca de don Juan Malec, en la comedia titulada, *Amar después de la muerte, o el Tuzaní de las Alpujarras,* en que refiriendo el noble anciano a sus compatriotas los moriscos la ofensa que acaban de hacerle en el ayuntamiento, cuando va a contar que le han dado con su propio báculo un golpe afrentoso, se detiene, y dice:

> .... Esto basta,
> que hay cosas que cuesta más
> el decirlas que el pasarlas.

Sería necesario un tomo entero para copiar todos los ejemplos de esta clase que se nos ocurren. Y otro para los que podíamos recordar, de expresiones nuevas y pintorescas con que este fecundo metro ha enriquecido la poesía castellana. Y si lo consideramos aplicado a la sátira, y a los asuntos jocosos en manos de Góngora y de Quevedo, ¡cuánto podríamos citar en su abono! ¡Qué tesoro inmenso de frases felicísimas, de giros extraordinarios; de pensamientos inesperados, que en cualquiera otro metro hubieran acaso perdido algo de su frescura, de su malicia y de su originalidad!

Pero basta ya, porque no hay literato alguno versado en la lectura de nuestros poetas líricos y dramáticos a quien no sean familiares los hermosos trozos de poesía, de todos los géneros y tonos, escritos en verso octosílabo asonantado, y tan apreciables por lo menos como cuantos se puedan citar en cualquiera otra especie de versificación.

El romance, que es el metro castizo de nuestra lengua, en el que se cantaron las hazañas de nuestros mayores, el que cultivaron y engalanaron nuestros mejores poetas, el que tan bien suena en el diálogo escénico, el que tan dócil se amolda a todos los asuntos, a todos los estilos, tan fácil, tan sonoro, asiento del asonante, primor exclusivo de nuestra hermosa lengua (debido a su variedad infinita de terminaciones y al sonido puro, fijo, invariable de sus cinco vocales) no debe ser despreciado ni olvidado por metros y combinaciones rítmicas, que hemos tomado, ciertamente con muchas ventajas, de otro idioma. Y aunque con ellos y con ellas se ha enriquecido el nuestro y se han escrito muchas obras admirables en todo género, no renunciemos al abundante y rico tesoro de elocución poética castellana que en los romances octosilábicos poseemos, ni desechemos uno de nuestros mejores títulos a la gloria poética.

El romance, pues, tan a propósito, como dejamos repetido, para la narración y descripción, para espresar los pensamientos filosóficos, y para el diálogo, debe, sobre todo, campear en la poesía histórica, en la relación de los sucesos memorables: así empezó en los siglos rudos de su nacimiento. Volverlo a su primer objeto y a su primitivo vigor y enérgica sencillez, sin olvidar los adelantos del lenguaje, del gusto y de la filosofía, y aprovechándose de todos los atavíos con que nuestros buenos ingenios lo han engalanado, sería ocupación digna de los aventajados poetas que nunca escasean en nuestro privilegiado suelo. Con débiles fuerzas he intentado yo tan difícil e importante empresa, escribiendo esta colección de *Romances históricos,* que presento al público. Mis lectores ilustrados decidirán si he logrado mi intento. Si no he sido tan dichoso, al menos habré conseguido llamar la atención sobre el romance castellano y sobre la poesía histórica a la estudiosa juventud, que con tanto aprovechamiento cultiva hoy entre nosotros la amena literatura, dando diariamente, en composiciones de mucho mérito, claras pruebas de fecundo ingenio y de brillante imaginación.

Una antigualla de Sevilla

Al Sr. D. Manuel Cepero

ROMANCE I

EL CANDIL

Más ha de quinientos años,
en una torcida calle,
que de Sevilla, en el centro,
da paso a otras principales;
    Cerca de la media noche,   5
cuando la ciudad más grande
es de un grande cementerio
en silencio y paz imagen;
    De dos desnudas espadas
que trababan un combate,   10
turbó el repentino encuentro
las tinieblas impalpables.
    El crujir de los aceros
sonó por breves instantes,
lanzando azules centellas,   15
meteoro de desastres.

Y al gemido, *¡Dios me valga!*
¡Muerto soy! Y al golpe grave
de un cuerpo que a tierra vino,
el silencio y paz renacen.   20

                        * * *

Al punto una ventanilla
de un pobre casuco abren;
y de tendones y huesos,
sin jugo, como sin carne,
Una mano y brazo asoman,   25
que sostienen por el aire
un candil, cuyos destellos
dan luz súbita a la calle.
En pos un rostro aparece
de gomia o bruja espantable   30
a que otra marchita mano
o cubre o da sombra en parte.
Ser dijérase la muerte
que salía a apoderarse
de aquella víctima humana   35
que acababan de inmolarle;
O de la eterna justicia,
de cuyas miradas nadie
consigue ocultar un crimen,
el testigo formidable.   40
Pues a la llama mezquina,
con el ambiente ondeante,
que dando luz roja al muro
dibujaba desiguales.
Los tejados y azoteas   45
sobre el oscuro celaje,
dando fantásticas formas
a esquinas y bocacalles.

---

30 *gomia:* tarasca.

Se vio en medio del arroyo,
cubierto de lodo y sangre,   50
el negro bulto tendido
de un traspasado cadáver.

Y de pie a su frente un hombre,
vestido negro ropaje,
con una espada en la mano,   55
roja hasta los gavilanes.

El cual, en el mismo punto,
sorprendido de encontrarse
bañado de luz, esconde
la faz en su embozo, y parte.   60

Aunque no como el culpado
que se fuga por salvarse,
sino como el que inocente,
mueve tranquilo el pie y grave.

* * *

Al andar, sus choquezuelas   65
formaban ruido notable,
como el que forman los dados
al confundirse y mezclarse.

Rumor de poca importancia
en la escena lamentable,   70
mas de tan mágico efecto,
y de un influjo tan grande.

En la vieja, que asomaba
el rostro y luz a la calle,
que, cual si oyera el silbido   75
de venenosa ceraste,

---

76 *ceraste:* «Víbora de más de seis decímetros de longitud y con manchas de
color pardo rojizo, que tiene una especie de cuernecillos encima de los ojos. Se
cría en los arenales de África y es muy venenosa», *Dicc. Real Academia Española;*
en «El Alcázar de Sevilla», vv. 262-263, Rivas le compara de nuevo con una
«serpiente de cascabel».

O crujir las negras alas
del precipitado Ancángel,
grita en espantoso aullido,
¡Virgen de los Reyes, valme!　　　　　　80
　　Suelta el candil, que en las piedras
se apaga y aceite esparce,
y cerrando la ventana
de un golpe, que la deshace,
　　Bajo su mísero lecho　　　　　　　85
corre a tientas a ocultarse,
tan acongojada y yerta,
que apenas sus pulsos laten.
　　Por sorda y ciega haber sido
aquellos breves instantes,　　　　　　90
la mitad diera gustosa
de sus días miserables:
　　Y hubiera dado los días
de amor y dulces afanes
de su juventud, y dado　　　　　　　95
las caricias de sus padres,
　　Los encantos de la cuna,
y... en fin, hasta lo que nadie
enajena, la esperanza,
bien solo de los mortales:　　　　　　100
　　Pues lo que ha visto la abruma,
y la aterra lo que sabe,
que hay vistas, que son peligros,
y aciertos que muerte valen.

---

80 Patrona de la Archidiócesis de Sevilla. Más adelante, v. 346, la vieja vol-
verá a jurar «por Santa Justa», una de las patronas de la ciudad de Sevilla.

ROMANCE II

EL JUEZ

Las cuatro esferas doradas,   105
que ensartadas en un perno,
obra colosal de moros
con resaltos y letreros.
De la torre de Sevilla
eran remate soberbio,   110
do el gallardo Giraldillo
hoy marca el mudable viento,
(Esferas, que pocos años
despues derrumbó en el suelo
un terremoto) brillaban   115
del sol matutino al fuego:
Cuando en una sala estrecha
del antiguo alcázar regio,
que entonces reedificaban
tal cual hoy mismo le vemos.   120
En un sillón de respaldo
sentado está el rey don Pedro,
joven de gallardo talle,
mas de semblante severo.
A reverente distancia,   125
una rodilla en el suelo,
vestido de negra toga,
blanca barba, albo cabello,
Y con la vara de alcalde
rendida al poder supremo,   130

---

115 El 24 de agosto de 1396, según Zúñiga, *Anales de Sevilla,* tomo II, página 252, citado por Rivas Cherif.

Martín Fernández Cerón
era emblema del respeto.

Y estas palabras de entrambos
recogió el dorado techo,
y la tradición guardólas   135
para que hoy suenen de nuevo.

   R.—¿Conque en medio de Sevilla
amaneció un hombre muerto,
y no venís a decirme
que está ya el matador preso?   140

   A.—Señor, desde antes del alba,
en que el cadáver sangriento
recogí, varias pesquisas
inútilmente se han hecho.

   R.—Más pronta justicia, alcalde,   145
ha de haber donde yo reino,
y a sus vigilantes ojos
nada ha de estar encubierto.

   A.—Tal vez, señor, los judíos,
tal vez los moros sospecho...   150

   R.—¿Y os vais tras de las sospechas
cuando hay un testigo, y bueno?

¿No me habéis, alcalde, dicho,
que un candil se halló en el suelo
cerca del cadáver?... Basta   155
que el candil os diga el reo.

   A.—Un candil no tiene lengua.

   R.—Pero tiénela su dueño,
y a moverla se le obliga
con las cuerdas del tormento.   160

Y ¡vive Dios! que esta noche
ha de estar en aquel puesto,
o vuestra cabeza, alcalde
o la cabeza del reo.

El rey, temblando de ira,   165
del sillón se alzó de presto,
y el juez alzóse de tierra
temblando también de miedo.

Y haciendo una reverencia,
y otra después, y otra luego,   170
salióse a ahorcar a Sevilla
para salvarse, resuelto.

Síguele el rey con los ojos,
que estuvieran en su puesto
de un basilisco en la frente,   175
según eran de siniestros,

Y de satánica risa
dando la expresión al gesto,
salió detrás del alcalde
a pasos largos y lentos.   180

Por el corredor estuvo
en las alcándaras viendo
azores y jerifaltes,
y dándoles agua y cebo.

Y con uno sobre el puño   185
salió a dirigir él mesmo
las obras de aquel palacio
en que muestra gran empeño.

Y vio poner las portadas
de cincelados maderos,   190
y él mismo dictó las letras
que aun hoy notamos en ellos.

Después habló largo rato,
a solas y con secreto,
a un su privado, Juan Diente,   195
diestrísimo ballestero.

---

195 Servidor del rey, uno de los ballesteros que mataron a don Fadrique.

Señalándole un retrato,
busto de piedra mal hecho,
que con corta semejanza
labró un peregrino griego. 200

* * *

Fue a Triana, vio las naves
y marítimos aprestos;
de Santa Ana entró en la iglesia
y oró brevísimo tiempo.
Comió en la torre del Oro, 205
a las tablas jugó luego
con Martín Gil de Alburquerque;
a caballo dio un paseo:
Y cuando el sol descendía,
dejando esmaltado el cielo 210
de rosa, morado y oro,
con nubes de grana y fuego,
Tornó al alcázar, vistióse
sayo pardo, manto negro,
tomó un birrete sin plumas 215
y un estoque de Toledo,
Y bajando a los jardines
por un postigo secreto,
do Juan Diente le esperaba
entre murtas encubierto, 220
Salió solo, y esto dijo
con recato al ballestero:
«Antes de la media noche
todo esté cual dicho tengo.»

---

201 Compárese estos versos con los vv. 561-585 de «El Alcázar de Sevilla».
207 Adelantado del reino de Murcia. Valido y luego rehén de Pedro I.

Cerró el postigo por fuera,   225
y en el laberinto ciego
de las calles de Sevilla
desapareció entre el pueblo.

ROMANCE III

LA CABEZA

Al tiempo que en el ocaso
su eterna llama sepulta   230
el sol, y tierras y cielos
con negras sombras se enlutan.
De la cárcel de Sevilla,
en una bóveda oscura,
que una lámpara de cobre   235
más bien asombra que alumbra,
Pasaba una extraña escena,
de aquellas que nos angustian,
si en horrenda pesadilla
el sueño nos las dibuja.   240
Pues no semejaba cosa
de este mundo, aunque se usan
en él cosas harto horrendas,
de que he presenciado muchas;
Sino cosa del infierno,   245
funesta y maligna junta
de espectros y de vampiros,
festín horrible de furias.
En un sillón, sobre gradas,
se ve en negras vestiduras   250
al buen alcalde Cerón,
ceño grave, faz adusta.

109

A su lado en un bufete,
que más parece una tumba,
prepara un viejo notario   255
sus pergaminos y plumas.
  Y de aquella estancia en medio,
de tablas con sangre sucias
se ve un lecho, y sus cortinas
son cuerdas, garfios, garruchas.   260
  En torno de él dos verdugos
de imbécil facha y robusta,
de un saco de cuero aprestan
hierros de infaustas figuras.
  Sepulcral silencio reina,   265
pues solamente se escucha
el chispeo de la llama
en la lámpara que ahuma
  La bóveda, y de los hierros
que los verdugos rebuscan,   270
el metálico sonido
con que se apartan y juntan.

* * *

  Pronto del severo alcalde
la voz sepulcral retumba
diciendo: «Venga el testigo   275
que ha de sufrir la tortura.»
  Se abrió al instante una puerta
por la que sale confusa
algazara, ayes profundos
y gemidos que espeluznan.   280
  Y luego entre los sayones,
esbirros y vil gentuza,
de ademanes descompuestos
y de feroz catadura.

Una vieja miserable,
de ropa y carne desnuda,   285
como un cuerpo que las hienas
sacan de la sepultura;

Pues, sólo se ve que vive
porque flacamente lucha   290
con desmayados esfuerzos,
porque gime y porque suda.

Arrástranla los sayones;
la confortan y la ayudan
dos religiosos franciscos   295
caladas sendas capuchas;

Y la algazara y estruendo,
con que satánica turba,
lleva un precito a las llamas
por la bóveda retumba.   300

* * *

Un negro bulto en silencio
también entra en la confusa
escena, y sin ser notado
tras de un pilarón se oculta.

«Ven (grita un tosco verdugo   305
con una risada aguda)
ven a casarte conmigo;
hecha está la cama, bruja.»

Otro, asiéndolo los brazos
con una mano más dura   310
que unas tenazas, le dice.
«No volarás hoy a oscuras.»

---

299 *precito:* réprobo.
309 *asiéndole, 1854.*
313 *atándola, 1854.*

Y otro, atándola las piernas:
«¿Y el bote con que te untas?
Sobre la escoba a caballo   315
no has de hacer más de las tuyas.»
    Estos chistes semejaban
los aullidos con que aguzan
la hambre los lobos, al grito
de los cuervos que barruntan   320
    Los ya corrompidos restos
de una víctima insepulta,
la mofa con que los cafres
a su prisionero insultan.

* * *

Tienden en el triste lecho,   325
ya casi casi difunta
a la infelice, la enlazan
con ásperas ligaduras,
    Y de hierro un aparato
a su diestra mano ajustan,   330
que al impulso más pequeño
martirio espantoso anuncia,
    Dice un sayón al alcalde.
«Ya está en jaula la lechuza,
y si aun a cantar se niega,   335
yo haré que cante o que cruja.»
    Silencio el alcalde impone,
quédase todo en profunda
quietud, y sólo gemidos
casi apagados se escuchan.   340
    «Mujer, prorrumpe Cerón,
mujer, si vivir procuras,
declárame cuanto viste
y te dará Dios ayuda.»

—«Nada vi, nada —responde   345
la infeliz—, por Santa Justa
juro que estaba durmiendo;
ni vi, ni oí cosa alguna.»
    —Replicó el juez: «Desdichada,
piensa, piensa lo que juras.»   350
Y tomando de las manos
del notario que le ayuda,
    Un candil: «Mira —prosigue—
esta prenda que te acusa.
Di quién la tiró a la calle   355
pues confesaste ser tuya.»
    La mísera se estremece
trémula toda y convulsa,
y respondió desmayada:
«El demonio fue sin duda.»   360
    Y tras de una breve pausa:
«Soy ciega, soy sorda y muda.
Matadme, pues, lo repito:
ni vi, ni oí cosa alguna.»
    El juez entonces, de mármol,   365
con la vara al techo apunta,
ase una cuerda un verdugo,
rechina allá una garrucha,
    La mano de la infelice
se disloca y descoyunta,   370
y al chasquido de los huesos
un alarido se junta.
    —«Piedad, que voy a decirlo»,
grita con voz moribunda
la víctima, y al momento   375
suspéndese la tortura.
    —«Declara», el juez dice, y ella
cobrando un vigor que asusta,
prorrumpe... «El rey fue...» y su lengua
en la garganta se anuda.   380

Juez, escribano, verdugos,
todos con la faz difunta
oyen tal nombre, temblando,
y queda la estancia muda.

* * *

En esto el desconocido,   385
que tras del pilar se oculta,
hacia el potro del tormento
el firme paso apresura;
    Haciendo sus choquezuelas,
canillas y coyunturas,   390
el ruido que los dados
cuando se chocan y juntan.
    Rumor que al punto conoce
la infeliz, y se espeluza,
y repite: «El rey, sus huesos   395
así sonaron, no hay duda.»
    Al punto se desemboza
y la faz descubre adusta,
y los ojos como brasas
aquel personaje, a cuya   400
    Presencia hincan la rodilla
cuantos la bóveda ocupan,
pues al rey don Pedro todos
conocen y se atribulan.
    Éste saca de su seno   405
una bolsa do relumbran
cien monedas de oro y dice:
«Toma y socórrete, bruja.
    Has dicho verdad, y sabe
que el que a la justicia oculta   410
la verdad, es reo de muerte,
y cómplice de la culpa.

_____
389 Ruido de «dados que se entrechocan», véase arriba v. 65.

114

        Pero pues tú la dijiste,
ve en paz, el cielo te escuda.
Yo soy, sí, quien mató al hombre,   415
mas Dios sólo a mí me juzga.
        Pero porque satisfecha
quede la justicia augusta,
ya la cabeza del reo
allí escarmientos pronuncia.»   420
        Y era así; ya colocada
estaba la imagen suya
en la esquina do la muerte
dio a un hombre su espada aguda.
        Del Candilejo la calle   425
desde entonces se intitula,
y el busto del rey Don Pedro
aún allí está y nos asusta.

El Alcázar de Sevilla

ROMANCE I

Magnífico es el Alcázar
con que se ilustra Sevilla,
deliciosos sus jardines,
su excelsa portada rica.
De maderos entallados   5
en mil labores prolijas,
se levanta el frontispicio
de resaltadas cornisas;
Y hay en ellas un letrero
donde, con letras antiguas,   10
Don Pedro hizo estos palacios
esculpido se divisa.
Mal dicen en sus salones
las modernas fruslerías,
mal en sus soberbios patios   15
gente sin barba y ropilla.
¡Cuántas apacibles tardes,
en la grata compañía

---

16 *ropilla:* «Vestidura corta con mangas y brahones, de los cuales pendían regularmente otras mangas sueltas o perdidas, y se vestía ajustado al medio cuerpo sobre el jubón», *Dicc. Acad.*

116

de chistosos sevillanos
y de sevillanas lindas,   20
    Recorrí aquellos vergeles,
en cuya entrada se miran
gigantes de arrayán hechos
con actitudes distintas!
    Las adelfas y naranjos   25
forman calles extendidas,
y un oscuro laberinto
que a los hurtos de amor brinda.
    Hay en tierra surtidores
escondidos; se improvisan   30
saltando entre los mosaicos
de pintadas piedrecillas,
    Y a los forasteros mojan
con algazara y con risa
de los que ya escarmentados   35
el chasco pesado evitan.

* * *

    En las tardes del estío,
cuando al ocaso declina
el sol entre leves nubes,
que de oro y grana matiza,   40
    Aquel trasparente cielo
con ráfagas purpurinas,
cortado por un celaje,
que el céfiro manso riza;
    Aquella atmósfera ardiente   45
en que fuego se respira,
¡qué languidez dan al cuerpo!
¡qué temple al alma divina!
    De los baños, tan famosos
por quien los gozó, la vista,   50

la del soberbio edificio,
obra gótica y morisca,
Tétrico en partes, en partes
alegre, y en el que indican
los dominios diferentes,   55
ya reparos, ya ruinas;
Con recuerdos y memorias
de las edades antiguas
y de los modernos años,
embargan la fantasía.   60
El azahar y los jazmines,
que si los ojos hechizan,
embalsaman el ambiente
con los aromas que espiran.
De las fuentes el murmurio,   65
la lejana gritería,
que de la ciudad, del río,
de la alameda contigua.
De Triana y de la puente
confusa llega y perdida,   70
con el son de las campanas
que en la alta Giralda vibran:
Forman un todo encantado,
que nunca jamás se olvida,
y que al recordarlo, siempre   75
mi alma y corazón palpitan.

* * *

Muchas deliciosas noches,
cuando aún ardiente latía
mi ya helado pecho, alegres,
de concurrencia escogida   80

---

78 El autor tenía cuarenta y dos años cuando escribió este romance.

118

Vi aquellos salones llenos;
y a la juventud, cuadrillas
o contradanzas bailando
al son de orquestas festivas.
    En las doradas techumbres   85
los pasos, la charla y risas
de las parejas gallardas,
por amor tal vez unidas.
    Con el son de los violines
confundidos se extendían,   90
acordes ecos hallando,
por las esmaltadas cimbrias.

* * *

    Mas ¡ay! aquellos pensiles
no he pisado un solo día,
sin ver (¡sueños de mi mente!)   95
la sombra de la Padilla,
    Lanzando un hondo gemido,
cruzar leve ante mi vista
como un vapor, como un humo
que entre los árboles gira;   100
    Ni entré en aquellos salones,
sin figurárseme erguida,
del fundador la fantasma
en helada sangre tinta:
    Ni en el vestíbulo oscuro,   105
el que tiene en la cornisa
de los reyes los retratos,
el que en columnas estriba,
    Al que adornan azulejos
abajo, y esmalte arriba,   110
el que muestra en cada muro
un rico balcón, y encima

El hondo artesón dorado,
que lo corona y atrista
sin ver en tierra un cadáver. 115
Aun en las losas se mira
Una tenaz mancha oscura...
¡ni las edades la limpian!
¡¡¡Sangre!!! ¡¡¡sangre!!!... ¡oh cielos, cuántos
sin saber que lo es, la pisan! 120

ROMANCE II

Quinientos años más joven
era el magnífico alcázar,
aún lustrosas sus paredes,
su alto almenaje sin faltas,
Y lucientes los esmaltes 125
de las techumbres doradas,
mansión del rey de Castilla
orgulloso se ostentaba;
Cuando del mayo florido
una apacible mañana, 130
en aquel salón que tiene
los balcones a la plaza,
Dos ilustres personajes
en grande silencio estaban:
un caballero era el uno, 135
el otro una hermosa dama.

* * *

Rica berberisca alfombra,
del rey Moro de Granada
don o tributo, cubría
las losas de aquella cuadra. 140

Un cortinaje de seda
con listas y flores varias,
matizado en el oriente,
que galeras venecianas
(Tal vez de su Dux regalo)   145
trajeron a nuestra España;
del abierto balconaje
el radiante sol templaba.
    En el testero de enfrente,
de maderas cinceladas   150
un rico oratorio había
con embutidos de nácar.
    Y en él la imagen devota
de la Virgen soberana,
escultura harto mezquina,   155
mas no de atractivos falta,
    De la cual era el adorno
una corona de plata,
reverberando en su cerco
amatistas y esmeraldas.   160
    Un manuscrito precioso
con las oraciones santas,
ornatos de miniatura,
y de oro y marfil las tapas,
    Colocado se veía   165
sobre un atril, que formaban
de un ángel mal esculpido,
aunque con primor, las alas;
    Y de brocado de oro
en el suelo una almohada,   170
mostrando, por medio hundida,
de dos rodillas la marca.
    En los muros blanqueados
con cal de Morón, de caza
pendían varios trofeos,   175
banderas y limpias armas;

Y en una mesa o bufete,
puesta en medio de la estancia,
con un tapete cubierta,
cuyos picos arrastraban,   180
Un templado laúd había,
un rico juego de tablas,
búcaros llenos de flores,
y un cofre de filigrana.

* * *

De un balcón sentóse cerca,   185
muy pensativa la dama,
en un gran sillón dorado,
cuyo respaldo formaba
    Un dosel o guardapolvo
en una curva gallarda,   190
de castillos, de leones
y de corona adornada,
    Un vistoso brial de seda
verde, y con labores varias
de sirgo y perlas, y en torno   195
de oro recamos y franjas,
    Era su traje; una toca
muy más que la nieve blanca,
y un claro cendal cubrían
sus trenzas negras y largas.   200
    Celestial era su rostro
y divina su garganta;
pero del color de cera,
que miedo y penas retrata:

---

193 *brial*: «Vestido de seda o tela rica que usaban las mujeres, y el cual se ata-
ba a la cintura y bajaba en redondo hasta los pies», *Dicc. Acad.*
195 *sirgo*: «Tela hecha o labrada de seda», *Dicc. Acad.*

Dos soles eran sus ojos   205
bajo las luengas pestañas,
donde dos perlas preciosas,
prontas a correr, brillaban.

Era una fresca azucena,
a quien cruda muerte amaga,   210
porque un corroedor gusano
ya su hondo cáliz desgarra.

Ora un blanco pañizuelo,
con puntas bordado y randas,
revolvía con las manos   215
convulsas y deslustradas,

Ora absorta y distraída,
agitaba en torno el aura
con un precioso abanico
de ricas plumas de Arabia.   220

* * *

Delgado era el caballero,
de estatura no muy alta,
vivaces ojos, la boca
inquieta, roja la barba,

Pálido y enjuto el rostro,   225
nariz corva y afilada,
noble su porte y siniestras
y terribles sus miradas.

Envuelto en un rojo manto,
de oro bordado y con chapas,   230
y una gorra en la cabeza
puesta de lado con gracia,

---

214 *randas:* «Guarnición de encaje con que se adornaban los vestidos, la ropa
blanca y otras cosas», *Dicc. Acad.*

De largo a largo medía
con pasos lentos la estancia,
y pasiones diferentes   235
su mudo rostro mostraba.

A veces se enrojecía,
arrojando fieras llamas
por los encendidos ojos,
hechos del infierno brasas;   240

Luego extendían los labios,
sonrisa feroz y amarga;
o en las doradas techumbres
fijaba atroces miradas;

Bien apresurando el curso   245
de pie a cabeza temblaba;
bien repuesto proseguía
su paso noble con calma.

Así he visto al tigre fiero,
ya tranquilo, ya con rabia,   250
revolverse a todos lados
dentro de la estrecha jaula.

Marchando sobre la alfombra,
no se oían sus pisadas;
pero sordas le crujían   255
siempre que se meneaba,

Canillas y choquezuelas.
Diz que el cielo (¡cosa rara!)
de igual rumor ha dotado,
allá en tierras muy lejanas,   260

Para que la evite el hombre,
a una serpiente que llaman
de cascabel, y que al punto
que se acerca pica y mata.

Doña María Padilla   265
era la llorosa dama,
y el callado caballero
el rey don Pedro de España.

ROMANCE III

Cual de solitaria torre
en torno están revolando
fieras aves de rapiña,
cuando el sol baja al ocaso.
    Así en torno de don Pedro
vuelan pensamientos varios,
cuyas sombras ofuscaban
de su semblante los rasgos.
    Ya ocupa su airada mente
el poder de sus hermanos,
a los que mató la madre,
y a quienes llama bastardos;
    Ya de los grandes inquietos
la insolencia y desacato,
o la mengua del tesoro
sin medios de repararlo:
    Ya la linda doña Aldonza,
a quien tiene a buen recaudo;
o las sangrientas fantasmas
de inocentes que ha matado;
    Ya una proyectada empresa
rompiendo la fe de un pacto
contra el oro granadino;
o una traición o un engaño.
    Mas, como las mismas aves
se van escondiendo al cabo
entre las almenas rotas
del castillo solitario,

270

275

280

285

290

295

---

280 Don Pedro mandó matar en Talavera a doña Leonor de Guzmán, amiga de Alfonso XI y madre de don Enrique, don Fadrique y don Tello.

Y sólo constante queda,
en torno de él volteando,
la más voraz, la más fuerte,
la que no admite descanso;   300
    Así aquel tropel confuso
de pensamientos extraños,
en que se encontró don Pedro
envuelto pequeño rato.

    En su pecho y su cabeza   305
fueron nidos encontrando,
y quedó despierta y viva,
dándole gran sobresalto,
    La imagen de don Fadrique,
el mejor de sus hermanos,   310
norma de los caballeros
y Maestre de Santiago.

                    * * *

    Del rey de Aragón acaba
don Fadrique el esforzado
de conquistar a Jumilla   315
con noble denuedo y brazo:
    Deja en lugar de las barras
los castillos tremolando,
y viene a entregar las llaves
a su rey, señor y hermano.   320
    Sabe el rey que no es rebelde,
que es su amigo y partidario,
y más que a Tello y a Enrique
le está embravecido odiando.
    Don Fadrique fue el que tuvo   325
de venir a Francia encargo
por la reina doña Blanca;
mas tardó en llevarla un año.

Con ella en Narbona estuvo...
y un rumor corrió entre tanto   330
de aquellos que son ponzoña;
ora ciertos, ora falsos.

Doña Blanca está en Medina,
y en una torre pagando
las tardanzas del viaje,   335
las hablillas de palacio;

Y el cuello de don Fadrique
está en los hombros intacto,
porque tiene gran valía,
poder mucho y nombre claro.

Mas ¡ay de él!... Es de las damas   340
el ídolo por su trato,
por su gallarda presencia
y por su esfuerzo bizarro;

Y si no da sombra al trono,   345
porque es fiel, da ¡mal pecado!
al corazón duros celos;
y esto es peor, si aquello es malo.

Doña María Padilla,
cuyo entendimiento claro   350
del regio amante penetra
los más ocultos arcanos,

Y en quien la bondad del alma
sobrepuja a los encantos
de su peregrino rostro   355
y de su cuerpo gallardo;

---

332 Don Fadrique fue el encargado de ir a buscar a Francia a la infanta doña
Blanca, esposa del rey don Pedro. Su llegada se retrasó por negociaciones refe-
rentes a la dote, pero según una falsa leyenda, el motivo fue que doña Blanca
había quedado encinta del Maestre.

128

Vive víctima infelice
de continuo sobresalto,
porque al rey ama, y le mira
a mal fin tender el paso.   360

Conoce que sobre sangre,
persecuciones y llantos
no está nunca firme un trono,
nunca seguro un palacio;

Y tiene dos tiernas niñas,   365
que con otro padre acaso,
aunque ilegítimo fruto,
pudieran todo esperarlo.

Ve en el insigne Fadrique
un apoyo, un partidario: 370
sabe que llega a Sevilla,
y a voces le está indicando

De su fiero amante el rostro,
que viene en momento aciago;
y por aquietar sospechas,   375
o darles punto más alto,

Al fin rompiendo el silencio,
aunque con trémulos labios
osó hablar, y estas palabras
entre los dos se mezclaron: 380

«¿Conque hoy llegará triunfante
don Fadrique, vuestro hermano?»—
«Y por cierto que ya tarda
en llegar aquí el bastardo.»—

«Bien os sirve!»... «Sí, en Jumilla   385
como un héroe se ha portado.»
«De su lealtad os da pruebas;
es muy valiente.»— «Lo es harto.»—

«Ya estaréis, señor, seguro
de su pecho noble y franco.»—   390
«Aún más lo estaré mañana.»—
Enmudecieron entrambos.

129

ROMANCE IV

Grande rumor se alza y cunde
de armas, caballos y pueblo
de Sevilla por las calles,   395
al Maestre recibiendo.

Suenan los vivas unidos
con los retumbantes ecos,
que en la altísima Giralda
esparce el bronce hasta el cielo.   400

Vase acercando la turba,
pero se la escucha menos;
ya a la plaza de palacio
llega, y párase en silencio;

Que la vista del alcázar   405
gozaba del privilegio
de apagar todo entusiasmo.
de convertir todo en miedo.

Quedó, pues, mudo el gentío,
falto de acción y de aliento,   410
para pisar la gran plaza
con un mágico respeto;

Y el Maestre de Santiago,
con algunos caballeros
de su Orden, entra, seguido   415
de corto acompañamiento.

Dirígese hacia la puerta,
como aquel que va derecho
a encontrar de un buen hermano
el alma y brazos abiertos;   420

O como noble caudillo,
que por sus gloriosos hechos
de un rey a recibir llega
los elogios y los premios.

Sobre un morcillo lozano   425
que espuma respira y fuego,
y a quien contiene la brida
si ensoberbece el arreo.
    Muéstrase el noble Fadrique
con el blanco manto suelto,   430
en que el collar y cruz roja
van su dignidad diciendo;
    Y una toca de velludo
carmesí lleva, do el viento
agita un blanco penacho   435
con borlas de oro sujeto.

* * *

    Pálido como la muerte
el iracundo don Pedro,
en cuanto entrar en la plaza
vio al hermano desde lejos,   440
    Como si de mármol fuera
quedó del salón en medio,
y en sus furibundos ojos
ardió un relámpago horrendo;
    Pero pronto en sí tornando,   445
salióse del aposento,
cual si del huésped quisiera
buscar afable el encuentro.
    Así que volver la espalda
le vio la Padilla, lleno   450
el corazón de amargura
y de llanto el rostro bello,
    Álzase y sale turbada
del balcón al antepecho,
al gallardo Maestre indica   455
con actitudes y gesto,

131

Que llega en mal hora, y mueve
por el aire el pañizuelo,
diciéndole en mudas señas
que se ponga en salvo luego,   460

Nada comprende Fadrique;
y por saludos teniendo
los avisos, corresponde
cual galán y cual discreto,

Y a la ancha portada llega *front*   465
do guardias y ballesteros
le dejan el paso libre,
mas no entrada a su cortejo. *courtship*

Si no conoció las señas
de la Padilla, don Pedro   470
las conoció, pues paróse
aún indeciso y suspenso

De la cámara en la puerta
un breve instante, y volviendo
los ojos, vio que la dama   475
agitaba el blanco lienzo.

¡Oh Dios! ¿Fue esta acción tan noble
de tan puro y santo intento,
la que llamó a los verdugos, *hangman*
y la que firmó el decreto?   480

* * *

Apenas puso el Maestre,
de dos solos escuderos *?*
seguido, el pie confiado
en el vestíbulo regio,

Donde varios hombres de armas   485
vestidos de doble hierro,
paseándose guardaban
de la escalera el ingreso;

        Cuando a uno de los balcones,
como aparición de infierno,   490
el rey se asoma gritando:
Matad al Maestre, maceros.
        Siguió como en la tormenta
el súbito rayo al trueno,
y seis refornidas mazas   495
sobre Fadrique cayeron.
        Llevó la mano al estoque,
pero en el tabardo envuelto
halló el puño, y fue imposible
desenredarlo tan presto.   500
        Cayó en tierra, un mar de sangre
del roto cráneo vertiendo,
y lanzando un alarido
que llegó sin duda al cielo.
        Voló al instante la nueva   505
de tan horrible suceso;
apelaron a la fuga
los freiles y caballeros;
        Huyó a esconderse en sus casas,
temblando de horror, el pueblo,   510
y del alcázar quedaron
los alrededores desiertos.

                    * * *

        Diz que el ver sangre embravece
al tigre con tanto extremo,
que prosigue los destrozos   515
aunque ya esté satisfecho
        Su vientre, porque se goza
en teñir de rojo el suelo.
Sin duda al rey de Castilla
le sucedía lo mesmo: 520

---

508 *freile*: «Caballero profeso de alguna de las órdenes militares», *Dicc. Acad.*

En cuanto vio a don Fadrique
desplomarse en tierra yerto,
corrió por palacio todo:
buscando a sus escuderos,

Que, trémulos y amarillos,   525
de aposento en aposento
huyen, sin hallar amparo,
corren, sin hallar un puerto.

Por dicha logró fugarse
o esconderse el uno de ellos;   530
Sancho Villegas, el otro
no fue tan feliz o diestro.

Viendo que el rey le persigue,
entróse, de espanto muerto,
donde estaba la Padilla   535
desmayada y en su lecho.

Asistida por sus damas
que están temblando de miedo,
y con sus niñas al lado,
ángeles en alma y cuerpo.   540

Mirando allí el infelice
aún perseguirle el espectro,
que en asilos no repara,
coge en sus brazos de presto

A doña Beatriz, que apenas   545
cuenta seis años completos,
hija por quien el rey tiene
el más cariñoso extremo.

Pero ¡ay! de nada le sirve...
En vano allá en el desierto   550
con la cruz santa se abraza
el peregrino, si recio

Brama el sur, si arde el espacio,
si olas de arena, creciendo
mar espantoso, confunden   555
la baja tierra y el cielo.

134

Con la niña entre los brazos
y de rodillas, el pecho
traspasóle furibunda
la daga del rey don Pedro   560

* * *

Cual si no hubiese en palacio
nada ocurrido de nuevo,
se asentó el rey a la mesa,
como acostumbra, comiendo,
    Jugó enseguida a las tablas,   565
salió después a paseo,
fue a ver armar las galeras
que han de ir a Vizcaya luego;
    Y en cuanto cubrió la noche
con su manto el hemisferio   570
entró en la torre del Oro,
donde tiene en un encierro
    A la linda Doña Aldonza,
a la cual del monasterio
de santa Clara ha sacado,   575
y a la que idólatra ciego.
    Fue un rato a hablar enseguida
con Leví, su tesorero,
en quien tiene su privanza,
aunque es un infame hebreo;   580
    Y muy tarde retiróse
sin más acompañamiento
que un moro, su favorito,
hombre bajo por supuesto.

_____

576 Doña Aldonza Coronel, esposa de don Alvar Pérez de Guzmán, era una
bella señora andaluza a quien el rey forzó a ser su amante.

135

Entró en el tranquilo Alcázar,   585
llegó al vestíbulo excelso,
y en él paróse un instante
la vista en torno moviendo.

Una lámpara pendiente
del artesonado techo   590
en derredor derramaba
ya sombras, y ya reflejos.

Entre las tersas columnas
dos hombres de armas, dos negros
bultos se veían solos,   595
vigilantes y en silencio;

Y en tierra aún tendido estaba,
de un lago de sangre en medio,
el maestre don Fadrique
en su roto manto envuelto.   600

Se acercó el rey, contemplóle
con atención un momento,
y notando que no estaba
del todo su hermano muerto,

Pues aún respiraba acaso   605
palpitante el hondo pecho,
le dio con el pie un empuje
que hizo estremecer el cuerpo;

Desnudó la aguda daga,
al moro la dio, diciendo: 610
«*Acábalo*», y sosegado
subió y entregóse al sueño.

---

595 *paseaban, 1854.*

El fratricidio

ROMANCE I

EL ESPAÑOL Y EL FRANCÉS

«Mosén Beltrán, si sois noble
doleos de mi señor,
y deba corona y vida
a un caballero cual vos.

»Ponedle en cobro esta noche,   5
así el cielo os dé favor;
salvad a un rey desdichado
que una batalla perdió.

»Yo con la mano en mi espada,
y la mente puesta en Dios,   10
en su real nombre os ofrezco,
y ved que os la ofrezco yo,

»En perpetuo señorío
la cumplida donación
de Soria y de Monteagudo,   15
de Almansa, Atienza y Serón.

»Y a más doscientas mil doblas

5 *lo,* 1854.
12 *lo,* 1854.
17 *doblas:* «Moneda castellana de oro, acuñada en la Edad Media, de ley, peso y valor variables», *Dicc. Acad.*

137

de oro, de ley superior,
con el cuño de Castilla,
con el sello de León,   20
    »Para que paguéis la hueste
de allende que está con vos,
y con que fundéis estado
donde más os venga en pró.
    »Socorred al rey don Pedro,   25
que es legítimo, otro no;
coronad vuestras proezas
con tan generosa acción.»

                          * * *

    Así cuando en occidente
tras siniestro nubarrón,   30
un anochecer de marzo
su lumbre ocultaba el sol,
    Al pie del triste castillo
de Montiel, donde el pendón
vencido del rey don Pedro,   35
aun daba a España pavor;
    Men Rodríguez de Sanabria
con Beltrán Claquín habló;
y éste le dio por respuesta
con francesa lengua y voz.   40

                          * * *

    «Castellano caballero,
pues hidalgo os hizo Dios,
considerad que vasallo
del rey de Francia soy yo;
    »Y que de él es enemigo   45
don Pedro, vuestro señor,
pues en liga con ingleses
le mueve guerra feroz.

138

»Considerad que sirviendo
al infante Enrique estó,   50
que le juré pleitesía,
que gajes me da y ración.

»Mas ya que por caballero
venís a buscarme vos,
consultaré con los míos   55
si os puedo servir o no.

»Y como ellos me aconsejen
que dé a don Pedro favor,
y que sin menguar mi honra
puedo guarecerle yo,   60

»En siendo la media noche
pondré un luciente farol
delante de la mi tienda,
y encima de mi pendón.

»Si lo veis, luego veníos   65
vuestro rey don Pedro y vos,
en sendos caballos, solos,
sin armas y sin temor.»

Dijo el francés, y a su campo
sin despedirse tornó,   70
y en silencio, hacia el castillo,
retiróse el español.

ROMANCE II

EL CASTILLO

Inútil montón de piedras,
de años y hazañas sepulcro,
que viandantes y pastores   75
miran de noche con susto,

Cuando en tus almenas rotas
grita el cárabo nocturno,
y recuerda las consejas
que de ti repite el vulgo: 80

Escombros que han perdonado,
para escarmiento del mundo,
la guadaña de los siglos,
el rayo del cielo justo:

Esqueleto de un gigante,   85
peso de un collado inculto,
cadáver de un delincuente
de quien fue el tiempo verdugo:

Nido de aves de rapiña,
y de reptiles inmundos   90
vivar, y en que eres lo mismo,
de lo que eras ha cien lustros;

Pregonero que publicas
elocuente, aunque tan mudo,
que siempre han sido los hombres   95
miseria, opresión, orgullo;

De Montiel viejo castillo,
montón de piedras y musgo,
donde en vez de centinelas
gritan los siniestros búhos,   100

¡Cuán distinto te contemplo
de lo que estabas robusto,
la noche aquella que fuiste
del rey don Pedro refugio!

* * *

Era una noche de marzo,   105
de un marzo invernal y crudo,

_____

91 *vivar:* criadero.

140

en que con negras tinieblas
se viste el orbe de luto.
   El castillo, cuya torre
del homenaje el oscuro   110
cielo taladraba altiva,
formaba de un monte el bulto.
   Sobre su almenada frente,
por el espacio confuso,
pesadas nubes rodaban   115
del huracán al impulso.
   Del huracán, que silbando
azotaba el recio muro
con espesa lluvia a veces,
y con granizo menudo;   120
   Y a veces rasgando el toldo
de nubarrones adustos,
dos o tres rojas estrellas,
ojos del cielo sañudos,
   Descubría amenazantes   125
sobre el edificio rudo,
y sobre el vecino campo
del cielo entrambos insulto.
   Circundaban el castillo,
como cercan a un difunto   130
las amarillas candelas,
fogatas de triste anuncio,
   Pues eran del enemigo
vencedor, y que sañudo
el asalto preparaba   135
codicioso y furibundo.

* * *

   De la triste fortaleza
no aspecto de menos susto

141

el interior presentaba,
último amparo y recurso   140
    De un ejército vencido,
desalentado, confuso;
de hambre y sed atormentado,
y de despecho convulso.
    En medio del patio ardía   145
una gran lumbrada, a cuyo
resplandor de infierno, en torno
varios satánicos grupos
    Apiñados se veían,
en lo interno de los muros   150
altas sombras proyectando
de fantásticos dibujos.
    Gente era del rey don Pedro,
y se mostraban los unos
de hierro y sayos vestidos,   155
los otros medio desnudos.
    Allí de horrendas heridas,
dando tristes ayes, muchos
la sangre se restañaban
con lienzos rotos y sucios.   160
    Otros cantaban a un lado
mil cánticos disolutos,
y fanfarronas blasfemias
lanzaba su labio inmundo.
    Allá de una res asada   165
los restos fríos y crudos
se disputaban feroces,
esgrimiendo el hierro agudo.
    Aquí contaban agüeros
y desastrosos anuncios,   170
que escuchaban los cobardes
pasmados y taciturnos.

Ni los nobles caballeros
hallan respeto ninguno,
ni el orden y disciplina   175
restablecen sus conjuros,

Nadie los portillos guarda,
nadie vigila en los muros,
todo es peligro y desorden,
todo confusión y susto.   180

Los relinchos de caballos,
los ayes de moribundos,
las carcajadas, las voces,
las blasfemias, los insultos,

El crujido de las armas,   185
los varios trajes, los duros
rostros formaban un todo
tan horrendo y tan confuso;

Alumbrado por la llamas,
o escondido por el humo,   190
que asemejaba una escena
del infierno y no del mundo.

* * *

El rey don Pedro, entre tanto
separado de los suyos,
en una segura cuadra   195
se entregó al sueño profundo.

Mientras en un alta torre,
despreciando los impulsos
del huracán y la lluvia,
de lealtad noble trasunto,   200

Men Rodríguez de Sanabria
no separaba ni un punto
del lado donde sus tiendas
la francesa gente puso,

143

Los ojos y el pensamiento,   205
ansiando anhelante y mudo
ver la señal concertada,
astro de benigno influjo,
    Norte que de sus esfuerzos
pueda dirigir el rumbo,   210
por donde su rey consiga
de salud puerto seguro.

ROMANCE III

EL DORMIDO

Anuncia ya media noche
la campana de la vela,
cuando un farol aparece   215
de Claquín ante la tienda.
    Y no mísero piloto,
que sobre escollos navega,
perdido el rumbo y el norte
en noche espantosa y negra,   220
    Ve al doblar un alta roca
del faro amigo la estrella,
indicándole el abrigo
de seguro puerto cerca,
    Con más placer, que Sanabria   225
la luz que el alma le llena
de consuelo, y que anhelante
esperó entre las almenas.
    Latiéndole el noble pecho
desciende súbito de ellas,   230
y ciego bulto entre sombras
el corredor atraviesa.

_____
221 *una*, Ochoa.

144

* * *

Sin detenerse un instante
hasta la cámara llega,
do el rey don Pedro descanso   235
buscó por la vez postrera.

Sólo Sanabria la llave
tiene de la estancia regia,
que a noble de tanta estima
solamente el rey la entrega.   240

Cuidando de no hacer ruido
abre la ferrada puerta,
y al penetrar sus umbrales
súbito espanto le hiela.

No de aquel respeto propio   245
de vasallo, que se acerca
a postrarse reverente
de su rey en la presencia;

No aquel que agobiaba a todos
los hombres de aquella era,   250
al hallarse de improviso
con el rey don Pedro cerca,

Sino de más alto origen
cual si en la cámara hubiera
una cosa inexplicable   255
sobrenatural, tremenda.

* * *

Del hogar la estancia toda
falsa luz recibe apenas
por las azuladas llamas
de una lumbre càsi muerta.   260
Y los altos pilarones,
y las sombras que proyectan

145

en pavimento y paredes,
y el humo leve que vuela
    Por la bóveda y los lazos   265
y los mascarones de ella,
y las armas y estandartes
que pendientes la rodean,
    Todo parece movible,
todo de formas siniestras,   270
a los trémulos respiros
de la ahogada chimenea.
    Men Rodríguez de Sanabria
al entrar en tal escena
se siente desfallecido,   275
y sus duros miembros tiemblan,
    Advirtiendo que don Pedro
no en su lecho, sino en tierra,
yace tendido y convulso,
pues se mueve y se revuelca,   280
    Con el estoque empuñado,
medio de la vaina fuera,
con las ropas desgarradas,
y que solloza y se queja.
    Quiere ir a darle socorro...,   285
mas ¡ay!..., ¡en vano lo intenta!
en un mármol convertido
quédase clavado en tierra,
    Oyendo al rey balbuciente,
so la infernal influencia   290
de ahogadora pesadilla,
prorrumpir de esta manera.

* * *

    «Doña Leonor... ¡vil madrastra!!!
quita, quita... que me aprietas

146

el corazón con tus manos   295
de hierro encendido... espera,
    »Don Fadrique no me ahogues...
no me mires, que me quemas,
¡Tello!... ¡Coronel!... ¡Osorio!...
¿qué queréis?... traidores, ¡ea!   300
    »Mil vidas os arrancara
¿No tembláis?... Dejadme... afuera,
¿También tú, Blanca?... y aún tienes
mi corona en tu cabeza...
    »¿Osas maldecirme? ¡Inicua!!!   305
Hasta Bermejo se acerca...
¡moro infame!... Temblad todos.
Mas, ¿qué turba me rodea?...
    »Zorzo, a ellos: sus, Juan Diente,
¿Aún todos viven?... pues mueran.   310
Ved que soy el rey don Pedro,
dueño de vuestras cabezas.—
    »¡Ay, que estoy nadando en sangre!
¿qué espadas, decid, son ésas?...
¿qué dogales?... ¿qué venenos?...   315
¿qué huesos?... ¿qué calaveras?...
    »Roncas trompetas escucho...
un ejército me cerca,
¿y yo a pie?... Denme un caballo
y una lanza... vengan, vengan.   320

---

306 Se refiere a sus víctimas: doña Leonor de Guzmán (Ver «El Alcázar de
Sevilla», v. 279); el Maestre don Rodrigo y su otro hermano Tello, quien escapó
para salvar la vida; don Alfonso Fernández Coronel y el caballero leonés Osso-
rio, partidarios de don Enrique (don Pedro los mandó matar); doña Blanca, su
esposa, presa en Medina por sospecharla infiel; y Abu Said de Granada, «el rey
Bermejo», a quien mató a traición en Sevilla.

309 Este Zorzo —que así le decían en lenguaje griego vulgar por Jorge—
nacido, si creemos a Ayala, en Tartaria «é criado de ginoveses» era ballestero
mayor del rey, que «queríalo gran bien é fiaba dél» (Nota de Rivas Cherif).

»Un caballo y una lanza.
¿Qué es el mundo en mi presencia?
Por vengarme doy mi vida,
por un corcel mi diadema.
          »¿No hay quien a su rey socorra?»   325
A tal conjuro se esfuerza
Sanabria, su pasmo vence
y exclama: «Conmigo cuenta.»

                    * * *

A sacar el rey acude
de la pesadilla horrenda: 330
«Mi rey, ¡mi señor!» le grita,
y le mueve, y le despierta
          Abre los ojos don Pedro
y se confunde y se aterra,
hallándose en tal estado,   335
y con un hombre tan cerca.
          Mas luego que reconoce
al noble Sanabria, alienta,
y, *Soñé que andaba a caza*,
dice con turbada lengua.   340
          Sudoroso, vacilante,
se alza del suelo, se sienta
en un sillón, y pregunta:
«¿Hay, Sanabria, alguna nueva?»
          «Señor, responde Sanabria,   345
el francés hizo la seña.»
«Pues vamos, dice don Pedro,
haga el cielo lo que quiera.»

---

324 «My kingdom for a horse!», Shakespeare (Nota de Rivas).
348 Los veinte versos siguientes quedan omitidos en la edición de 1854 y en las demás basadas en ella. Véase «Nuestra edición», págs. 71-72.

148

Se prepara de unas fojas
bajo la veste encubiertas,   350
cala un casco sin penacho
sin gorjal y sin visera,

Una espada de Toledo,
y una daga de hoja estrecha
pone en la cintura, un manto   355
sobre los hombros sujeta.

Y él y Sanabria en silencio
la asombrada estancia dejan.
Por un caracol oculto
descienden con gran presteza.   360

Salen a la barbacana,
a un sitio apartado llegan,
en donde con dos caballos
un palafrenero vela.

Cabalgan sin ser sentidos,   365
y hendiendo la oscura niebla,
adonde el farol los llama,
y aún más su destino, vuelan.

ROMANCE IV

LOS DOS HERMANOS

De Mosén Beltrán Claquín
ante la tienda de pronto   370
páranse dos caballeros
ocultos en los embozos.

---

349 En ambas ediciones de 1841 pone «fojas». En la *Revista de Madrid*, II
(agosto de 1833), 85-97 y en la versión de Ochoa dice «joyas» *(Apuntes para una
biblioteca de escritores españoles contemporáneos,* París, Baudry, 1840, pág. 703). La
palabra correcta es «fojas» pues Ayala escribe que don Pedro iba «armado de
unas fojas» *(Crónica,* año veinte, cap. VIII. Citando a Nebrija, Corominas da
como una acepción de «hoja» la de «hoja de corazas o espada»; *Diccionario crítico
etimológico de la lengua castellana,* ed. 1954).

El rey don Pedro era el uno,
Rodríguez Sanabria el otro,
que en la fe de un enemigo   375
piensan encontrar socorro.
    Con gran prisa descabalgan,
y ya se encuentran en torno
rodeados de franceses
armados y silenciosos,   380
    En cuyos cascos gascones,
y en cuyos azules ojos
refleja el farol, que alumbra
cual siniestro meteoro.
    Entran dentro de la tienda   385
ya vacilantes, pues todo
empiezan a verlo entonces
de aspecto siniestro y torvo.
    Una lámpara de azófar
la alumbra trémula y poco,   390
mas deja ver un bufete,
un sillón de roble tosco,
    Un lecho y una armadura,
y lo que fue más asombro,
cuatro hombres de armas, inmobles,   395
de acero vivos escollos.

               * * *

    Don Pedro se desemboza
y, «*Vamos ya*», dice ronco,
y al instante uno de aquéllos,
con una mano de plomo,   400
    Que una manopla vestía
de dura malla, brioso
ase el regio brazo y dice:
«Esperad, que será poco.»

Al mismo tiempo a Sanabria   405
por detrás sujetan otros,
arráncanle de improviso
la espada, y cubren su rostro.
  «¡Traición!... ¡traición!»... gritan ambos
luchando con noble arrojo,   410
cuando entre antorchas y lanzas
en la escena entran de pronto
  Beltrán Claquín desarmado,
y don Enrique furioso,
cubierto de pie a cabeza   415
de un arnés de plata y oro,
Y ardiendo limpia en su mano
la desnuda daga, como
arde el rayo de los cielos,
que va a trastornar el polo,   420
  De don Pedro el brazo suelta
el forzudo armado, y todo
queda en profundo silencio,
silencio de horror y asombro.

                    * * *

  Ni Enrique a Pedro conoce,   425
ni Pedro a Enrique: apartólos
el cielo hace muchos años,
años de agravios y enconos,
  Un mar de rugiente sangre,
de huesos un promontorio,   430
de crímenes un abismo,
poniendo entre el uno y otro.

_____

            Don Enrique fue el primero
        que con satánico tono,
        «¿Quién de estos dos es —prorrumpe—   435
        el objeto de mis odios?»
            «Vil bastardo —le responde
        don Pedro, iracundo y torvo—
        yo soy tu rey; tiembla, aleve;
        hunde tu frente en el polvo.»   440
            Se embisten los dos hermanos;
        y don Enrique, furioso
        como tigre embravecido,
        hiere a don Pedro en el rostro.
            Don Pedro, cual león rugiente,   445
        «¡Traidor!» grita; por los ojos
        lanza infernal fuego, abraza
        a su armado hermano, como
            A la colmena ligera
        feroz y forzudo el oso,   450
        y traban lucha espantosa
        que el mundo contempla absorto.
            Caen al suelo, se revuelcan,
        se hieren de un lado y otro,
        la tierra inundan en sangre,   455
        lidian cual canes rabiosos.
            Se destrozan, se maldicen,
        dagas, dientes, uñas, todo
        es de aquellos dos hermanos
        a saciar la furia poco.   460
            Pedro a Enrique al cabo pone
        debajo, y se apresta ansioso,
        de su crueldad o justicia
        a dar nuevo testimonio,
            Cuando Claquín (¡oh desgracia!   465
        en nuestros debates propios
        siempre ha de haber extranjeros
        que decidan a su antojo).

Cuando Claquín, trastornando
la suerte, llega de pronto,   470
sujeta a don Pedro, y pone
sobre él a Enrique alevoso.
   Diciendo el aventurero
de tal maldad en abono:
«Sirvo en esto a mi señor;   475
ni rey quito, ni rey pongo.»
   No duró más el combate;
de su rey en lo más hondo
del corazón la corona
busca Enrique, hunde hasta el pomo   480
   El acero fratricida,
y con él el puño todo
para asegurarse de ella,
para agarrarla furioso.
   Y la sacó... ¡Goteando   485
sangre!!!... De funesto gozo
retumbó en el campo un *viva*,
y el infierno repitiólo.

Don Álvaro de Luna

ROMANCE I

LA VENTA

En la ruta de Portillo
y en las márgenes del Duero,
hubo (aún escombros lo dicen)
una venta en otro tiempo.
    A su puerta una mañana   5
estaba sentado un lego
de San Francisco, tres mulas
de los ronzales teniendo.
    De la venta en la cocina
se hallaban dos reverendos,   10
de una sartén apurando
magras con tomate y huevos.
    De maestresala servía
sin caperuza el ventero,
que solícito llenaba
las tazas de vino añejo.   15

---

[12] Lo hacen anacrónicamente, pues el tomate llegó a España tras el descubrimiento de América.

154

Era el uno el padre Espina,
predicador del convento
del Abrojo, el otro un fraile
anciano, de ciencia y peso.   20

* * *

Aunque con buen apetito,
mustios ambos y en silencio
se mostraban, cuando el huésped
les habló así con respeto:
«¿Es verdad, benditos padres,   25
que el Condestable está preso?...
Anoche dio esta noticia,
que nos pasmó, un caballero.»...
Contestóle el religioso:
«Pues no os engañó, que es cierto.»   30
Y continuó el padre Espina:
«Sí, desengaños son éstos
»Que avisan a los mortales
de que son perecederos
los bienes que nos da el mundo   35
y su grandeza embeleco.»...
El villano, sin turbarse,
le cortó el sermón diciendo:
«Y también de que castiga
sin palo ni piedra el cielo,   40
»Aún está fresca la sangre
de Alonso López Vivero:
Yo estaba al pie de la torre
cuando el Condestable mesmo

---

42 Según Salazar, era Contador Mayor de Castilla y hechura del Maestre, a
quien traicionó y pretendió destruir. Éste le hizo arrojar desde lo alto de su casa
un Viernes Santo.

»Le arrojó de ella; y he visto   45
de oro las cargas a cientos
entrar allá en su palacio.
Dicen también, y lo creo,

»Que hechizado al rey tenía,
y aún añaden...» —«No debemos   50
—dijo grave el religioso—
dar a hablilla tal, acceso.»

* * *

La ventera que hasta entonces
se estuvo callada al fuego,
con la mano en la mejilla   55
mostrando gran sentimiento,

Y que era, aunque no muy verde,
fresca y limpia con extremo,
abultada de pechera
y con grandes ojos negros,   60

Saltó súbita: «Envidiosos,
que no sirven, ni por pienso,
para descalzarle, han sido
los que en trance tal le han puesto.»—

Díjole el marido: «Calla.»   65
Y ella respondió: «No quiero...
¡qué señor tan llano!... ¡Parte
el corazón!... Mes y medio

»Hace que le vimos todos
tan galán, en el festejo   70
que se celebró en la plaza
de Valladolid... ¡Qué diestro!

»¡Qué valiente!... ¡Qué gallardo!
Fue el único del torneo.»—
«Calla», con cólera grande   75
volvió a decir el ventero;

---

45 *lo,* 1854.

156

Y ella, en vez de obedecerle,
a continuar: «¡Qué discreto!
el oírle daba gusto...
Alfonso López Vivero   80

   »Era un vil que le vendía.»
«Calla», repitió de nuevo
más airado el hombre; y ella:
«No me da la gana. Cierto

   »Es cuanto digo... El tesoro   85
lo ganó en la guerra, o premio
es que el rey le ha dado en paga
de servicios que le ha hecho.

   »La reina y los ricos-hombres
revoltosos y soberbios...»—   90
«Maldita tu lengua sea
—clamó furioso el ventero—,

   »Tú porque allá te criaste
en su palacio, y... ¡yo necio!»
Y ella prosiguió llorando: 95
«La tonta fui yo, mostrenco.»

   Iban en el matrimonio
a poner paz y concierto
los padres, cuando, *«Ya llegan»*,
gritó desde fuera el lego;   100

   Y dejando a los esposos,
que sin duda prosiguiendo
la disputa, la acabaron
a puñadas, según temo,

   Fuéronse a la puerta al punto,   105
sobre sus mulas subieron,
y aquella venta dejaron
hecha un abreviado infierno.

---

81 *lo,* 1854.

ROMANCE II

EL CAMINO

Se alza una nube de polvo
de lejos por el camino,   110
y al tropel que la levanta
borra y tiene confundido.
 En ella relampaguean
reflejos de acero limpio,
y forman un trueno sordo   115
herraduras y relinchos.
 Dando lugar a que llegue,
los religiosos franciscos
a lento paso se ponen,
y atrás miran de continuo   120

* * *

Se acerca gran cabalgada,
y vese claro y distinto
que Diego Estúñiga, el joven,
es de ella jefe y caudillo.
 En un alazán fogoso   125
viene, de hierro vestido,
la gruesa lanza en la cuja,
la luenga espada en el cinto,
 Un penacho jalde y negro,
cual matorral sobre un risco,   130
ondea sobre su almete,
y da al sol variados visos.

---

129 *jalde:* amarillo.

El ancho dorado escudo,
de una cadena ceñido,
ostenta la banda negra,   135
timbre de su casa antiguo.

    Vienen tras él diez jinetes,
de la cimera al estribo,
armados de punta en blanco,
y en las lanzas pendoncillos.   140

    Marchan todos en silencio,
y en todos el sobrescrito
de gran duelo y gran tristeza
se ve de ballesta a tiro.

    Se dijera ser la escolta,   145
no de un caballero vivo,
sí de un caballero muerto
que iba al postrimer asilo.

    En medio de ellos venía;
cabizbajo y abatido,   150
caballero en una mula
con jaeces harto ricos,

    Un insigne personaje,
de aspecto notable y digno,
de estatura no muy alta,   155
pero gallarda y de brío.

    Un sayo de paño verde
con franjas de oro guarnido
es su traje, y lleva al hombro,
más blanco que los armiños,   160

    Un gran manto, en cuyos pliegues
la cruz roja, distintivo
de maeste de Santiago,
luce en recamo prolijo;

---

133 *plateado: 1854.*

Y una toca de velludo   165
negro con bordados picos,
mas sin airón ni garzota,
es de su cabeza abrigo.

Era su mirar resuelto,
bien que apagado y sombrío,   170
y su aire tan de persona
de poder y de dominio,

Que por más que se notaba
ser un preso, descubrirlo
sin sentir, era imposible,   175
cierto respeto sumiso.

Don Álvaro era de Luna,
del rey don Juan favorito,
que a Castilla largos años
rigió sin freno a su arbitrio.   180

* * *

Cuando emparejó la tropa
con los dos padres franciscos,
paráronse éstos y, humildes,
saludo cortés y fino

Hicieron al Condestable,   185
de quien eran muy amigos,
don Álvaro contestóles
tan galán como expresivo.

Ellos en la armada escolta
se ingirieron de improviso,   190
tomando del Gran Maestre
a uno y otro lado sitio.

Largo rato caminaron
todos en silencio hundidos;
pero al cabo el padre Espina   195
se resolvió y así dijo:

«En verdad, señor, que valen
poco del mundo mezquino
las honras y los haberes
para el varón de juicio.   200

»El hombre cristiano y cuerdo
debe hacia norte más fijo
encaminar su esperanza,
servir sólo a Dios benigno.

»Lo que nos da, lo mantiene,   205
y al que busca en Él asilo,
para siempre se lo acuerda
en eterno paraíso.»

Con grande atención escucha
tan saludables avisos   210
don Álvaro, que engañado
juzgó, al salir de Portillo,

Que iba a recobrar honores,
favor, riqueza y dominio;
y entreviendo en el instante   215
su verdadero destino,

Se estremeció a pesar suyo,
cubrióse de sudor frío,
y, «Voy a morir acaso?»
preguntó como indeciso.   220

Contestóle el religioso:
«Todos; mientras somos vivos,
vamos a morir. El hombre
que va preso... en más peligro...»

—«Basta» exclamó el Condestable   225
y dando a su aspecto altivo
gran dignidad y gran calma,
y al semblante noble brillo,

«Basta —siguió— no es la muerte,
cuando se sabe de fijo   230
que llega, tan espantosa
como el vulgo vil ha dicho.

»Venga pues: si el rey lo quiere,
yo con gusto la recibo.
Padres, hasta el duro trance   235
no me dejéis, os suplico.»
     Oyendo tales razones
lloró Estúñiga escondido
en su celada, y lloraron
hasta los armados mismos.   240
     Ambos buenos religiosos
cumplieron bien con su oficio,
consolando al Condestable
con discreción y con tino,
     Y él, oyéndolos atento,   245
siguió la marcha tranquilo,
sin dar de dolor ni susto
en su noble rostro viso.

                      * * *

ROMANCE III

LAS CALLES. LA CAPILLA. EL PALACIO

     Para quién al día siguiente
mira la muerte segura,   250
el declinar de la tarde
solemnidad tiene mucha.
     En el sol, que va a ponerse
y espeso vapor ofusca,
(semejante a un rey que el trono   255
a su pesar desocupa,
     Y dignidad conservando
del mundo huye y se sepulta
donde los hombres no adviertan
su dolor y desventuras)   260

Con honda atención los ojos
clavó don Alvar de Luna.
Así que lo vio traspuesto
lanzó un suspiro de angustia,
 Como el que lanza el amante, 265
cuando el horizonte oculta
el bajel, en que su amada
los desiertos mares surca
 Para no volver. Ansioso
lleva sus miradas mudas 270
a los montes apartados
cuyas cumbres aún relumbran,
 A los ya enlutados bosques,
a las calladas llanuras,
a los altos campanarios 275
que entre nieblas se dibujan.
 Retardar el despedirse
de la perspectiva augusta
que presenta el universo,
parece que sólo busca. 280
 Y al notar que poco a poco
la luz menguante y confusa
del crepúsculo confunde
la escena que le circunda,
 Piensa ya ver de la muerte 285
la terrible sombra, en cuya
oscuridad para siempre
corre a hundirse, y se atribula.
 Sus pensamientos penetran
los doctos frailes, y endulzan 290
con eternas esperanzas
su meditación profunda.

* * *

Entre dos luces llegaron
a Valladolid, y turba
desordenada en las calles   295
con sordo rumor circula.

De Alonso López Vivero
por la calle y casa cruzan,
donde viven sus criados,
donde llora su viüda.   300

Aquéllos, como canalla
que si al poderoso adula,
en cuanto le ve caído
feroz le escarnece y burla,

De la cabalgada el paso   305
atajan con negra furia,
y con denuestos y voces
al ilustre preso insultan.

Éste, furioso (presente
el tiempo pasado juzga,   310
que aun conserva el poderío,
que aún domina a la fortuna)

Lleva soberbio la mano
a buscar en su cintura
la guarnición de la espada...   315
mas ¡ay! en vano la busca.

Va preso... espada no lleva...
¡Ah!... lo advierte, y furibunda
mirada va a dar al cielo;
mas se anonada y conturba.   320

Queda con los ojos fijos;
parece su faz difunta;
tiembla y en sudor helado
sus miembros todos se inundan.

Delante se halla un espectro...   325
¡Un espectro!... Sí, la mula
algo ve también: esquiva
se recela, empina y bufa.

¿De Alonso López Vivero
ha salido de la tumba   330
la sombra? —De que el maestre
ante sí la vio, no hay duda.

En confesión se lo dijo
aquella noche con muchas
lágrimas al padre Espina...   335
de Dios la venganza es justa.

Con el cuento de la lanza
a palos abre la turba
Estúñiga denodado,
y la atropella y asusta,   340

Y en salvo al ilustre preso
condujo a la casa suya,
en que estaba preparada
una capilla segura,

Donde pasó el Condestable   345
con la espiritual ayuda
noche serena, pidiendo
a Dios perdón de sus culpas.

Cenó, durmió cortos ratos,
repitió también algunas   350
trovas del famoso Mena
que pintan como locuras

Las mundanas ambiciones;
oró con fervor, en suma
fue un cristiano, un caballero,   355
un hombre de fe y de alcurnia.

* * *

---

351 Se refiere aquí a *El Laberinto de la Fortuna* o *Las Trescientas*, de Juan de
Mena.

Entre tanto, el que parece
ser el reo, a quien la dura
sentencia estaba leída,
y a quien la cuchilla aguda   360
    Del verdugo amenazaba,
era el rey.. ¡Mísero! lucha,
náufrago desventurado,
en airado mar de angustias,
    Ama a don Álvaro, mira   365
su sentencia como injusta;
de la reina y de los grandes
se la ha arrancado la furia.
    Que su trono se desploma,
y hasta su existencia juzga,   370
y que al morir el Maestre
abrazadas irán juntas
    El alma de aquel amigo
y el alma afligida suya.
¡Grande mal es la flaqueza   375
en hombre que cetro empuña!
    Revolcándose en su lecho,
rasgando sus vestiduras,
paseándose sin tino
por la cámara, que alumbra   380
    Una lámpara medrosa,
que en el cortinaje abulta
vagas sombras... ¡infelice!
¡qué noche pasó!... Que ocupa
    Ve un rincón de aquella sala,   385
de pie con la boca muda,
su físico Fernán Gómez.
A él se va, las manos juntas,
    Y suplicante le dice:
«Si es que mi salud procuras,   390
anda a ver al Condestable,
así Dios te dé su ayuda.»

El bachiller respondióle:
«Le debo mercedes muchas,
perdone vueseñoría,   395
no oso verle en tal angustia.»
    Conmovido el rey, el llanto
rompió y en voces confusas,
que el alma a Gómez partieron,
según dicen cartas suyas.   400

* * *

    Entró al estruendo la reina
en la cámara, cual una
aparición, como maga
que viene a doblar astuta
    Los encantos y conjuros   405
con que alto preso asegura,
y con que la empresa afirma
de que pende su fortuna.
    Calló el rey, quedó de mármol
al verla; ella le pregunta: 410
«¿Qué es esto?» y oyendo, «Nada»,
retiróse muy adusta.
    Largo rato el rey estuvo
cual ligado por la oculta
fuerza del prestigio. Luego   415
torna a más reñida pugna
    De afectos: la amistad vence,
llama con voz resoluta
a Solís, su maestresala,
dícele: «Al momento busca   420

---

400 «que el alma a Gómez partieran, / según dicen cartas suyas». Es la epístola CIII del *Centón Epistolario* del bachiller Fernán Gómez de Ciudarreal, médico de don Juan II (Nota de Rivas en *1834,* pág. 443).

»A Diego Estúñiga, y dile...»
En su garganta se anuda,
la voz, porque entra la reina
otra vez... Calla y trasuda.

    La reina a Solís llevóse,   425
y el rey abrió con presura
el balcón, cual si quisiese
gozar del aura nocturna.

    Y el trono, cetro y corona
maldiciendo en voces mudas,   430
ojos de lágrimas llenos
clavó en la menguante luna.

ROMANCE IV

LA PLAZA

    Mediada está la mañana;
ya el fatal momento llega,
y don Álvaro la Luna   435
sin turbarse oye la seña.

    Recibe la Eucaristía,
y en Dios la esperanza puesta,
sereno baja a la calle,
donde la escolta le espera.   440

    Cabalga sobre su mula,
que adorna gualdrapa negra,
y tan airoso cabalga,
cual para batalla o fiesta,

    Un sayo de paño negro   445
sin insignia ni venera
es su traje, y con el garbo
que un manto triunfal, lo lleva;

Y sin toca ni birrete,
ni otro adorno, descubierta,   450
bien aliñado el cabello,
la levantada cabeza.

Los dos padres franciscanos
se asen de las estriberas,
y hombres de armas en buen orden   455
le custodian y le cercan.

Así camina el Maestre
con tan gallarda presencia
y con tan sereno rostro,
que impone a cuantos le encuentran.   460

Sus enemigos no osan
clavar la vista soberbia
en él, como consternados
ya de su venganza horrenda.

Sus partidarios parecen   465
decirle con mudas lenguas,
que aun morirán por salvarle
y encenderán civil guerra.

Y aquel silencio terrible
por todas las calles reina,   470
que o gran terror, o despecho
grande siempre manifiesta.

Silencio que solamente
de cuando en cuando se quiebra
con la voz del pregonero   475
que a los más valientes hiela,

Diciendo: *«Esta es la justicia*
que facer el rey ordena
a este usurpador tirano
de su corona y su hacienda.»   480

Siempre que oye el Condestable
este vil pregón, aprieta
la mano del padre Espina
que en voz sumisa le esfuerza.

Arriba a la triste plaza,   485
que ha pocos días le viera
tan galán en el torneo,
con tal poder y opulencia.

El apretado concurso
el cuadrado espacio llena;   490
vese una masa compacta
de rostros y de cabezas.

Parece que el pavimento
se ha elevado de la tierra,
o que casas y palacios   495
su basa han hundido en ella.

Un callejón, que tapiales
de hombres apiñados cierran,
sirviéndole de linderos
lanzas en vez de arboleda,   500

Ofrece paso hasta donde,
lecho de muerte descuella,
en mitad del gran gentío
que como la mar olea,   505

El reducido tablado,
enlutado con bayetas,
una gran tumba parece
que el pueblo en hombros sustenta.

Sobre él está colocado   510
un altar a la derecha,
de terciopelo vestido;
y entre amarillas candelas,

Cuya luz el sol deslustra
y arder el viento no deja,
un Crucifijo de plata   515
en cruz de ébano campea.

Yace un ataúd humilde
colocado a la izquierda,
cerca de él se ve una escarpia
en un pilar de madera;   520
    Y en medio, de firme, un tajo,
delante una almohada negra,
y una hacha, en cuya cuchilla
los rayos del sol reflejan.

* * *

    Al pie del cadalso el reo   525
de la alta mula se apea:
fervoroso el padre Espina
con él sube y no le deja.
    De pie ya sobre el tablado
tres personas se presentan   530
a las medrosas miradas
de la muchedumbre inmensa:
    El ministro de la muerte,
el que lo es de vida eterna,
y el que dando al uno el cuerpo   535
al otro el alma encomienda.
    Turbado el tosco verdugo
de atreverse a tal alteza,
necio terror da a su frente
que cubre jalde montera.   540
    El religioso metido
en su capucha, se queda
de mármol, cruza los brazos,
y con fervor mudo, reza.

* * *

El Condestable, sereno,   545
el pie al Crucifijo besa,
y luego tiende los ojos
por la turba que le observa;
    Y viendo junto al tablado
en actitud lastimera   550
a Morales, su escudero,
hecho de lealtad emblema,
    Le llama, de oro un anillo,
que el sello de sellar era
de su puridad las cartas,   555
del pulgar quita, y le entrega
    Diciéndole: «Amigo, toma,
ya no conservo otra prenda.»
Después atisbó a Barrasa,
paje del príncipe, cerca,   560
    Y así le habló en voz sonora:
«Dile a tu dueño, que vea
de dar a los que le sirvan,
otra mejor recompensa.»
    Viendo el pilar y la escarpia,   565
¿«Para qué? pregunta. Tiembla
el sayón, y le responde,
hablar no osando, por señas.
    Y prosiguió el Condestable
con una sonrisa acerba:
«Después de yo degollado,   570
nada son cuerpo y cabeza.»
    Entonces el padre Espina
que piense sólo, le ruega,
en Dios; y él, «Padre, es mi norte   575
y mi esperanza», contesta.

---

554 *puridad:* secreto.

Se ajusta el traje, descubre
la garganta, ve que llega
el verdugo para atarle
las manos con una cuerda,   580
    Saca del seno una cinta
labrada con oro y seda,
y, «Átalas —le dice— amigo,
si es necesario, con ésta.»
    De hinojos en la almohada   585
se pone, el cuello presenta,
el religioso le grita:
«Dios te abre los brazos, vuela.»
    El hacha cae como un rayo,
salta la insigne cabeza,   590
se alza universal gemido,
y tres campanadas suenan.

Recuerdos de un grande hombre

A mi sobrino
El Excmo. Sr. D. Cristóbal Colón y La-Cerda
Marqués de la Jamaica

* * *

ROMANCE I

EL NIÑO HAMBRIENTO

A media legua de Palos,
sobre una mansa colina,
que dominando los mares
está de pinos vestida,
De la Rábida el convento,   5
fundación de orden francisca,
descuella desierto, solo,
desmantelado, en ruïnas.
No por la mano del tiempo,
aunque es obra muy antigua,   10
sino por la infame mano
de revueltas y codicias,

Que a la nación envilecen
y al pueblo desmoralizan,
destruyendo sus blasones,   15
robándole sus doctrinas.

De este olvidado convento,
ante la portada misma,
en la llana plataforma,
sitio de admirable vista,   20

Una mañana de marzo,
mientras que solemne misa
en la iglesia se cantaba,
y escaso concurso oía,

Tres y medio siglos hace,   25
para gloria de Castilla,
apareció un extranjero
de presencia extraña y digna.

En aquel punto acababa
de llegar allí; vestía   30
justillo de roja tela,
aunque usada y vieja, fina.

Un manto de lana pardo
con mangotes y capilla,
un birrete de velludo,   35
y de orejeras caídas,

Unas portuguesas botas,
más enlodadas que limpias.
Y bajo el brazo pendiente
un zurrón, saco, o mochila,   40

Donde un pequeño astrolabio,
una brújula marina,
un libro de devociones
y unos pergaminos iban.

_____

31 *justillo:* «Prenda interior sin mangas, que ciñe el cuerpo y no baja de la
cintura», *Dicc. Acad.*
34 *Mangotes y capilla:* «Manga ancha y larga» y «Capucha sujeta al cuello de las
capas, gabanes o hábitos», *Dicc. Acad.*

45

Despejada era su frente,
penetrante era su vista,
su nariz algo aguileña,
su boca muy expresiva;
Proporcionados sus miembros,
y su edad, si no florida,
tampoco tan avanzada
que llegase a estar marchita.

50

* * *

Con el cariño de padre,
de la mano conducía
un cansado y tierno niño,
de belleza peregrina,
Pues en su cándido rostro
de rosa y jazmín lucían
dos nobles ojos azules
llenos de inocencia y vida;
Y desde su ebúrnea frente
por su cuello descendían
los cabellos anillados
que el sol miró con envidia.
Ser dijérase el modelo
que de Urbino el gran artista,
en los ángeles copiaba,
que tanto encanto respiran.
Y de su gallardo padre
a la sombra, parecía
un lirio fresco y lozano
que nace al pie de una encina.

55

60

65

70

* * *

     Este extraño personaje,
con esta criatura linda,
taciturno paseaba   75
con facha contemplativa.
     Ora por el mar de Atlante
que rizaba fresca brisa,
como buscando una senda
giraba ansiosa la vista.   80
     Ora allá en el horizonte
de occidente la ponía,
cual si algún objeto viera,
inmóvil, clavada, fija.
     Y ya al cielo una mirada   85
de entusiasmo y de fe viva
daba, animando su rostro
una inspirada sonrisa:
     Y ya de pronto inclinando
la frente a tierra, teñían   90
melancólicos colores
sus deslustradas mejillas.
     De sus hondos pensamientos
y de su inquietud continua,
sacóle la voz del niño   95
que pan y agua le pedía;
     Pues en cuanto oyó su acento
y vio su aflicción, se inclina,
tierno le toma en los brazos,
le consuela, le acaricia,   100
     Y diligente se acerca
a la abierta portería,
a demandar el socorro
que aquel ángel necesita.
     Recíbele afable un lego,   105
que entre en el claustro le indica,
y que en un escaño espere
mientras él va a la cocina.

* * *

Fray Juan Pérez de Marchena,
Guardián entonces por dicha,   110
junto a los viajeros pasa
volviendo de decir misa,

Y curioso contemplando
su apariencia peregrina,
informóse del socorro   115
que cortésmente pedían.

Y por un secreto impulso
que en favor de ellos le anima,
inspiración de los cielos
que su nombre inmortaliza,   120

O porque era religioso
de caridad y de eximia
virtud, y muy compasivo
con cuantos allí venían,

A aquellos huéspedes ruega   125
que en su pobre celda admitan,
parte de su escaso almuerzo
y descanso a sus fatigas.

Aceptado fue el convite,
y por la escalera arriba,   130
el religioso delante
y el hijo y padre en pos iban,

Formando un sencillo cuadro,
cuyo asunto ser dirían,
el talento y la inocencia   135
con la religión por guía.

ROMANCE II

EL ALMUERZO

En el estrecho recinto
de una franciscana celda,
cómoda, aunque humilde y pobre,
y de extremada limpieza,   140
     De la Rábida el prelado
con sus dos huéspedes entra,
y después que sendas sillas
les ofrece y les presenta,
     Abre franco y obsequioso   145
una mezquina alacena,
de donde bizcochos saca,
una redoma o botella
     Del vino más excelente
que da el Condado de Niebla,   150
aceitunas, pan y queso,
y tres limpias servilletas,
     Acomodándolo todo
en una redonda mesa,
no lejos de la ventana   155
que daba vista a la huerta.
     Enseguida llama al lego,
y que al punto traiga, ordena,
huevos con magras adunia,
y chanfaina si está hecha.   160
     Encargándole que todo
caliente y sabroso venga,
que no charle en la cocina,
ni se eternice y se duerma.

---

159 *adunia:* en abundancia.
160 *chanfaina:* guiso de carne.

Dadas sus disposiciones,   165
al extranjero se acerca
(que por tal le ha conocido
en el porte, traje y lengua)

Con una taza le brinda,
y al niño que tome ruega   170
un bizcocho, que le alarga,
y lo acaricia y lo besa.

Bebe el huésped, luego bebe
Fray Juan Pérez de Marchena;
y el niño come el bizcocho,   175
toma un sorbo de agua fresca,

Y con el zurrón que el padre
se ha quitado, y puesto en tierra,
sacando cuanto contiene
vivaracho travesea.   180

El Guardián varias preguntas
hace al extranjero, acerca
de su patria, de su estado,
y del arte que profesa

Aunque aquellos instrumentos   185
con que la criatura juega,
que le son muy familiares,
ya casi se lo revelan.

Que es genovés y viudo
atento al huésped contesta;   190
que es navegar su ejercicio,
y de piloto su ciencia.

Y así como una vasija
que está rebosante y llena
de un líquido, algo derrama   195
a muy poco que la muevan,

Dio indicios claros, patentes,
en sus fáciles respuestas,
de aquel grande pensamiento,
portentoso, que le alienta,   200

Que exclusivo su alma absorbe,
que es la sangre de sus venas,
que es el aire que respira,
que es ya toda su existencia,

Y que causó los estremos   205
que delante de la iglesia,
el mar contemplando, hizo,
como referidos quedan.

Que el occidente escondía,
dijo, riquísimas tierras,   210
que era el ancho mar de Atlante
de la gran Tartaria senda;

Y que dar la vuelta al mundo
para él cosa fácil era;
con otras raras especies,   215
tan inauditas, tan nuevas,

Que al escucharle, pasmado
Fray Juan Pérez de Marchena
(aunque a osados mareantes
hablaba con gran frecuencia,   220

Por haber muchos en Palos,
y aunque sabe las proezas
y raros descubrimientos
de las naves portuguesas),

No acierta si está escuchando   225
a un orate o a un profeta,
si es un ángel o un demonio
el hombre que está en su celda.

Mudo se alza, llama al lego
y que busque a toda priesa   230
le manda a Garci Fernández,
que estaba ha poco en la iglesia.

* * *

No tardó Garci Fernández
en presentarse en la escena
con el lego, que el almuerzo   235
colocó sobre la mesa.
Era médico de Palos,
hombre docto y de experiencia,
de sagacidad y astucia,
de malicia y de reserva.   240
Viejo y magro, pero fuerte,
mellado, la cara seca,
calvo, la barba entrecana
y la tez tosca y morena.
De estezado una ropilla,   245
calzas de burda estameña,
la capa de pardo monte
y el sombrero de alas luengas,
Era su traje. La mano
y el hábito al fraile besa,   250
y al incógnito saluda
con curiosidad inquieta.

* * *

El médico, el extranjero
y el padre Guardián se sientan,
dando al almuerzo principio,   255
y mutuamente se observan.
Pero el silencio interrumpe,
después de haber hecho seña
al sagaz Garci Fernández,
Fray Juan Pérez, y comienza   260

---

244 *estezado:* piel curtida.

A hablar de navegaciones
y desconocidas tierras,
preguntándole a su huésped
su parecer sobre ellas.

Fue bastante haber tocado   265
con sagacidad la tecla,
la facilidad verbosa
del genovés se desplega.

Y con aquellas razones
de convencimiento llenas,   270
con que se sienta y sostiene
lo que se sabe de veras,

Sus inspiraciones pinta,
sus observaciones cuenta,
su sistema desenvuelve,   275
sus proyectos manifiesta.

Recurre a sus pergaminos,
los desarrolla, y enseña
cartas que él mismo ha trazado
de navegar, mas tan nuevas,   280

Y, según él las explica,
en cosmográfica ciencia
demostrándose eminente,
tan seguras y tan ciertas,

Que el pasmo del religioso   285
y su indecisión aumentan,
mientras al médico encantan,
le convencen y embelesan.

De aquel ente extraordinario
crece la sabia elocuencia,   290
notando que es comprendido,
y de entusiasmo se llena.

Se agranda, brillan sus ojos
cual rutilantes estrellas,
brotan sus labios un río   295
de científicas ideas.

No es ya un mortal, es un ángel,
de Dios un nuncio en la tierra,
un refulgente destello
de la sabia Omnipotencia.   300

Comunica su entusiasmo,
que el entusiasmo se pega,
a los que atentos le escuchan,
a los que mudos le observan.

El médico, el religioso,   305
y hasta el lego que a la mesa
sirve, y ha escuchado inmoble,
y con tanta boca abierta,

Mas sin entender palabra,
en entusiasmo se queman;   310
y de haber visto aquel día
dan gracias a Dios sus lenguas.

Y piden que luego, luego,
se lleve a cabo la empresa,
y quieren ir, y una parte   315
tener en las glorias de ella.

Y ya se ven en los mares,
y ya en ignoradas tierras,
y ya el asombro del mundo
con nombre, y con fama eterna.   320

Formando la celda un cuadro
digno de que en él hubieran
o Zurbarán o Velázquez
apurado sus paletas.

* * *

303 *lo, 1854.*
304 *lo, 1854.*

Mas, ¡ay! pronto de aquel cielo   325
de ilusiones halagüeñas,
bajan a lo positivo
de la miserable tierra;
   Cuando en sí mismos volviendo
reconocen su impotencia,   330
y los elementos grandes
que ha menester tal empresa.
   Se hallan como el desdichado
que en pobre lecho despierta,
cuando soñaba que un trono   335
era poco a su grandeza.
   Pues de un oscuro piloto
volviendo a entrar en la esfera
el genovés, abatido,
les refiere su pobreza: 340
   Que no han querido ayudarle
ni su patria, ni Venecia,
que la corte de Lisboa
se burla de sus propuestas;
   Que los sabios no le entienden,   345
que los ricos le desprecian,
que los nobles no le escuchan,
que el vulgo le vilipendia.
   Mas como después, añade,
que aún la esperanza le alienta   350
de encontrar grata acogida
en el rey de la Inglaterra;
   Donde ya tiene un hermano
con proposiciones hechas,
y que él mismo, a acalorarlas,   355
ir allá muy pronto piensa;
   El amor patrio, más puro
en las españolas venas
del médico y del prelado,
se inflama y súbito truena,   360

Pues unánimes prorrumpen:
«De España la gloria sea;
no busquéis lejanos reinos
cuando el mejor se os presenta,
    »Y el que sediento de gloria   365
más imposibles anhela.
Corred, buscad el apoyo
de la castellana reina,
    »De Doña Isabel invicta,
que es la más grande princesa   370
que han admirado los siglos,
y que ha ceñido diadema.»
    De los dos el entusiasmo
también a su vez se pega
al genovés, y aquel nombre   375
pronunciado con tal fuerza
    Por el físico y el fraile,
el alma y pecho le llenan
de esperanza tan vehemente,
que sus planes desconcierta.   380
    En sus rutilantes ojos,
como en su boca entreabierta,
y en su palpitante pecho,
y en su animada apariencia,
    El sagaz Garci Fernández   385
lo conoce, y «No se pierda
momento —prosigue— al punto
id a Córdoba, que es cerca.
    »Allí encontraréis la corte:
pues el cielo os la presenta   390
tan inmediata, propicia
la hallaréis, nada os detenga.»
    Y Fray Juan Pérez añade:
«Marchad, sí, Dios os lo ordena.
Carta os daré para el Padre   395
Hernando de Talavera,

»Religioso de valía
que es confesor de la reina.
Y por que ningún cuidado
vuestra jornada entorpezca,   400

»Este vuestro tierno niño
aquí en el convento queda,
de mi seráfico padre
so la protección inmensa.»

No dijeron más. Escribe,   405
dando la cosa por hecha,
la carta Garci Fernández;
Fray Juan Pérez de Marchena

La fima; su propia mula
ensillar al punto ordena,   410
y las próvidas alforjas
preparar en la despensa.

Todo está listo. Y entonces
cual si alguna oculta fuerza
le compeliese, el piloto,   415
que aún no había dado respuesta,

De pie se puso, y resuelto
exclama de esta manera:
«A Córdoba, Dios lo quiere,   420
su gracia me favorezca.»

Al tierno y precioso niño
acaricia, abraza y besa,
no sin lágrimas sus ojos,
no su corazón sin pena.

A rezar un corto rato   425
vase devoto a la iglesia,
do el escapulario viste
de la seráfica regla.

De sus dos nuevos amigos
se despide ya en la puerta,   430
cabalga, aguija, y a trote
de la Rábida se aleja.

ROMANCE III

De Abderramán la mezquita
y de Almanzor las murallas,
y el puente de Julio César,   435
y las vividoras palmas,
        Que más de dos luengos siglos
muerto ornato se miraban
del sepulcro de un imperio,
o de una tumba de hazañas,   440
        Como evocadas reviven,
las musgosas frentes alzan,
y para Córdoba juzgan
que una nueva aurora raya.
        Y que renacen los días   445
de gloria, poder y fama,
en que Atenas de Occidente,
en que Roma musulmana,
        O ilustró al mundo con ciencias,
o rindió al mundo con armas,   450
como de sabios emporio,
como de guerreros patria.

* * *

Los dos católicos reyes
que son Atlantes de España,
los que un imperio fundaron   455
que ningún imperio iguala,
        A Córdoba han elegido
para corte, centro y plaza
de los bélicos aprestos
que han de triunfar en Granada.   460

Los grandes y ricos-homes
acuden con sus mesnadas,
y con todo el aparato
de sus espléndidas casas.

Allá envían sus pendones   465
las ciudades más lejanas,
con sus bravos caballeros
y con sus huestes gallardas.

Allí los Grandes Maestres
sus estandartes levantan,   470
y allí prelados concurren,
y allí Legados del Papa.

Los personajes de corte,
los magistrados de fama,
los más ilustres señores   475
y las más apuestas damas.

Y llegan aventureros
y soldados de ventaja,
y jinetes, y peones,
ballesteros y hombres de armas.   480

Y cual nube de pardales
que viene a la seca parva,
o cual reguero de hormigas
que al costal volcado ataca,

Traficantes, labradores   485
y ganaderos se afanan
en apurar la moneda
con sus ventas y contratas.

* * *

Por ciudad de encantamiento
a Córdoba reputara,   490
quien notase su bullicio,
quien oyese su algazara.

Y al ver llenos sus palacios
de rica nobleza tanta,
y sus calles y sus muros,   495
y sus huertos y sus plazas
    Hervir en enjambre inmenso
de tan diversas comparsas,
de tan distintos vivientes,
de ocupaciones tan varias.   500

                    * * *

    A las funciones de iglesia
suceden las cabalgadas,
a los consejos de corte
los alardes y las danzas;
    Los saraos a los banquetes,   505
a los torneos las farsas,
a las consultas y audiencias
festejos, toros y cañas.
    Todo es movimiento y vida,
todo actividad extraña,   510
todo bélico aparato,
todo fiestas cortesanas.
    Todo es riqueza y aliento,
todo brocados y holandas,
todo confusión alegre,   515
todo caprichos y galas.
    Córdoba es concilio, corte,
almacén, campo de armas,
tribunal, mercado, lonja,
escuela, taller y sala.   520

---

504 *alardes:* revista, desfile militar.

Ya una procesión solemne
lenta por las calles marcha,
ya los reyes atraviesan
con su comitiva y guardias.

Aquí llegan municiones,   525
allí grano y vituallas,
acá se doman corceles,
allá se adiestran escuadras.

Allí armaduras se bruñen,
aquí se bordan gualdrapas,   530
acá se recaman vestes,
allá se templan espadas.

Las banderas y penachos,
los pendoncillos y lanzas,
las enseñas y divisas   535
forman espesa enramada.

El sol chispea en el oro,
arde en bruñidas corazas,
y en plumas, telas, recamos,
vivos colores esmalta.   540

Ora resuenan clarines,
ora rimbomban campanas,
ya redoblan los tambores,
ya retumban las lombardas.

No hay una persona ociosa,   545
no hay sin movimiento un alma,
ni imaginación tranquila
ni pecho sin esperanza.

Unos sueñan en despojos,
otros nombre y lauros ansian,   550
quién va a ganar indulgencias,
quién gloria pide y aguarda.

Y todas estas ideas
se humillan, aunque tan varias,
a un gigante pensamiento,   555
la conquista de Granada.

Entre el inmenso gentío
y entre baraúnda tanta,
como en medio de un desierto
solo y silencioso vaga,   560
    Soñador, pobre, abatido,
sin que sus proyectos hayan
un solo apoyo encontrado,
merecido una mirada,
    El genovés navegante,   565
que a la corte castellana
desde la Rábida vino
tras falaces esperanzas.
    Y el cual bien puede decirse
que ha llegado en hora mala   570
a aquel abreviado mundo,
a aquella Babel de España.

* * *

Fray Hernando Talavera
es persona de importancia,
ve una mitra en perspectiva,   575
todo lo demás es nada.
    Con desdén ha recibido
de un fraile oscuro la carta
y juzga al recomendado
un arbitrista sin blanca.   580
    De estado los grandes hombres,
que con los reyes trabajan,
no tienen tiempo, no escuchan,
sólo de la guerra tratan.

Los cortesanos se burlan   585
de una catadura extraña,
y del humilde atavío
de la persona más sabia.

Los guerreros nada tienen
de común con el que habla   590
de círculos y de estrellas,
y de cosas que no alcanzan.

El vulgacho vil se mofa,
cual de un loco, del que anda
tan desarrapado y, grave,   595
ofrece montes de plata.

Y conseguir una audiencia,
y de los reyes la gracia
con tan contrarios auspicios,
en cosa imposible raya.   600

Hace un mes que el extranjero
rueda por las antesalas,
siendo burla de los pajes,
juguete de la canalla,

Y aburrido y despechado   605
de volver por su hijo trata,
y de volar a otros reinos
sin pensar más en España.

Pero acá en el mundo somos
de la omnipotencia sabia   610
sólo instrumento, sus miras
nadie puede penetrarlas;

Y por medios tan ocultos,
por ocurrencias tan raras
se cumplen, que en vano el hombre   615
esto, dice, haré mañana.

* * *

600 *caso, 1854.*

En la catedral sombría
que Guadalquivir retrata,
aún no del perverso gusto
cual después, contaminada,   620

Devoto entra el mareante,
cuando el son de la campana
a las vísperas solemnes
a los fieles convocaba.

Por las más oscuras naves,   625
y por las más solitarias,
siempre huyendo del gentío,
cruza con incierta planta.

Y en aquel bosque de mármol,
y a su luz tibia y opaca,   630
una evocación parece,
un espectro, una fantasma.

Frente de aquella capilla
de esmaltes y filigranas,
que del *Zancarrón* el vulgo,   635
y todo Córdoba llama,

A una columna de jaspe
al cabo apoya la espalda,
y en hondas meditaciones
sueña, delira, se extasia.   640

Cuando acaso una señora,
sin advertir en él, pasa
tan cerca, que con el manto
casi le toca la cara.

Este pequeño incidente   645
para volverle en sí basta,
y sintiéndose arrastrado
por una violencia extraña,

Por un superior impulso
de aquellos que no se aguardan,   650
sigue, cual can a su dueño,
maquinalmente a la dama.

Ésta, ante un altar dorado
donde la imagen brillaba
de la Virgen, se arrodilla,   655
abre el manto y se destapa.

Y a la luz de seis candelas
que el retablo iluminaban.
deja ver un lindo rostro
lleno de candor y gracia;   660

Y de expresión tan devota,
y de belleza tan rara,
y de modestia tan grande,
y de nobleza tan alta,

Como se admira en los rostros   665
que dio Murillo a sus santas,
y que de un ángel del cielo
pudo tan sólo copiarlas.

El extranjero, encantado,
sus afanes y sus ansias   670
olvida un punto, y los ojos
en aquel tesoro clava.

* * *

Levántase la señora
al acabar sus plegarias,
retírase, y el piloto   675
sigue absorto sus pisadas

Sin saber qué le sucede,
sin acertar qué le pasa,
como sujeto y ligado
por hechizo, encanto o magia.   680

Al patio de los naranjos
salen ambos, y él se aparta
al ver que dos escuderos
a la señora acompañan.

Mas aún de lejos la sigue,   685
cuando quiso su desgracia,
mejor diré su fortuna,
que en la calle se encontrara

    Con un tropel de muchachos,
que de pronto en él reparan.   690
Y como de que era loco
varias especies volaban,

    «Al loco», gritan, y empiezan
con silbidos y pedradas,
con insultos y con voces,
que suelen pasar por gracia.   695

    Al estruendo la señora
con curiosidad se para,
y al ver en tal paso a un hombre
pobre, mas de noble traza,   700

    Que le den auxilio al punto
a sus escuderos manda,
y ella se acerca, y le ofrece
el amparo de su casa.

* * *

    Con Doña Beatriz Enríquez,   705
que es la cordobesa dama,
tan discreta como hermosa,
tan buena como gallarda,

    Entra el genovés piloto
en una soberbia cuadra,   710
de guadamecí vestida
con las molduras doradas,

---

711 *guadamecí:* «Cuero adobado y adornado con dibujos de pintura o relieve»,
Dicc. Acad.

Y un estrado de almohadones
de terciopelo con franjas,
y con grandes borlas de oro   715
sobre alfombras de Granada;
      Mas tan turbado y confuso
que no acierta a hablar palabra,
y tan sólo en que respira
se ve que no es una estatua.   720
      Tampoco está la señora
muy en sí; tampoco halla
aquellas frases precisas
de quien recibe en su casa.
      No ha reparado en la iglesia   725
en aquel hombre, y le pasma
su noble fisonomía
que con su traje contrasta.
      Y acertando prontamente
que es el marino a quien llaman   730
unos loco y otros sabio,
atenta le observa y calla.
      Al cabo el hielo rompióse,
y la primera la dama
le ruega que tome asiento,   735
y ordena le sirvan agua.
      Entra obediente al mandato
una berberisca esclava,
con búcaros primorosos
en su salvilla de plata.   740

* * *

---

740 *Salvilla:* «Bandeja con una o varias encaduras donde se aseguraban las
copas, tazas o jícaras que se sirvan en ella», *Dicc. Acad.*

Sosegado el extranjero,
con tal dignidad y tanta
cortesanía le rinde
por aquel servicio gracias,
   Que el parabién la señora   745
de ocurrencia tan extraña
se da a sí misma, y se esmera
en obsequios y en palabras.
   Esta primera visita
otras produjo más largas,   750
y de muy pocas al cabo
se entendieron sus dos almas.

                * * *

   Ya no piensa el navegante
en dejar tan pronto a España,
renueva sus pretensiones,   755
torna a rodar antesalas.
   De Hernando de Talavera
la altivez ya no le espanta.
Insiste en ver a los reyes
y renueva sus demandas.   760
   Doña Beatriz, afanosa,
siendo ya depositaria
de sus planes y proyectos,
que la envanecen y exaltan,
   Le aconseja y le reanima,   765
le consuela y le entusiasma,
y conexiones le busca
con femenil eficacia.

---

752 Era doña Beatriz Enríquez una dama noble que fue la madre de Fernando Colón.
765 *lo... lo, 1854.*

Él mismo en Córdoba logra
con su permanencia larga,   770
que algunos doctos le escuchen,
tratar a personas altas.

Y ya sus propuestas toman
cierto color de importancia,
y ya con calor y aprecio   775
del extranjero se habla.

Alonso de Quintanilla,
del rey tesorero, enlaza
con él amistad estrecha
y en protejerle se afana.   780

Y don Pedro de Mendoza,
el gran cardenal de España,
uno de los más ilustres
varones de nuestra patria,

Afable se le demuestra,   785
y con su poder alcanza
que el mismo rey le conceda
la audiencia tan deseada.

* * *

Frío, suspicaz, severo
le oye el rey. Pero le llaman   790
la atención de aquel piloto,
la dignidad y la calma,

El convencimiento firme,
las explicaciones claras.
Y aunque de la inmensa idea   795
toda la extensión no alcanza,

La envidia a los portugueses,
de dominación el ansia,
y el carácter de aquel siglo
caballeresco y de hazañas,   800

_____
771 *lo,* 1854.

199

Le obligan a que al instante
dé acogida afable y grata
al hombre y a su proyecto,
porque otro rey no lo haga.
    Mas los gastos de la guerra   805
hacer nuevos le embarazan,
ni otra empresa empezar puede
hasta rendir a Granada.
    Y cual político astuto,
por ganar tiempo y dar largas,   810
su protección y su auxilio
al piloto ofrece, y manda
    Que los sabios eminentes
de la docta Salamanca
con detención examinen   815
la propuesta extraordinaria.
    No contenta al navegante
tal decision del monarca,
mas que con ella se avenga
Doña Beatriz quiere, y basta.   820

ROMANCE IV

TIEMPO PERDIDO

    Dejando atrás a Granada,
en cuyas torres el viento
ya la cruz triunfante adora
entre cristianos trofeos;
    Y dejando atrás la corte   825
de los hispánicos reinos,
donde tristes desengaños
cogió y amargos desprecios.

Va el genovés navegante,
va el portentoso extranjero
en una mula de paso   830
hacia Córdoba derecho.

Sin volver atrás los ojos,
pobre, abatido y enfermo,
sale de la hermosa vega   835
que le parece el infierno.

Lleva en su faz las señales
del infortunio y del tiempo,
que los años y desgracias
dan con un bronce en el suelo.   840

Seis años cuenta perdidos
desde que llegó al convento
de la Rábida y el nombre
quiso hacer de España eterno.

Y sus esperanzas todas,   845
y todos sus pensamientos,
disipadas mira en humo,
en polvo mira deshechos.

* * *

De la insigne Salamanca
los doctores y maestros,   850
más bien que examinadores
jueces inflexibles fueron,

Y le trataron altivos,
aunque era más sabio que ellos,
no cual docto que consulta,   855
sino cual convicto reo,

Sus geométricas verdades
por respuesta hallaron textos,
sus cálculos, silogismos,
sus demostraciones, ergos   860

---

860 *ergos:* argumentaciones silogísticas.

Y aunque varios religiosos
de San Esteban (colegio
donde fue la conferencia)
que eran sabios verdaderos,

Si comprender no lograron   865
al inspirado extranjero,
le escucharon con asombro
y su importancia advirtieron,

Los más, cual siempre acontece,   870
arrollaron a los menos,
y sobre un hombre tan grande,
y sobre un tan gran proyecto

Informaron a la corte
con el más alto desprecio,   875
de visionario y de loco
prodigándole dicterios.

El no entendido, más firme
en sus altos pensamientos,
de su plan el contradicho
más convenido y más cierto;   880

De sí mismo más seguro
mientras halla más tropiezos,
y nuevas fuerzas cobrando
de su propio abatimiento;

Del genovés navegante   885
parece el alma de acero,
escollo inmoble que arrostra
siglos, rayos, olas, vientos.

Pero no quiere que España
acoja ya sus esfuerzos,   890
ni que las ventajas logre
de tales descubrimientos.

Y a Córdoba despechado
veloz regresó, resuelto
de irse a buscar a otra corte   895
para realizarlos medio.

Mas Doña Beatriz Enríquez
y el fruto inocente y tierno
de sus plácidos amores,
detenerle aún consiguieron.   900
    Eslabones más tenaces
que los de forjado hierro,
y con que a aquel hombre insigne
ató a mi patria el Eterno.

* * *

    El genovés, obligado   905
por las prendas de su afecto
a no abandonar a España,
buscó en ella rumbo nuevo;
    Y partió con gran reserva
de Santa María al puerto,   910
que era del inclito duque
de Medinaceli feudo.
    A buscar su patrocinio
y a ofrecerle ignotos reinos.
El duque con grandes honras   915
le acogió y con sumo aprecio,
    Y ya preparaba naves
propias suyas y dinero
con que el hombre extraordinario
llevase a cabo su intento,   920
    Cuando de la corte tuvo
aviso de que con ceño
y con envidia y sospechas
miraba el rey sus aprestos.
    Suspendiólos advertido,   925
y exhortó con noble celo
al piloto, que a la corte
y al rey regresase luego.

_____
927 *a que,* 1854.

A la inexorable suerte
que sus más vivos anhelos 930
contrariaba, y le tenía
atado al hispano suelo,

Tuvo el genovés constante
que humillarse con despecho,
y tornó a la hispana corte 935
y en ella a luchar de nuevo.

El mismo rey don Fernando,
que no quedó satisfecho
del salamanquino informe,
le maneja astuto y diestro. 940

Le halaga con esperanzas
(que detenerle es su objeto)
hasta que la infiel Granada
rinda a sus plantas el cuello.

Siguió aburrido a la corte 945
el soñador extranjero,
de aquella famosa guerra
presenciando los progresos.

En el asalto de Baza,
de Málaga en el asedio, 950
en otras altas acciones,
y en muchos duros reencuentros,

Discurrió como perito,
se mostró cual caballero,
combatió como cristiano 955
y se portó como bueno.

* * *

De la opulenta Granada
rendirse el poder soberbio
presenció en fin, de Castilla
y de Aragón al esfuerzo. 960

Y de las regias ofertas
llegado el plazo creyendo,
con más tesón y energía
llamó la atención de nuevo.
        Mas en vano, otras consultas   965
y otros plazos le han propuesto,
que los gastos de la guerra
tienen el tesoro yermo.
        Conque de toda esperanza
perdidos los fundamentos,   970
dejar a España de veras,
de veras tiene resuelto.
        Ni aún de Alonso Quintanilla
se ha despedido, temiendo
que elocuente y amistoso   975
aún pretenda detenerlo.
        Y hacia Córdoba camina,
seguro de que los ruegos
de Doña Beatriz Enríquez
no han de hacer mella en su pecho.   980
        Nada ya, nada en el mundo
le detiene, no hay remedio.
¡Oh cuánto poder y gloria
pierde España con perderlo!
        En su acalorada mente   985
tanto agravio recorriendo
y ansioso ya de encontrarse
en la corte de otro reino,
        Aguija la tarda mula,
no le permite resuello,   990
ya de Pinos de la Puente
llega al miserable pueblo,
        Y sin detenerse pasa
el despeñado riachuelo,
que entre riscos y entre juncias   995
va de Genil al encuentro.

Sigue adelante el camino,
cuando detrás, el estruendo
de un caballo que galopa
oye resonar violento,   1000
    Y alcánzale a pocos pasos,
en un cordobés overo,
de sudor cubierta el anca,
blanco de espumas el pecho,
    Arrogante y decidido   1005
un atildado mancebo,
vestido un rico tabardo
de carmesí terciopelo,
    Con castillos y leones
de plata y oro cubierto,   1010
y un penacho rojo y jalde
volando sobre el sombrero.
    Era un paje de la reina,
que al punto reconociendo
a la persona a quien busca   1015
en el piloto extranjero,
    Le dice en voz alta: «Amigo,
atrás volved luego, luego,
pues de que sin vos no torne
orden terminante tengo.»   1020
    El genovés irritado
para la mula de presto;
pone la mano en la espada
y dice con gran denuedo:
    «Antes que la rienda vuelva   1025
me dejaréis aquí muerto:
basta, vive Dios, de burlas,
a España nada le debo.»

Desconcertóse al mirarlo
tan decidido y dispuesto   1030
el paje, que le responde:
«Ni me burlo ni os ofendo;
    »Pues la reina mi señora
me ha mandado deteneros,
y que a su presencia os lleve,   1035
ved si obedecerla debo.»
    Bastó el nombre de la reina
para un trastorno completo
del navegante ofendido
hacer en cabeza y pecho,   1040
    Que era nombre a quien tan alto
prestigio dio el mismo cielo,
que allanara un alto monte,
que domara el mar soberbio.
    A tal nombre sus agravios,   1045
todos sus resentimientos,
todos los años perdidos,
y todos sus planes nuevos
    El genovés olvidando,
abre palpitante el pecho   1050
a tan vehemente esperanza,
a porvenir tan risueño,
    Que le parece aquel paje
ángel bajado del cielo,
y en éxtasis delicioso   1055
queda inmóvil y suspenso.
    Jamás conseguido había
explicar su alto proyecto,
de la gran reina delante,
y ahora ve ocasión de hacerlo   1060
    Por lo que rompiendo al punto
aquel rato de silencio,
lleno de vida el semblante,
responde al mudo mancebo.

«Pues Doña Isabel lo manda   1065
voy con vos y la obedezco.»
Y revolviendo la mula
sigue detrás del overo.

ROMANCE V

LA REINA

Del apartado occidente
a las ignotas regiones,   1070
que sólo nuestro viajero
por revelación conoce,
    Ya el sol descendido había,
dejando estos horizontes
envueltos en vagas sombras   1075
de una sosegada noche,
    Cuando a Santa Fe llegaron,
sin haber dejado el trote,
caminando en gran silencio
el extranjero y el joven   1080
    A las puertas de palacio
descabalgan, y veloces
la regia escalera suben,
sin que las guardias lo estorben.
    Pues el paje de la reina,   1085
a quien todos reconocen,
le sirve a su compañero
de seguro pasaporte.
    Llegados a la antesala,
donde damas y señores   1090
acaso esperan audiencia
con distintas pretensiones,

al Piloto dice el paje
que allí le espere, y entróse
a dar parte a su señora   1095
de estar cumplida la orden.

   Vuelve al instante, y llamando
al genovés, indicóle
la respetada mampara
que en cuanto éste entró cerróse.   1100

                  * * *

En un camarín pequeño
vestido con pabellones
de berberiscos damascos,
y una alfombra de colores;
   Junto a un cuadrado bufete   1105
que rico tapete esconde
de carmesí terciopelo
con franjas de oro y borlones;
   En frente de un oratorio
de concha, nácar y bronces,   1110
donde la imagen brillaba
del Redentor de los hombres;
   A la luz de dos bujías
de aquel breve cielo soles,
que en candeleros de oro   1115
daban vivos resplandores;
   Sentada en la regia silla,
con la presencia más noble
que jamás tuvo matrona,
que jamás respetó el orbe,   1120
   Doña Isabel, la gran reina
de Castilla y León, mostróse
a los admirados ojos
del genovés sabio y pobre.

Un brial de raso morado,   1125
con castillos y leones,
de perlas, esmaltes y oro
en recamadas labores

Era su traje. En su pecho
brillaban, como en la noche   1130
los luceros rutilantes,
las cruces que en los pendones

De las Órdenes guerreras
son de la victoria norte.
Y de flamencos encajes,   1135
que regia diadema coge,

Una delicada toca
ornaba su rostro, donde
formando un todo divino
de altos celestiales dotes,   1140

El más claro entendimiento,
la virtud más pura y noble,
el esfuerzo más gallardo
resplandecían conformes.

Doña Beatriz de Galindo,   1145
que aún hoy conserva el renombre
de la *Latina*, por serlo
muy aventajada entonces,

Camarera de la reina,
señora de altos blasones,   1150
y esposa del gran Ramírez,
del moro en Málaga azote;

Y Alonso de Quintanilla,
letrado de claro nombre,
tras la regia silla estaban   1155
de pie y con humilde porte.

1129 Véanse vv. 193-197 en «El Alcázar de Sevilla».

Todo lo notó el piloto,
tanto esplendor deslumbróle,
y en el suelo, de rodillas,
a tal majestad postróse.   1160
    Con una sola mirada
la reina vio en aquel hombre
de la inspiración celeste
los divinos resplandores.
    Y él de una mirada sola   1165
la grandeza reconoce
y la inteligencia suma
de la reina que le acoge.

                        * * *

    Tras de un sublime silencio,
aunque brevísimo, donde   1170
la admiración y el encanto
de entrambos a dos mostróse,
    Con grande bondad la reina
que alce del suelo mandóle,
que a la mesa se aproxime,   1175
y que de su plan la informe.
    Obedécela el piloto,
y con respeto tan noble
se acerca, y a hablar principia,
que a la atención regia absorbe.   1180
    Y con tal convencimiento,
con tal claridad, tal orden,
con tan sencilla elocuencia,
con tan potentes razones
    Sus asombrosos proyectos   1185
en breve discurso expone,
que la gran reina pasmada
se le figura que oye

                                                            211

A un inspirado, a un profeta,
a un ángel. Y que son voces   1190
del cielo aquéllas que escucha,
y que en tal pasmo la ponen.
  Abarca su entendimiento
el vasto plan, que doctores,
reyes, repúblicos, pueblos   1195
juzgan quimeras informes.
  Ve la expedición segura,
y ya en ignotas regiones
triunfante la fe de Cristo
con el castellano nombre.   1200
  Ve un torrente de riquezas
que hacia sus vasallos corre,
y una gloria y poderío
que envidiarán las naciones.
  Y superior a sí misma,   1205
del cielo ayudada entonces,
ve aún más que el mismo piloto,
aún más alta que él alzóse.

* * *

  En entusiasmo y fe viva,
germen de grandes acciones,   1210
abrasada su alma heroica,
henchido su pecho noble,
  Quítase la alta diadema,
y de su pecho recoje
las riquísimas insignias   1215
de incalculables valores,
  Las joyas y pedrería,
los brazaletes y broches
que sus brazos y su cuello
engalanaban, y pone   1220

Aquella breve riqueza,
(breve sí, pero de enorme
precio) encima del bufete,
y «*Toma* —dice a aquel hombre—
   »Toma, emplea este tesoro   1225
sin que nadie te lo estorbe,
en cumplir el pensamiento
que Dios te ha inspirado.—Corre,
   »Vuela. En naves castellanas
mares nunca vistos rompe.   1230
arrostra las tempestades,
tu estrella a los vientos dome.
   »Lleva a ese ignorado mundo
los castellanos pendones,
con la santa fe de Cristo,   1235
con la gloria de mi nombre.
   »El cielo tu rumbo guíe,
y cuando glorioso tornes,
o Almirante de las Indias,
duque y grande de mi corte,   1240
   »Tu hazaña bendiga el cielo,
tu arrojo al infierno asombre,
tu gloria deslumbre al mundo,
abarque tu fama el orbe.»
   En tanto que así decía   1245
reina tan ilustre, sobre
su cabeza colocaba,
con altas aclamaciones,
   Un ángel, corona eterna
de luceros y de soles,   1250
que mientras más siglos pasan
adquiere más resplandores.
   Con ella la admira el mundo
y adoran los españoles,
cuando absortos la recuerdan   1255
en tan importante noche.

ROMANCE VI

CONLUSIÓN

Bajo un cielo borrascoso
que jamás mortal alguno
visto había, en un inmenso
mar encrespado y sañudo,   1260
    Do jamás altiva nave
osó abrir incierto sulco,
en una región extraña,
parte ignorada del mundo,
    Una frágil carabela,   1265
casi imperceptible punto,
con grandes peligros lucha,
y sin amparo ninguno.
    Las olas como montañas
atajar quieren su curso,   1270
ya la arrojan contra el cielo,
ya la hunden en el profundo.
    Ya en sus costados se estrellan,
volando en espuma y humo,
ya la anegan en torrentes   1275
de amargo espeso diluvio.
    El huracán de otra parte,
y no menos iracundo
brama entre sus rotas velas,
cruje en sus mástiles rudos,   1280
    Silba en su jarcia deshecha,
la arrastra con recio impulso,
y la vuelca y la levanta,
y combátela sañudo.

No se ve la faz del cielo,   1285
por el espacio confuso,
los relámpagos deslumbran,
cruzan los rayos trisulcos,
    Retumban y estallan truenos
cual si reventara el mundo,   1290
y envuelto en cárdenas nubes
el sol parece difunto.
    Mas la frágil carabela
sigue pertinaz su curso,
y en tan espantoso caos   1295
lleva hacia occidente el rumbo.
    Sin duda que se confía
en el talismán seguro
del pabellón castellano
que en su osada popa puso,   1300
    Pabellón que en aquel siglo
al Omnipotente plugo,
hacer de rara fortuna
y de excelsas glorias nuncio.

* * *

    Un mortal extraordinario,   1305
tenaz, inflexible, duro
más que el bronce, el gran piloto
genovés, tranquilo y mudo,
    En la brújula ambos ojos,
en el timón ambos puños,   1310
gobierna la dócil nave
sin mostrar su frente susto.

1288 *trisulcos:* de tres puntas.

Mas ¡ay! no tiene su temple
de la ciega chusma el vulgo,
y aunque esforzados, se postran   1315
los marineros robustos.
　Rendidos y amedrentados
de tantos horrores juntos,
de navegación tan larga,
de porvenir tan confuso,   1320
　Recuerdan la dulce España,
de su familia el arrullo,
y recuerdos y temores
abortan ciego tumulto.
　«Si vive desesperado   1325
este advenedizo iluso,
y busca la muerte, muera,
pero él solo», dicen unos.
　«Muera pues —repiten otros—,
es un hechicero, un brujo,   1330
que aquí a perecer nos trajo,
por sus designios ocultos.»
　«¡Muera —gritan todos— muera!
y atrás volvamos el rumbo;
¡a España! a España!...» Y osados   1335
trocando en furor el susto,
　A la popa se abalanzan
esgrimiendo el hierro agudo
contra el heroico piloto
que desprecia sus insultos.   1340
　Y que con serena frente,
aunque con semblante adusto,
«¿Qué queréis? —les grita osado—,
sin temor os lo pregunto.
　»¿Qué queréis?»—¡*España, España!*—   1345
suena en gritos furibundos,
y el piloto les responde:
«Con indignación lo escucho.

Embarque de Colón en el puerto de Palos

«Gente sin fe ni esperanza,
cuando a coger vais el fruto   1350
de tanto valor y arrojo,
de tanto peligro y susto,
    ¿Queréis tornarle la espalda?
Que en vos volváis os conjuro,
y el nuevo sol, os lo afirmo,   1355
será de ventura anuncio.»
    La turba, como agitada
por un satánico influjo,
«Muera», repite, y desoye
su acento noble y augusto.   1360

* * *

El gran hombre, ya resuelto,
deja el timón, y ceñudo,
avanzándose, les grita:
«Llegad pues, matadme al punto;
»Pero sabed, insensatos,   1365
que de vosotros, ninguno
puede, desde estas regiones,
hallar de la patria el rumbo,
    »Y que a mí tan sólo es dado,
porque así a los cielos plugo,   1370
el dominar estos mares
y el hallar puerto seguro.
    »Matadme pues, ¿qué os detiene?»—
La chusma en espanto mudo,
no responde y se deshace   1375
en terrorizados grupos.
    Torna al timón el piloto,
torna la nave a su curso,
y todos a la obediencia
aunque a despecho y disgusto.   1380

*   *   *

Con la noche la borrasca
cesó de su fuerza mucho,
amansáronse las olas,
más blando el viento se puso.
　　Y al rayar en el oriente,   1385
tras de los mares cerúleos,
la nueva luz, ve el piloto
a su frente un leve punto
　　Que alzándose lentamente
de las olas, forma el bulto   1390
de azul monte, en cuyas crestas
brilla el sol cual oro puro.
　　Se cerciora de que es tierra,
y hacia el trono del ser sumo
ojos, corazón y brazos   1395
alza y le rinde el tributo
　　De gratitud. Y enseguida,
«Mirad», le dice a los suyos,
enseñándoles el monte
con noble y triunfante orgullo.   1400
　　La chusma que ve la tierra,
que ve el fin de tantos sustos,
y en aquel piloto un ángel,
convierte la rabia en culto.
　　Y arrojándose a sus plantas,   1405
del entusiasmo al impulso
grita, y acordes repiten
cielo, tierra y mar profundo:
¡VIVA COLÓN, DESCUBRIDOR DE UN MUNDO!

1386 *cerúleos:* azules.
1409 Endecasílabo tomado de la poesía «Cristóbal Colón», escrita por Rivas
en 1824.

Un embajador español

* * *

ROMANCE I

En Merino y Terracina,
que dominios son del Papa,
entra aquel Carlos octavo,
rey orgulloso de Francia.
    Los fuertes castillos toma,   5
los campos fértiles tala,
incendia los caseríos,
los templos santos profana.
    Y en el furor se complace
con que sus hombres de armas   10
como furibundas fieras
roban, destruyen y matan.
    Así cumple los tratados
que celebró con España,
de defender a la Iglesia   15
y de acatar la tiara.

---

16 *atacar, 1854.*

Así el juramento cumple,
que de San Pedro en las aras
prestó sobre el Evangelio
en terminantes palabras,   20
　　Así el acto corresponde
que con humildad tan falsa
hizo en público, besando
del Pontífice las plantas.
　　Así el nombre verifica,   25
que tomó, para burlarla,
de fiel hijo de la Iglesia
y defensor de su causa.

*　*　*

Los vasallos infelices
del Padre Santo que hallan   30
exterminio o servidumbre
en quien amparo esperaban;
　　Y que en la paz adormidos,
y en la ciega confianza
que los tratados infunden   35
y da una regia palabra;
　　Ni pueden hacer defensa
ni en ella salud hallaran,
que numerosas y fuertes
son las fuerzas de la Francia;   40
　　Y a merced de sus guerreros
dejan haciendas y fama,
sin quedarles más recurso
que lágrimas y plegarias.
　　Lágrimas que el duro pecho   45
de Carlos feroz no ablandan,
plegarias a que responden
insultantes carcajadas.

Del Pontífice un Legado,
(porque un Legado acompaña   50
para más escarnio y burla
al rey que a la iglesia ataca)
    Inerme, abatido, humilde,
a Carlos ruega y demanda
que a su ambición ponga freno   55
que coto ponga a su audacia.
    Si no por respecto al pacto
celebrado con España,
si no por guardar solemnes
juramentos y palabras,   60
    Por cumplir como cristiano
y para salvar su alma,
y por temor a lo menos
de la divina venganza.
    Pues Dios es juez de los reyes,   65
y su mano sacrosanta
rompe coronas y cetros,
solios e imperios allana.

* * *

Con risa infernal escucha
y burladora arrogancia,   70
las justas reconvenciones
el obcecado monarca,
    Cuando de Borbón el duque,
Gran Condestable de Francia,
del venerable Legado   75
reproduce las demandas,

Y con muy cristiano celo
y la autoridad y pausa,
propia de su cuna ilustre,
propia de sus nobles canas,   80
   Mas con todo el miramiento
a la debida distancia,
que entre rey y entre vasallo
Dios mismo establece y marca,
   Le repite las razones   85
que de pronunciar acaba,
el digno representante
de la ofendida tiara,
   Insistiendo en que recuerde,
que los tratados quebranta   90
que firmó solemnemente
en Perpiñán con España.

                    * * *

   De tan noble personaje
tampoco consiguen nada,
con el orgulloso Carlos   95
razones, ruegos, plegarias,
   Pues con desabrido gesto
y con burladora rabia,
Que no recuerda, responde,
de cuanto le dicen, nada.   100

ROMANCE II

   Don Antonio de Fonseca,
caballero de alta ley,
de los Católicos Reyes
el noble embajador es.

Que al rey de Francia acompaña   105
y le sigue por doquier,
y avisado por el duque
viene en el momento aquel.

Preséntase con modestia,
pero con el rostro, que   110
cara de pocos amigos
llama el vulgo, y llama bien.

Al verle, con fatuo orgullo,
el Cristianísimo rey,
que da al Vicario de Cristo   115
a gustar vinagre y hiel.

Con miradas de desprecio
y con gesto de altivez,
«Oh, caballero —le dice—
llegáis en buen hora, pues   120

El venerable Legado
me habla, y el Duque también,
de un tratado con España
que lo que encierra no sé.»

—«Señor, responde Fonseca,   125
¿cómo ignorarlo podéis,
cuando en Perpiñán, vos mismo
pusisteis la firma en él,

»Y debajo el regio sello
puso vuestro Canciller?...   130
Mas puesto que lo olvidasteis,
escuchadme, os lo leeré.»

Y sacando de su seno
un abultado papel,
con respeto y con firmeza   135
Fonseca empezó a leer.

* * *

Cuando un artículo había
favorable al interés
de la corona de Francia,
exclamaba al punto el rey: 140
    «Es muy válido, recuerdo
que en Perpiñan lo firmé.
Ese artículo, Fonseca,
os ofrezco mantener.»
    Pero cuando otro escuchaba   145
interesante también
o al decoro de la Iglesia,
o de Castilla al poder:
    «Dadme el tratado —decía—
dádmele Fonseca, pues   150
si eso firmé lo desfirmo,
que enmendar un yerro es bien.»
    Y, las cláusulas borrando,
con menosprecio y desdén
el pliego le devolvía   155
diciendo: «Seguid, leed.»

                    * * *

    Al fin llena la medida
del sufrimiento cortés,
don Alonso de Fonseca
no se puedo contener,   160
    Y «Rey de Francia —prorrumpe—
si mofaros pretendéis
de mí que soy caballero,
de mi patria y de mi rey,
    »Vive Dios que a tolerarlo   165
no estoy yo dispuesto, y pues
borráis lo que no os conviene,
borro y anulo también

»Lo que es a vos favorable,
rompiendo el tratado. Ved.»   170
Y desgarrando valiente
el respetable papel,
    Tiró los rotos pedazos
del rey de Francia a los pies,
y calándose el sombrero   175
sin hacer venia se fue.
    Y con la mano en la espada
atravesando un tropel
de alabardas y ballestas
salió del campo francés.   180

La buena-ventura

ROMANCE I

LA CITA

Era en punto media noche,
y reinaba hondo silencio
de Medellín en la villa,
sumergida en dulce sueño.
    Desde un trono de celajes   5
nacarados y ligeros,
cándida, apacible luna
brillaba en el firmamento:
    Sobre el pardo caserío
derramando sus reflejos,   10
como sobre los sepulcros
de un tranquilo cementerio.
    Y en una desierta calle,
donde sus claros destellos
una mitad alumbraban,   15
la otra en sombras confundiendo,
    Estaba en la parte oscura,
receloso y encubierto,
un noble joven gallardo,
no muy alto, aunque bien hecho.   20

Ropón y loba vestía,
el uno y el otro negros,
traje propio de que usaban
escolares de aquel tiempo.
De su cintura pendía   25
una espada de Toledo
y un laúd con ambas manos
apretaba contra el pecho.
Los ojos no separaba,
vivos, rasgados, de fuego,   30
lumbreras de un lindo rostro,
vivaz, gracioso, moreno,
De las cercanas paredes
de un edificio frontero,
en cuyos sillares blancos   35
daba la luna de lleno,
Descubriendo tres balcones
con barandales de hierro,
debajo dos rejas grandes
no muy lejanas del suelo;   40
Y cerrada una ancha puerta,
sobre la que tiene asiento
un noble escudo de mármol
guarnecido de arabescos.

* * *

La anchura de aquella calle,   45
en realidad corto trecho,
era espacioso teatro,
mejor diré campo inmenso
De fantásticas escenas,
de mil extraños sucesos,   50
indecisos y confusos
como figuras de un sueño,

Que claramente veía
la imaginación de fuego,
y la mente arrebatada   55
de aquel gallardo mancebo.
    De Salamanca las ciencias,
los doctores y los ergos
que atrás deja, ve delante,
y su pobre hogar a un tiempo   60
    Y ve los campos de Italia,
aunque nunca estuvo en ellos,
mas a do quiere ausentarse,
de ambición, de gloria lleno;
    Y ya se juzga soldado,   65
y ya se halla en los encuentros,
y mira reyes cautivos,
y ve ejércitos deshechos;
    Y naciones conquistadas,
y a sus pies tronos y cetros,   70
montes de oro y de laureles,
anchos mares, mundos nuevos.
    Y todo lo ve, que todo
cuanto abraza el pensamiento
lo ven, y lo ven palpable   75
las almas de privilegio.

                * * *

    Mas de todo cuanto mira
como en borrosos bosquejos,
como las mudables formas
de nubes que rompe el viento;   80
    Es el primer personaje,
es el más distinto objeto,
es reina y reguladora,
y sol de sus pensamientos,

La modesta Doña Elvira,   85
de Medellín embeleso,
y a quien guardan las paredes
do los ojos tiene puestos.

Para ella sueña sus glorias,
para ella anhela trofeos,   90
para ella quiere tesoros
que está enamorado, ciego.

Y sin los lauros y bienes
que no quiso darle el cielo,
no puede con ella unirse,   95
que es pobre, aunque caballero.

También teme a un poderoso
rival, ignorante y necio,
pero que ganó en la guerra
tesoros e ilustres premios.   100

El que al padre de su amada,
codicioso como viejo,
con sus riquezas y honores
tiene cautivado y ciego.

Mas en vano teme el joven,   105
es de Doña Elvira dueño,
pues esperándole, inquieta,
aún está fuera del lecho.

Y en cuanto la seña escuche,
saldrá, su cita cumpliendo,   110
a ofrecerle ser su esposa,
y a jurarle amor eterno.

---

104 *el seso, 1854.*

ROMANCE II

LAS CUCHILLADAS

Diz que en cuanto el gallo canta
desparecen de improviso
los aquelarres de brujas,   115
los fantasmas y vestiglos,
  Así desaparecieron
las escenas o delirios
a que la mente del joven
daba vida en aquel sitio,   120
  De un gallo al sonoro canto,
que al momento repetido
por otros que parecían
los ecos de aquel recinto,
  Al soñador recordaron   125
que allí tan solo ha venido,
de un *adiós* tierno de amante
a padecer el martirio.
  A exigir una palabra,
y a ofrecer un plazo fijo,   130
que con segura esperanza
le dé aliento en los peligros.

* * *

Vuelto en sí, pulsa las cuerdas,
y a sus acentos sentidos
canta una letra amorosa   135
con tono dulce y sumiso.

Al punto, cual si el acento
que dio vida y regocijo
a las auras de la noche,
fuera conjuro o hechizo,   140
    De una reja las maderas
ábrense en el edificio,
que el mancebo contemplaba,
y queda un cuadro sombrío,
    Do aparece un bulto blanco,   145
cuyos contornos divinos
resaltaban en lo oscuro
por la luna esclarecidos.
    El amante la guitarra
suelta y, fuera de sí mismo,   150
corre a la dorada reja,
abraza los hierros fríos,
    Y en una mano de nieve,
que uno de ellos tiene asido
estampa labios de fuego   155
por la pasión encendidos.

* * *

    Balbuciente, temeroso
como enamorado fino,
que ser amor elocuente
de ser falso es claro indicio,   160
    Iba a pedir que dos años
le conserven fe y cariño,
que en ellos ganar espera
pingüe estado y nombre digno.
    Cuando (siempre los amantes   165
han de tener enemigos,
que en los mejores momentos
truequen la dicha en martirio)

Cuando a lo lejos resuena
un sospechoso ruido,   170
que a los dos enamorados
sobresalta de improviso.
  «Retírate —dice el joven—
quede tu decoro limpio,
que yo tornaré a tus plantas   175
sin importunos testigos.»—
  «Nada temas, seré tuya»,
entre sollozos le dijo
su amada, y cerró la reja
dejando abierto un resquicio.   180

* * *

Quiere el mancebo alejarse,
mas no puede sin ser visto,
y no es hombre que la espalda
sabe volver al peligro.
  Tres bultos mira en la calle   185
que a él dirigen su camino,
a dos quedarse ve luego
en no muy distante sitio,
  Y al tercero aproximarse
a paso largo y altivo,   190
resplandeciendo la luna
en su pomposo atavío.
  Al Comendador conoce
que volvió de Italia rico,
y que a su Elvira pretende   195
con impertinente ahínco.
  Mucho celebra el encuentro,
y solo le pesa el sitio;
pero ya arrestado a todo
le espera firme y tranquilo.   200

_____
199 *arrestado:* decidido.

El Comendador le dice,
a diez pasos dando un grito:
«Retiraos de aquí, estudiante,
o mi espada os hará añicos.»
    «Otra tengo yo en la mano   205
que a ese insulto dé castigo»,
dice el mancebo, y se arroja
como rayo desprendido
    De las nubes. Los aceros
relampaguean, y vivo   210
arde el combate, lidiando
sin hablar, cual bien nacidos.
    De un leve rasguño tiene
el joven su rostro herido;
del contrario el pecho roto   215
lanza ya de sangre un río;
    Y perdiendo va terreno,
vacilante, cuando un silbo
da, y vienen, espada en mano,
los otros dos a su auxilio.   220
    El joven, como valiente,
desprecia a los asesinos,
y dejando ya en la tierra
al Comendador tendido,
    Carga a los dos y los hiere,   225
y los pone en tal conflicto,
que rápidos como el viento
buscan en la fuga asilo.
    El vencedor reconoce
de su victoria el peligro,   230
y a su casa se retira
pobre solar, aunque antiguo.

Y que también noble escudo
ostenta en el frontispicio
de la puerta, de que lleva   235
la llave falsa consigo.

* * *

A don Martín, su buen padre,
anciano de hidalgo brío,
encuentra sobresaltado,
receloso y discursivo.   240
Que del mancebo en la mano
viendo el hierro en sangre tinto,
«¿Qué has hecho, Hernando?», le dice,
y contéstale su hijo:
«Al Comendador he muerto,   245
dando a un insulto castigo,
que el honor que tú me diste
ha de estar como el sol, limpio.»—
«¡Válgame el cielo! (prorrumpe
el noble anciano) preciso,   250
aunque Hernando, yo no dudo
que con razón has reñido,
»Es el ponernos en salvo,
que es inminente el peligro,
siendo poderoso el muerto   255
y nosotros desvalidos.»—
«Partiré al momento a Italia,
cual estaba decidido»—
dice Hernando, mas el padre,
prudente, responde: —«Hijo,   260
De las glorias de la Italia
ya te has cerrado el camino;
el Comendador en ella
del rey ha estado al servicio;

»Del ínclito don Gonzalo   265
era deudo y favorito,
y allá ha dejado parientes
con honra y con poderío.»

«Pues a las Indias —el joven
dice— a marchar me decido»,   270
y algo extraordinario y grande
brilló en su rostro al decirlo.

ROMANCE III

EL EMBARCO

En la iglesia de San Pedro,
una de las más antiguas
entre las muchas insignes   275
de la opulenta Sevilla,

A las seis de la mañana
se está diciendo una misa,
porque Dios de buen viaje
a un joven que va a las Indias.   280

Es el gallardo extremeño
a quien hace quince días
que de Medellín, su patria
arrojó su valentía,

Y que en una gruesa nave   285
debe aquella tarde misma
despedirse de la Europa
a buscar remotos climas.

Y con don Martín, su padre,
junto al altar, de rodillas,   290
a San Pedro se encomienda
y al cielo le pide dicha.

En el traje de soldado
mostrando tal gallardía,
que del devoto concurso   295
tiene la atención cautiva.

Terminado el sacrificio
recibe la Eucaristía,
resplandeciendo en su rostro
el entusiasmo y fe viva.   300

* * *

Vuelve a la humilde posada
que era en la Borcinería,
hostalaje de un morisco,
estancia pobre y mezquina.

Y así le dijo su padre,   305
cuyas áridas mejillas,
lágrimas de desconsuelo
quemaban y humedecían.

«Hernando, Hernando, hijo mío,
a tierras lejanas vas,   310
donde nunca olvidarás
de mi noble sangre el brío.

»Cual cristiano y caballero
teme a Dios, guarda su ley,
sirve con lealtad al rey,   315
sé devoto y sé guerrero.

»Nunca des a la codicia
en tu hidalgo pecho entrada,
flaqueza vil, que degrada
el cuerpo, y el alma vicia.   320

---

309 Sabios consejos que por el tono recuerdan los de Pedro Crespo a su hijo
en *El alcalde de Zalamea* (2.ª jornada, vv. 682 y ss.).

»Sé a tus cabos obediente,
afable a tus compañeros,
y sin bravatas ni fieros
en el peligro valiente.

»En los trabajos sufrido,   325
moderado en la ventura,
con generosa cordura
no estés vano ni abatido.

»Del malo te apartarás,
únete siempre a los buenos,   330
que si no ganas, al menos
con ellos no perderás.

»Si llegas a obtener mando,
manda con moderación,
pero sólo; y con tesón   335
hazte obedecer, Hernando.

»Que al que manda descortés
o por ajena influencia,
o no exije la obediencia,
para el mando inútil es.   340

»Tolera disimulado,
aunque te haga padecer,
agravio que no ha de ser
plenamente castigado.

»Reparte con discreción   345
la recompensa y castigo,
y al derrotado enemigo
trata con moderación.

»Resuelve con madurez,
mas resuelto, nada ataje   350
la ejecucción, aventaje
al rayo en su rapidez.

»La santa fe que profesas
extender, y de tu rey
los dominios, sea la ley,   355
Hernando, de tus empresas,

»Y no tengas duda alguna
de que si lo haces así,
siempre irán en pos de ti
la victoria y la fortuna.   360

»De tu noble inclinación
mucho espero, mucho fío.
Basta: abrázame, hijo mío,
recibe mi bendición.»

La escena tierna y sublime   365
dolorosa despedida
que pasó entre el hijo y padre
no es posible describirla.

De momentos tan solemnes
los afectos de familia,   370
los pensamientos y penas
se sienten, mas no se pintan.

* * *

Al fin, como breve sueño,
pasó rápido aquel día,
los tristes y los alegres   375
al mismo paso caminan.

El sol entre nubes de oro,
de un cadáver comitiva,
a la tumba del ocaso
con majestad descendía.   380

Cuando la pieza de leva
dio el trueno de la partida,
del Guadalquivir soberbio
retumbando en las orillas.

---

381 *pieza de leva:* pieza que dispara un cañonazo al tiempo de zarpar las embarcaciones.

Ya del arenal la puerta   385
el padre y el hijo pisan,
y hacia la torre del Oro
mudos de dolor caminan.

* * *

Magnífica era la escena,
soberbia la perspectiva   390
espectáculo grandioso
el que deslumbró su vista;
Cubierto el río de naves
de mil naciones amigas
con flámulas, gallardetes,   395
banderolas y divisas.
Donde espléndidos colores
con el sol poniente brillan,
donde se mecen las auras,
donde retozan las brisas   400
Ambas márgenes cubiertas
de cuanto la Europa cría,
de cuanto el arte produce,
de cuanto ansía la codicia.
De armas, víveres, aprestos,   405
fardos, cajones y pipas,
de extraordinarias riquezas,
de varias mercaderías.
Y en las naves y las barcas,
en los muelles y marismas   410
y en arenal, alameda,
muro, almacenes, garitas,
Un enjambre de vivientes
de todos reinos y climas,
de todos sexos y clases,   415
de todas fisonomías.

La Torre del Oro de Sevilla

Del grande español imperio
hombre de todas provincias,
y de todas las naciones
que la Europa sabia habitan,   420
Moros, moriscos y griegos,
egipcios, israelitas,
negros, blancos, viejos, mozos,
hablando lenguas distintas.
Mercaderes, marineros,   425
soldados, guardas, espías,
alguaciles, galeotes,
canónigos y sopistas,
Caballeros, capitanes,
frailes legos y de misa,   430
charlatanes, valentones,
rateros, mozas perdidas,
Mendigos, músicos, bravos,
quincalleros y cambistas,
galanes, ilustres damas,   435
gitanas, rufianes, tías.
Todo; bullicio tan grande,
tan extraña algarabía
tal confusión de colores,
tal movimiento y tal vida,   440
Ofreciendo bajo un cielo
como el cielo de Sevilla,
que era un pasmo de la mente,
un cuadro de hechicería.
Tras de la torre del Oro,   445
mientras don Martín activa
el embarco, maldiciendo
gabelas y socaliñas,

---

436 *tías:* prostitutas.

Hernando sueña despierto,
y pensando en Doña Elvira,   450
embebido en lo pasado,
presente y futuro olvida.

    Llamó su atención de pronto
una voz agria y ronquilla
que le dice: —«Caballero,   455
por Dios una limosnita.»

    Vuelve en sí sobresaltado,
y delante de sí mira
una miserable vieja
de extraña fisonomía   460

    Un rostro innoble y siniestro,
seco, como de ceniza,
con dos penetrantes ojos
de fuego que muere chispas,

    Descubre entre sucias tocas   465
que rojo manto cobija
sobre un traje de anascote,
hecho a desgarrones tiras.

    Y en el todo de aquel ente
algo raro se veía,   470
reunión de astucia, ignorancia,
imbecilidad, malicia.

    Para darle algún socorro
en la escarcela registra,
y mientras le da un cornado   475
dice la bruja ladina.

    «Qué lindo y gallardo joven!
si se embarca para Indias,
la buena ventura puedo
decirle, que sé decirla.»   480

---

475 *cornado:* moneda de poco valor.

Hay en la vida momentos
que la mitad de la vida
por columbrar lo futuro
se diera con alegría.

Y Hernando, aunque con desprecio   485
contempla aquella estantigua,
la mano diestra le ofrece
puesta la palma hacia arriba.

* * *

La vejezuela la toma,
un momento la examina,   490
y ora las cejas arquea,
ora amaga una sonrisa;

Y al fin se estremece, tiembla,
echa fuego por la vista,
y, «¡Qué estoy mirando, cielos!»   495
cual energúmeno grita.

Expresión rara y terrible
su muerto semblante anima;
crece, y convulsa le crujen
los huesos y las canillas.   500

Y, «¡Oh mancebo generoso!
—exclamó— ¡qué de inauditas
glorias y hazañas te esperan!
¡qué de triunfos en las Indias!

»Tiembla el infierno ¡tu espada   505
cuántos tributos le quita!...
Ve ufano... de contemplarte
el cielo se regocija...

»Emperadores y reyes
te doblarán la rodilla,   510
cual prodigios, cual portentos
verá el mundo tus conquistas.

---

500 Véase «El Alcázar de Sevilla», vv. 255-257.

»Tu huella hundirá naciones
las más guerreras y ricas,
como del pastor la huella   515
hunde vivares de hormigas.

»Con montes de oro y laureles
los astros allá te brindan;
eterno será tú nombre,
inmortales tus fatigas.   520

»Vuela; el sol del Nuevo Mundo
serás...» No pudo sufrirla
el joven tiempo más largo,
juzgando la retahíla,

Cosa a todo aventurero   525
por aquella bruja dicha
para sacar recompensa
más abundante y opima.

Y la interrumpe y le dice:
«Sólo quiero que me digas   530
si seré tan venturoso
que regrese a estas orillas.»

Quedó suspensa la vieja,
muda en él los ojos fija,
pero apagados, su rostro   535
se seca, se desanima,

Y con la expresión siniestra
de una sardónica risa,
«Volverás, sí —le responde—,
que volver es tu desdicha.   540

»Volverás... sí... de seguro...
El sol se va y vuelve... mira...»
Y con una enjuta mano
y un dedo que parecía

---

521 *de un,* 1854.

El de la terrible muerte,   545
en rara actitud le indica
a Castilleja, por donde
el rojo sol se escondía.

* * *

El joven a Castilleja
torna de pronto la vista,   550
como obediente al mandato
de la mano imperativa.
    Y ve que una parda nube
que imitaba las cortinas
de un rico dosel, tomaba,   555
por el ambiente movida.
    De un gran féretro la forma
circundado de amarillas
candelas, y en cuyo seno
del sol el cadáver iba.   560
    Vago terror siente Hernando,
los cabellos se le erizan,
y por algunos momentos,
hecho mármol, ni aún respira.
    La mano del tierno padre,   565
su voz grata y sus caricias,
diciendo: «Llegó la hora,
vamos, y Dios te bendiga»,
    Le tornan en sí; anheloso
a la bruja o pitonisa   570
busca, mas la busca en vano;
desaparecido había.

---

547 Hernán Cortés murió en Castilleja de la Cuesta el 2 de diciembre
de 1547.

Acaso entre aquella turba,
do era imposible seguirla,
otras limosnas demanda,   575
otros casos pronostica.

Se abrazan al pie del muelle
el padre y el hijo; pisa
éste la ligera lancha
que al punto huye de la orilla   580

Llega a la nave; la nave
trinquetes y gavias iza,
y corta pomposa el río
entre universales vivas.

ROMANCE IV

CONCLUSIÓN

Este Hernando, este mancebo   585
era Hernán Cortés; su nombre,
gloria la mayor de España,
asombro y pasmo del orbe,

Lo dice todo. Un imperio
de cien guerreras naciones   590
descubrió, y rindió su lanza
con seiscientos españoles.

Vuelto a la patria, por premio
ingratas persecuciones
su corazón destrozaron,   595
rompieron su pecho noble.

Y aquí en Castilleja, lleno
de desengaños atroces,
rindió a su Criador el alma
que tan grande concedióle;   600

Sin que después haya visto
el absorto mundo un hombre,
que de Hernán Cortés al lado
la historia imparcial coloque.

La muerte de un caballero

ROMANCE

El noble francés Bayardo,
el insigne caballero
que nunca mancilló *tacha*,
que jamás conoció *miedo*,
    Por la falda de los Alpes   5
en fuga las huestes viendo,
que al Almirante de Francia
dio el rey Francisco primero;
    Del deshonor de las lises
furioso su heroico pecho,   10
gallardo la lanza empuña,
riscado revuelve el freno,
    Y en los pocos españoles,
causa de aquel desconcierto,
se arroja como valiente,   15
para morir como bueno.
    A pintar su gallardía,
a contar sus altos hechos,
a encarecer sus hazañas
no basta el humano acento.   20

---

20 Pierre du Terrail, señor de Bayart (1473-1524), sirvió a Carlos VIII de Francia y luego a Francisco I. Sus hechos heroicos hicieron de él un personaje legendario en vida, a quien se llamó «el caballero sin miedo y sin tacha».

En un normando morcillo,
que respira espuma y fuego,
cuya ligereza es rayo,
cuyos relinchos son truenos;

Con un arnés que deslumbra   25
del mismo sol los destellos,
y en parte una veste oculta
de carmesí terciopelo;

Y sobre el bruñido casco,
dando vislumbres al viento,   30
un penacho blanco y rojo
con rica joya sujeto,

Cual águila se revuelve,
lidia cual león soberbio,
cual raudo torrente rompe,   35
resiste cual risco eterno.

Solo españoles soldados
sin ceder pudieran verlo,
y con él y con los suyos
trabar combate sangriento.   40

Mas qué mucho, si los rije
aquel hijo predilecto
de la victoria en Italia,
marqués de Pescara excelso.

* * *

Del noble francés Bayardo,   45
a pesar de los esfuerzos,
la francesa artillería
fue de la España trofeo.

Pues de aquella escaramuza
en lo más trabado y recio,   50
cuando las contrarias huestes
eran de valor portentos,
    Una silbadora bala
de oscuro arcabuz partiendo,
traspasó de parte a parte   55
al gallardo caballero.
    Al caer de los arzones
con pesado golpe al suelo,
cuajó la sangre a sus tropas
de sus armas el estruendo   60
    Y alzaron tal alarido
de dolor y de despecho,
que por los lejanos valles
resonó en fúnebres ecos.

* * *

    Al oír los españoles   65
tan lamentable suceso,
la sangrienta lid suspenden
de asombro y lástima llenos;
    Pues la muerte de un contrario
de valor insigne ejemplo,   70
pena y confusión infunde
en sus generosos pechos.
    Soldados de ambas naciones
cercan al noble guerrero,
cuya sangre empaña el brillo   75
del arnés bruñido y terso.
    Y el mismo Pescara llega
de llanto el rostro cubierto,
y le recoje en sus brazos
con doloroso respeto.   80

251

Sus criados le desarman,
inténtanse mil remedios,
mas ¡oh dolor! todo en vano,
llegó su instante postrero.

Muere Bayardo el famoso,   85
y en el último momento
después que a Dios pidió gracia
cual cristiano caballero,

A españoles y a franceses
tornando el rostro sereno,   90
«Por mi rey y por mi patria
—exclamó— gozoso muero;

»Y ufano de que haya sido
a las manos y al esfuerzo
de soldados españoles   95
de honra y de valor modelo,

»Y de la nación más grande
que en más alta estima tengo,
de cuantas pueblan la tierra
de cuantas cubren los cielos.»   100

No dijo más, que la muerte
convirtió su voz en hielo,
volando a tomar el alma
entre los héroes asiento.

* * *

Dejaron los españoles   105
por honra a tal caballero,
de seguir al Almirante
que en Francia salvóse presto.

Y el cadáver de Bayardo,
de lauro inmortal cubierto,   110
entregado fue a los suyos
con justo desprendimiento;

Para que hallara reposo
tan valiente y noble cuerpo,
en su agradecida patria
al lado de sus abuelos.

Amor, honor y valor

ROMANCE I

EL EJÉRCITO

De trompas y de atambores
retumba marcial estruendo,
que en las torres de Pavía
repite gozoso el eco,
    Porque a libertarlas viene   5
de largo y penoso cerco
el ejército del César
contra el del francés soberbio.
    Aquél reducido y corto,
éste numeroso y fiero,   10
el uno descalzo y pobre,
el otro de galas lleno.
    Pero el marqués de Pescara,
hijo ilustre y predilecto
del valor y la victoria,   15
tiene de aquél el gobierno,

13-15 Compárese estos versos con los 42-44 de «La muerte de un caballero»: «Aquel hijo predilecto / de la victoria en Italia, / marqués de Pescara excelso.»

El marqués de Pescara

Porque los jefes ancianos
y los príncipes excelsos
que lo mandan, se someten
a su fortuna y su esfuerzo   20

Y en él gloriosos campean
los invictísimos tercios
españoles, cuya gloria
es pasmo del universo.

Manda las francesas huestes   25
el rey Francisco primero,
que ve las del quinto Carlos
con orgulloso desprecio.

Y juzgando un imposible
que osen venir a su encuentro,   30
con tan cortos escuadrones,
con tan escasos pertrechos,

No a la batalla, al alcance
prepárase repitiendo:
para la cobarde fuga   35
levantan el campamento.

* * *

En tanto de él en buen orden
y en sosegado concierto,
(después de dar a las llamas,
y de hacer pasto del fuego   40
Las tiendas y los repartos,
las barracas y repuestos)
salen a cojer laureles
los imperiales guerreros.

De Nápoles el ilustre   45
Visorrey al frente de ellos,
en un caballo ruano
que es del Vesubio remedo.

---

47 *ruano:* «Con pelo mezclado de blanco, gris y bayo», *Dicc. Acad.*

Ricas armas refulgentes
en que dan vivos destellos   50
las labores de oro y plata
del sol naciente al reflejo,
  Lleva, y sobre el rico almete
en la cimera sujeto,
penacho amarillo y rojo   55
que mece apacible viento.
  Cien alabardas de escolta
cércanle, delante enhiesto
va su pendón, y le siguen
personajes de respeto.   60

* * *

En el escuadrón segundo,
de un arnés blanco cubierto,
y de un sayo de brocado,
en un frisón corpulento
  Pasa de Borbón el duque   65
¡lástima que tan egregio
príncipe, contra su patria
y su rey combata ciego!
  Entre los varios señores
y famosos caballeros   70
que le acompañan, descuella
por lo galán y lo apuesto,
  El joven marqués del Vasto,
armado de azules veros,
con blancas y azules plumas,   75
gallardas alas del yelmo.

---

74 *veros:* «Esmaltes que cubren el escudo, en figura de campanillas alterna-
das, unas de plata y otras de azur, y con las bocas opuestas», *Dicc. Acad.*

En un pisador castaño
que con la espuma del freno,
escarcha en copos de plata
los azules paramentos,   80
   Su destreza de jinete
con corvetas y escarceos,
y su agilidad de mozo
va presumido luciendo.

* * *

Tras este escuadrón segundo   85
marcha el escuadrón tercero,
y Alarcón a su cabeza,
cana barba, rostro serio,
   Armas fuertes, mas sin brillo,
corcel alto, duro, recio,   90
una reformida lanza
que empuña un puño de hierro;
   Sin visera ni penacho,
capacete de gran peso,
y sobreveste y gualdrapa,   95
ambas de velludo negro,
   Sin recamadas insignias,
sin divisas ni embelecos,
eran, como lo era siempre,
su simple y marcial arreo.   100
   Siguen tras los hombres de armas
los escuadrones ligeros,
y de Cívita-Santángel
el marqués al frente de ellos.
   Joven valiente y gallardo,   105
ignorando va risueño,
que a manos de un rey, la muerte
le aguarda a pocos momentos.

Rico y galán sayo viste
de purpúreo terciopelo,   110
¡harto pronto con su sangre
más pupúreo ha de ponerlo!

De un cuartago de Calabria,
causa de su fin funesto,
rige las flexibles bridas   115
que cortadas, serán luego.

* * *

Las triunfadoras banderas
donde desarrolla el viento
los castillos y leones,
ya de dos mundos respeto,   120
Y que adorna la fortuna
de palma y laurel eternos,
donde quiera que tremolan
en entrambos hemisferios,
La invencible infantería   125
de los españoles tercios,
en bien formadas escuadras
sigue por lado diverso.

Descalza, pero contenta;
pobre, mas de noble esfuerzo;   130
tan rica, que a sus hazañas
es el orbe campo estrecho.

El valor y gracia reinan,
y de la muerte el desprecio,
en sus ordenadas filas   135
de frugalidad modelo;
Y que de vencer seguras
llenan de coplas el viento,
con apodos y con vayas
de andaluces a gallegos.   140

_____
139 *vayas:* burlas.

A sus bravos capitanes
humildes obedeciendo,
forman un bosque de picas
cuyas puntas son luceros;
    Y donde los arcabuces,   145
preñados de rayo y trueno,
van pronto a llenar el aire
de humo, plomo, muerte y miedo.
    Allí el capitán Quesada,
allí el capitán Cisneros   150
y Santillana, el alférez,
y Bermúdez, el sargento,
    Y Roldán, el sevillano,
extremado arcabucero,
y mil y mil allí estaban   155
gloria del hispano suelo,
    Cuyos inmortales nombres
la fama guarda del tiempo,
y al pronunciarlos palpita
de todo español el pecho.   160
    Con un limpio coselete
del sol envidia y espejo,
con celada borgoñona
sin cimera ni plumero,
    Y con sus calzas de grana,   165
y con su jubón eterno
de raso carmesí, llega
después de dejar dispuesto
    Como caudillo el ataque,
y como caudillo experto   170
el gran marqués de Pescara
en su tordillo ligero.

---

154 Personajes citados por Sandoval en su *Historia de Carlos V* (Parte VII,
libro II).

260

En su diestra centellea
un estoque de Toledo,
y un broquel redondo embraza   175
con una muerte en el medio.
    Viene, y se coloca al frente
de los españoles tercios,
de sus planes y esperanzas
con gran razón fundamento.   180
    Y con el semblante afable,
y con el rostro risueño,
responde a sonoros vivas
en sazonado gracejo.

                    * * *

    Detrás de los españoles   185
tardos marchan los tudescos,
que apiñados parecían
muro movible de cuerpos.
    Sus amarillos pendones
las águilas del imperio   190
ostentan, y lentamente
las siguen con gran silencio.
    Micer Jorge de Austria, anciano
de gran valor y respeto,
va a su frente en un morcillo   195
que hunde donde pisa el suelo.
    Lleva arnés empavonado
y, devoto hasta el extremo,
con franciscana capucha
el casco y gorjal cubiertos.   200
    Las últimas que desfilan
y salen del campamento,
son las banderas de Italia
en pelotones pequeños.

Dos culebrinas de bronce   205
y una lombarda de hierro,
son toda la artillería
para tan terrible empeño.

Don César, napolitano,
caudillo bizarro y diestro,   210
y el capitán Papacodo
vienen a su frente puestos.

* * *

Ya los franceses cañones,
cuyo número era inmenso,
contra estas huestes lanzaban   215
muerte envuelta en humo y fuego;

Y ya viva escaramuza
se iba rápida encendiendo,
entre avanzados jinetes
y alentados ballesteros,   220

Y aún del incendiado campo
llegan a ocupar sus puestos
a todo correr soldados,
y a escape los caballeros.

Sólo entre tantos no acude   225
cuando siempre es el primero,
el gallardo don Alonso
de Córdoba, y le echan menos,

Porque de un noble el retardo,
en tan críticos momentos,   230
es mucho más reparable,
porque debe dar ejemplo.

Y por esperarle todos
miran hacia el campamento,
donde con grande sorpresa   235
ven, y quédanse suspensos,

Que su tienda solamente
no es ya de las llamas cebo,
y que aún intacta descuella
entre el general incendio.   240

ROMANCE II

LA TIENDA

Entre humo, llamas, cenizas
que volando en remolinos,
del abandonado campo
al sol ofuscan el brillo.
    De don Alonso la tienda   245
tiene desde lejos fijos
de la multitud los ojos,
la atención de sus amigos.
    Aderezado un overo
cerca de ella, altos relinchos   250
da, y huella y escarba el polvo
no cabiendo ya en sí mismo.
    Porque, la mano en el diestro,
tiene sujeto su brío
un paje, que también tiene   255
un lanzón con pendoncillo.

* * *

Están dentro de la tienda,
a un lado, sentada en rico
almohadón de terciopelo
sobre tapete morisco,   260

263

Una gallarda señora
con semblante dolorido,
teniendo en sus bellos brazos
dos hermosísimos niños;
Y de pie, a su frente, un joven   265
de brillante arnés vestido,
la cabeza sin almete
y el rostro contemplativo.
Dos luceros son los ojos
de aquella dama o prodigio,   270
que a las mejillas de nácar
le dan perlas por rocío.
Las negras y luengas trenzas
con negligente prendido
dan más blancura a su frente   275
dan a sus ojos más brillo,
Dan más carmín a sus labios,
de amor poderoso hechizo,
dibujando un albo cuello
y un seno de ángeles nido,   280
Pues viendo en él agrupados
a los dos infantes lindos,
el llamarle de esta suerte
no es exagerado estilo.
El mancebo armado muestra   285
en aspecto y atavío
de su linaje lo ilustre
y de su cuna lo rico.
Es el noble don Alonso
de Córdoba, que cautivo   290
de un amor firme, combate
por salir de un laberinto.
Del gran marqués de Alcaudete
hermano, y aun presuntivo
heredero, aquella hermosa   295
ha tiempo tiene consigo,

Con disgusto y con despecho
no sólo del Marqués mismo,
sino de otros dos hermanos,
capitanes de gran brío,   300
    Que en las huestes españolas
con el de Pescara invicto
para avalorar su nombre
ocupan honroso sitio.

* * *

    La dama en ilustre sangre   305
al joven esclarecido
no iguala, es cierto, mas junta
a los altos atractivos
    De la gracia y la belleza,
del donaire y señorío   310
y de los ojos de fuego,
y del hablar argentino,
    Tal bondad y tal ternura,
tan cultivado y pulido
entendimiento y modales   315
tan dulces, gratos y finos,
    Que de don Alonso tienen
disculpa los extravíos,
por prenda en quien tantos dotes
colocar el cielo quiso;   320
    Pues amor y entendimiento
y valor, siempre se ha dicho,
que igualarlo pueden todo
y no es error el decirlo.
    Ella es honrada, aunque humilde   325
y para hombre bien nacido
el honor de las mujeres
no es juguete de capricho.

265

Y si es que tiene de padre
ya la obligación consigo,   330
con Dios y con los sensatos
se ve en grande compromiso.

* * *

Don Alonso, caballero
de tan altos requisitos,
cuando va a exponer la vida   335
a un inminente peligro,
(Siempre solemne momento
en que entra el hombre en sí mismo,
porque voces que no mienten
le dan interiores gritos),   340
Revuelve allá en su cabeza
mil encontrados arbitrios,
para entre el mundo y el cielo
encontrar algún camino.
Su pecho es campo en que luchan   345
irritados enemigos,
preocupaciones, afectos,
miramientos y cariños.
Y con los brazos cruzados,
el rostro helado y marchito,   350
desencajados los ojos,
convulsos los labios fríos,
Hecha pedazos el alma,
el corazón derretido,
quisiera que un rayo ardiente   355
le clavara en aquel sitio.

* * *

La dama, que no sospecha
el confuso laberinto
en que se pierde su amante,
demudado y discursivo,   360
   Creyendo que el amor sólo
detiene su heroico brío,
en momento en que el retardo
pone el honor en peligro,
   Sollozando: «¿Qué os detiene   365
—dice— amado dueño mío,
cuando las trompas os llaman
y os espera el enemigo?
   »Volad, que yo no os detenga,
volad, señor, os suplico,   370
vuestro nombre y vuestra fama
son antes que yo y mis hijos.»
   De tal labio, don Alonso
al escuchar tal aviso,
que fue del honor espuela   375
y del amor incentivo,
   En sí torna, se resuelve,
y dando un largo suspiro,
como lo da el que cansado
sale de un profundo abismo.   380
   «Decís bien, señora —exclama—
mas venid a ser testigo
de que pago cuanto debo
a Dios, a vos y a mí mismo.»
   Cálase el yelmo; del brazo   385
en frenético delirio
ase a la dama, que aprieta
contra su seno a los niños.
   Sale con ella y con ellos,
monta en el overo altivo,   390
acomoda en la gurupa
a su dama y a sus hijos,

Y hacia el campo de batalla
a escape toma el camino,
en velocidad y en fuego,   395
rayo o disparado tiro.

Todos cuantos le esperaban
reconócenlo al proviso,
de que traiga, avergonzados,
tal embarazo consigo.   400

La lenguaraz soldadesca
prorrumpe en picantes dichos,
pues no hay respeto que imponga
freno al vulgacho maligno.

Y los dos nobles hermanos   405
de don Alonso, ofendidos,
de enojo y cólera ciegos,
en tierra los ojos fijos,

Temiéndose nueva afrenta
en tal hora y en tal sitio,   410
con las viseras esconden
los rostros escandecidos.

ROMANCE III

EL CABALLERO

Sin templar las flojas bridas,
ni dar descanso a la espuela,
el ilustre don Alonso   415
a do están los tercios llega;

Dando al desprecio las burlas,
sordo haciéndose a la befa
de licenciosos soldados
y de desatadas lenguas,   420

Ante el marqués de Pescara
que siente tal ocurrencia,
y que está suspenso y grave,
pone fin a la carrera.

Desocupa los arzones,   425
a niños y madre apea,
y con firme acento dice
alzándose la visera:

«Marqués de Pescara egregio,
pues circula en vuestras venas   430
sangre tan noble y cristiana
como el mundo reverencia,

»No extrañaréis el que un noble,
que de cristiano se precia,
sus obligaciones cumpla   435
y satisfaga sus deudas;

»Ni que un valiente soldado
que a combatir marcha, quiera
para entrar con más empeño
dejar mayores riquezas.   440

»Ni que tranquila su alma
al lance llevar pretenda,
porque si es del valor centro
mayor valor hay en ella.

»Yo estoy obligado y debo,   445
mil bienes se me presentan
que asegurar, y mi alma
la tranquilidad anhela.

»Bajo vuestro patrocinio
cumpla pues, pague, enriquezca,   450
mi alma tranquilice, y obre
según Dios y mi conciencia.

»Al capellán que os asiste
mandadle, señor, que venga,
y que me case ahora mismo   455
aquí con doña Teresa.

»Y bendecido mi enlace,
estos dos ángeles sean
hijos legítimos míos,
purgados de toda afrenta.   460

»Y si el cielo dispusiese
que yo caiga en la pelea,
habrá quien me sustituya
en lealtad y en fortaleza.»

Calló; y el Pescara insigne   465
y los jefes que le cercan,
conmovidos y admirados
tan cristiano empeño aprueban.

* * *

Viene el capellán al punto
en una mula; se apea,   470
de don Alonso elogiando
acción tan gallarda y buena.

Entusiasmo por las filas
cunde con la extraña nueva,
porque una acción generosa   475
tiene mágica influencia.

Y un ejército testigo
siendo de la boda, hecha
fue con los sagrados ritos
que a sacramento la elevan.   480

* * *

Desmáyase la señora,
y en los brazos la sustenta
su esposo, que a entrambos niños
contra la coraza aprieta.

Se enternece el sacerdote, 485
Pescara los brazos echa
al regocijado novio,
y da mil enhorabuenas.

El ejército de vivas,
admirado, el aire llena. 490
Vienen los amigos todos,
todos los curiosos llegan.

Y de don Alonso entonces
ya no tienen resistencia,
los enojados hermanos, 495
y entre sus brazos le estrechan,

Y despojándose afables
de anillos y de cadenas,
unos dan a su cuñada
otros en los niños cuelgan. 500

De cordialidad, de gozo,
y de dicha tal escena
formando, en aquel momento,
que a un mármol enterneciera.

* * *

Pero los instantes urgen. 505
Don Alonso activo, ordena
a su esposa y a sus hijos
retirar de allí a gran priesa

Porque ya silban las balas
y ya cruzan las saetas 510
y las trompas y atambores
dan de combatir la seña;

Y cabalgando ligero,
la lanza en la cuja puesta,

---

514 *cuja:* «Anillo de hierro sujeto al estribo derecho en el que los soldados lanceros colocan el cuento de su arma para llevarla con más facilidad», *Dicc. Acad.*

vuelto al marqués de Pescara   515
dice así con voz resuelta:

«Por uno antes combatía,
porque uno tan sólo era,
mas hoy combatir por cuatro
quiero que el mundo me vea: 520

»Por mí, por mis tiernos hijos
y por mi esposa discreta,
vos veréis, caudillo excelso,
si sé hacerlo, aunque perezca.»

Revuelve el potro, la lanza   525
en el ristre a punto puesta,
y en lo más trabado y recio
entróse de la pelea.

Síguenle sus dos hermanos,
y de los tres las proezas   530
en aquel tremendo día,
que a España de gloria llena,

Fueron tales, que lograron
aplausos y recompensas,
y en el clarín de la fama   535
nombre inmortal, gloria eterna.

La victoria de Pavía

Al Señor don Mariano Roca de Togores

ROMANCE I

PESCARA Y LOS ESPAÑOLES

De la sitiada Pavía,
desde las gigantes torres
que el bravo Antonio de Leiva
guarda con sus españoles;

    Entre nubes de humo y polvo   5
do arcabuces y cañones,
de rayos llenan el aire,
de truenos el horizonte;

    Se ve la horrenda batalla
en que disputan feroces   10
Francisco y Carlos el cetro
de Italia y de todo el orbe.

    Dos veces más numerosos
los franceses escuadrones
son, que los que allí combaten   15
de Carlos quinto en el nombre.

Y aquellos a su cabeza,
con lo que valen al doble,
tienen a su rey Francisco,
monarca de excelsos dotes.   20

Pues en valor y destreza,
y en caballeroso porte,
quien le exceda y sobrepuje
el mundo no reconoce.

Al ejército del César   25
si la ventaja nególe
el cielo, de ver al frente
a su soberano entonces,

Le dio la de que lo rija
el aventajado y noble   30
marqués de Pescara invicto,
guerrero de alto renombre.

Y si es en número escaso
y viene de galas pobre,
también con la fama cuenta   35
de los tercios españoles.

* * *

La francesa artillería,
cuyo número era enorme,
deshace apretadas filas,
espesas hileras rompe,   40

Y cual tempestad horrenda
llena de pavor el orbe,
borrando el son de las trompas
y de los cabos las voces.

Mas las imperiales huestes   45
desprecian el fuego, y corren
a que decida el combate
de la dura lanza el bote.

Y de Nápoles embiste
el Visorrey a galope,   50
de hombres de armas y ligeros
con los bravos escuadrones.

El rey de Francia los suyos
numerosísimos pone,
mas cual bisoño caudillo   55
para la batalla en orden.

¡Cuán gallardo y rozagante,
augusto, lozano y joven
oprime un tordo rodado
que a tal dueño corresponde!   60

De morado terciopelo
y brocado de oro, sobre
el arnés fúlgido, lleva
veste de ricas labores.

Efes de oro son y lises   65
que deslumbran como soles,
y de oro y morada seda
lazos, borlas y cordones.

En el alto capacete,
del viento halago y azote,   70
amarillos y morados
vuelan flexibles airones.

Y en medio de ellos descuella
una flecha de oro, donde
primoroso pendoncillo   75
un claro emblema propone.

Bordada una salamandra
que en vivo fuego se esconde,
es el cuerpo de la empresa
y *modo et non plus* el mote.   80

El Almirante de Francia,
personaje de alto nombre;
el gran príncipe de Escocia,
gallardo y hermoso joven;

El príncipe de Navarra;   85
de San Pol el bravo conde;
el mariscal Montmorency,
y otros insignes señores,

   Le acompañan y le sirven,
con él las filas recorren,   90
y con él al campo abierto
salen a esperar el choque.

                    * * *

   Terrible fue; parecía
que se encontraban los montes,
que se desplomaba el cielo   95
y que caducaba el orbe.

   Mas ¡ay! las fuerzas de Francia
eran de número doble,
y el valor no hace imposibles
aunque el valor los arrostre.   100

   Si bien del Virrey la lanza
dio al Almirante fin noble;
si bien insignes franceses
cayeron de los arzones;

   Si bien resisten constantes,   105
como murallas de bronce,
los imperiales jinetes,
al cabo, al cabo eran hombres.

   Muere del rey en la lanza
el desventurado joven   110
a quien Cívita-Santángel
por su marqués reconoce.

   El mismo Alarcón a tierra
vino de una maza al golpe,
como cae gigante pino,   115
cual se desploma una torre.

Y a pie combate y resiste
dando tajos y mandobles,
y a su vigor y destreza
debió no morir entonces.   120
    El del Vasto en gran peligro
se ve entre diez borgoñones,
y tiene que abrirse paso
con la punta del estoque.
    Todo es muerte y exterminio;   125
cuatro jinetes se oponen
a cada jinete nuestro,
sin que la lid abandone.
    Y ya no queda esperanza
de que a la victoria logren   130
seducir tan alto esfuerzo
y tantas hazañas nobles;
    Cuando el capitán Quesada
en el combate lanzóse,
seguido de cien certeros   135
arcabuces españoles.
    Y con tanto tino asesta
sus rayos atronadores,
que a los contrarios asombra
y en retirada los pone.   140

                    * * *

    En tanto por otra parte
otros frescos escuadrones
de bien montados franceses,
«Francia» apellidando a voces,
    Arrollando cuanto encuentran,   145
con la lanza en ristre corren,
y a los tercios de la Italia
vencen, deshacen y rompen.

        Los esguízaros que siguen
de la Francia los pendones,   150
a reforzar el combate
presurosos se disponen.
        Y hasta el mismo rey Francisco
con nuevo escuadrón a trote,
va a asegurar la victoria   155
que ya suya reconoce.
        El gran marqués de Pescara
que lo advierte, decidióse,
confiado en su fortuna,
a aventurar todo entonces.   160
        Y con risueño semblante
a los tercios españoles
torna, y animoso dice:
—«¡Ah de mis fuertes leones!
        »Vuestro debe ser el día;   165
allí donde más feroces
los enemigos se agolpan,
allí hay laureles mayores.
        »Venid conmigo a cogerlos,
vuestras frentes solas logren   170
coronarse con sus ramas
entre tan varias naciones.»
        Vivas que asordan el aire,
y seis mil bravos acordes
lanzan, sonoroso grito   175
de ansia, de gloria y renombre,
        Fue la respuesta. Y al punto
con celeridad movióse
de picas y de arcabuces
un espesísimo bosque.   180

---

149 *esguízaros:* suizos.

Al momento la fortuna,
tan indecisa hasta entonces,
en las imperiales huestes
los mudables ojos pone.

    Y del pendón de Castilla   185
los gloriosos resplandores
encantaron sus miradas
y en su favor declaróse.

* * *

Los arcabuces de España
no hay fila que no destrocen,   190
no hay caballo que no ahuyenten,
no hay guerrero que no postren.

    Y las picas españolas
no hay escuadra que no arrollen,
embate que no resistan   195
ni denuedo que no asombren.

    Huyen de su ardiente brío,
de sus balas y sus botes,
los franceses hombres de armas,
y los ligeros peones.   200

    Y los esguízaros huyen
en confusión y desorden,
y huyen los nobles jinetes
y huye el rey mismo a galope,

    Y de un ejército inmenso   205
que ya vencedor juzgóse,
triunfa el marqués de Pescara
con sus seis mil españoles.

* * *

Este valiente caudillo,
cuyo esfuerzo no conoce   210
rival en el ancho mundo,
más alta empresa dispone;
     Y ordenando que el alcance
prosigan los vencedores,
y que los tudescos vengan   215
a sostenerlos veloces,
     Junta a varios caballeros
y de armas a algunos hombres,
que escaramuzando andaban
sin jefes y sin pendones;   220
     Y poniéndose a su frente,
y requiriendo el estoque,
en un escuadrón lejano
que el rey Francisco recoje
     Para tornar donde pueda   225
dejar bien puesto su nombre
al grito de «*Cierra España*»
con nueva furia lanzóse.

                  * * *

     En tanto Antonio de Leiva
que la ventaja conoce   230
de las fuerzas imperiales,
cual raudo torrente rompe,
     Por las puertas de Pavía,
y cayendo osado sobre
la retaguardia francesa,   235
en grande aprieto la pone.
     Ya es de Carlos la victoria,
ya los tercios españoles,
como el huracán que arrasa
los enmarañados bosques,   240

Abriéndose en un momento
ancha calle a sus furores,
no ven ya en su paso estorbo,
no encuentran quien los afronte.

    Pero en medio de su triunfo   245
con pasmo y con dolor oyen
de que su Pescara es muerto
correr las siniestras voces.

    Es cierto que no parece
desde que con pocos hombres   250
de armas le vieron lanzarse
con tanto denuedo, donde

    Aún trabada la pelea,
reina confuso desorden.
Vengarle, pues, juran todos,   255
y allá revuelven feroces,

    Cuando entre el polvo y el humo
ven aparecer a trote,
al victorioso caudillo
de sus esperanzas norte   260

* * *

    Mas ¡oh Dios, en cuál estado!
Herido su rostro noble,
pasado el brazo siniestro
de una lanza al duro bote;

    El coselete partido   265
y atravesado del golpe
de una bala que parece
que fin a sus glorias pone.

    Y el tordillo moribundo,
herido en cuello y quijotes,   270
un raudal de negra sangre
derramando a borbotones.

Las españolas escuadras
quedan al mirarlo inmobles,
y el placer de la victoria   275
en llanto y dolor tornóse.

Al cabo llega Pescara
sin que la muerte le asombre,
y dice con voz tranquila
partiendo los corazones: 280

«¿Por qué os detenéis, amigos?
Valerosos españoles,
pues ya es vuestra la victoria
nada mi falta os importe.»

Desplómase el tordo en tierra;   285
dos capitanes recogen
al general en los brazos,
y Vega, su gentil-hombre,

Del sangriento coselete
le desencaja los broches,   290
y ve... ¡oh placer! que la bala
causa de tantos temores,

Aplastada contra el pecho,
leve contusión esconde:
del coselete, sin duda,   295
en los adornos de bronce,

Perdió su temible fuerza
o por dicha disparóse
desde tan lejos que trajo
escasa violencia el golpe.   300

Reanímanse los soldados,
por milagro reconocen
dicha tan grande, y en *vivas*
prorrumpen y alegres voces.

Y repuesto el mismo herido   305
que traspasado juzgóse,
de la contusión del pecho
por los agudos dolores,

«Bendito sea Dios», exclama,
ármase de nuevo y sobre   310
otro corcel restablece
en las escuadras el orden.

　　Y en las márgenes floridas
del manso Tesín, por donde
se retiran derrotados   315
de Francia los escuadrones,

　　Sembrando exterminio y muerte
aparecieron veloces
el gran marqués de Pescara
y los tercios españoles.   320

ROMANCE II

EL ESTANDARTE ANTE TODO

Del Tesín en las orillas
quiere hacer su último esfuerzo
vencido y avergonzado
el rey Francisco primero.

　　Sus numerosas escuadras   325
dispersas ve y sin aliento,
y fuerzas aún poderosas
en confuso desconcierto.

　　Con el estoque en la mano
de cálida sangre lleno,   330
pues soldado fue valiente
si no fue caudillo experto;

　　Deslucidas ya sus galas,
deslustrados sus arreos,
y abollados de los golpes   335
el capacete y el peto:

En su corcel, que de espuma,
de sangre y sudor cubierto,
cruza fatigado el campo
obediente a espuela y freno;   340
    Solo y sin séquito corre
llamando a sus caballeros,
denosta sus fugitivos,
recoge algunos dispersos,
    Y revuelve valeroso   345
a escaramuzar ligero,
pensando que aún algo puede
con su valor y su ejemplo.
    Todo en vano; la fortuna
la espalda y rostro le ha vuelto,   350
y hasta las heces el cáliz
beberá del vencimiento.
    De Alarcón los hombres de armas
vestidos de tosco hierro,
los del Virrey denodados   355
y los de Borbón soberbios,
    Y entre el tropel de jinetes
mezclados arcabuceros
españoles, cuyas balas
tienen prodigioso acierto,   360
    Del rey de Francia infelice
invalidan los esfuerzos
y hacen sordos a sus voces
a los franceses guerreros.

* * *

    El despechado monarca   365
del desapiadado cielo
tenaz resistencia opone
al inmutable decreto.

Y retirarse ordenados
a sus esguízaros viendo,   370
del Tesín a un ancho vado,
donde su fin va a ser cierto.

Vuela a ponerse su frente
para advertirles el riesgo
que van a hallar en las aguas   375
por no arrostrar el del fuego.

Y los conjura y exhorta
a que con él revolviendo,
noble resistencia opongan
al vencedor altanero;   380

Y que cual valientes busquen
con él de salud un puerto,
no del Tesín en las ondas,
mas de la lid en el hierro,

Que allí segura es la muerte,   385
y aquí bien puede no serlo,
que aquí aún les espera gloria,
y allí sólo vilipendio.

Mucho alcanza, pues consigue
formarlos y contenerlos,   390
y ya de esperanza nueva
ve casi el rostro risueño,

Cuando aterrador fantasma
se ve venir a lo lejos,
los pendones invencibles,   395
de los españoles tercios.

Y olvidando que a su frente
tienen hombre tan excelso,
y del engañoso río
olvidando el grave riesgo,   400

Los esguízaros soldados,
de pánico asombro llenos,
huyen, al rey abandonan,
y al vado parten derechos.

El francés monarca entonces,   405
las lágrimas del despecho
quemando su rostro augusto,
quiere morir como bueno,
    Y vuela hacia el puente, donde
aún resisten con empeño   410
algunos fieles magnates,
algunos nobles guerreros.

* * *

    Mas ¡ay! la suerte tremenda
llegar le impide a aquel puesto,
donde libertad y gloria   415
iba a conseguir al menos,
    Pues que silbadora bala
de ignoto arcabuz partiendo,
de su corcel fatigado
rompe y atraviesa el pecho.   420
    Vacila el bruto, retiembla,
de sangre espumosa el suelo
en raudo torrente inunda,
quédase clavado y yerto.
    De nieve son sus orejas,   425
de sus ojos muere el fuego,
y en grave estruendoso golpe
desplómase con su dueño.
    ¡Oh dolor, yace en el fango
el trono de Francia excelso,   430
el poderoso monarca
que juzgaba el orbe estrecho!

---

417 «una silbadora bala / de oscuro arcabuz partiendo» en «La muerte de un
caballero», vv. 53-54.

De inconstancias de fortuna,
grande y doloroso ejemplo,
y de la humana soberbia   435
aterrador escarmiento.

Nada hay firme en este mundo:
valor, gloria, nombre, imperio,
cuando una espada se empuña,
todo queda en duda puesto.   440

* * *

El hidalgo vizcaíno
Juan de Urbieta, que cubierto
de tosco arnés, en un potro
escaramuzaba suelto,

Pasa y ve bajo el caballo   445
tan lucido caballero,
que por levantarse pugna
con inútiles esfuerzos.

No sospechando quién era
le pone el lanzón al pecho,   450
y, «Ríndete al punto —grita—
o quedarás aquí muerto.»

Respóndele el derribado:
«Soy el rey de Francia, quedo
a tu emperador rendido,   455
y heme ya tu prisionero.»

Retira Urbieta la lanza
con el debido respeto,
y con tan rara fortuna
pasmado queda y suspenso   460

Animado el rey prosigue:
«Que al punto bajes te ruego,
que este maldito caballo
me revienta con su peso.»

Iba el noble vizcaíno   465
a darle socorro presto,
y ya para echarse a tierra
soltó el estribo derecho,
   Cuando del puente a la boca
ve de franceses en medio   470
su estandarte, y que el alférez
solo lo está defendiendo,
   Y el honor de su estandarte,
y la fe del juramento,
más que ansia de vanagloria   475
en su alma ilustre pudieron,
   «Ya señor —al rey le dice—
socorro daros no puedo,
que es mi estandarte ante todo,
y está mi estandarte en riesgo,   480
   »Confesad que os he rendido,
y pues que prenda no llevo,
porque podáis conocerme,
si a vuestra presencia vuelvo,
   »Miradme, que soy mellado»,   485
y alzando del tosco yelmo
la visera, en un instante
le mostró dos dientes menos.
   Y revolviendo el caballo
al puente voló ligero   490
con el lanzón en el ristre
de honra y de lealtad modelo.

ROMANCE III

UN REY PRISIONERO

Mientras el bizarro Urbieta
va a libertar su estandarte,
dejando la alta fortuna   495
que le plugo al cielo darle.
    Al rey Francisco impedido
de moverse y levantarse,
porque le sujeta en tierra
de su caballo el cadáver,   500
    Diego Ávila, el granadino,
también hombre de armas, vase,
y que se rinda le grita
decidido y arrogante.
    Respóndele el rey: «Rendido   505
a otro español estoy antes;
y que soy el rey de Francia
para tu gobierno sabe.»
    Sorprendido el granadino
de aventura tan notable,   510
«¿A ese español —le pregunta—
habéis dado prenda o gaje?»
    «Le di solo mi palabra,
que mi palabra es bastante,
—contesta el rey—, mas si quieres   515
toma mi espada y mi guante,
    »Y sácame del caballo
y ayúdame a levantarme,
que la visera me ahoga
y esta pierna se me parte.»   520

Ávila toma las prendas
destilando fresca sangre,
echa pie a tierra y ayuda
al rey con trabajo grande,
   Y levántalo, y el yelmo   525
le desencaja al instante,
para que le dé en el rostro,
que lo ha menester, el aire.

* * *

   Hita, soldado gallego
tosco, y de toscos modales,   530
con su sangrienta alabarda
y desharrapado traje,
   Llega, y con poco respeto,
ya resuelto a despojarle,
de la insignia se apodera   535
del más elevado Arcángel.
   De San Miguel el collar
échase al cuello el salvaje,
con su tosquedad y harapos
haciendo extraño contraste.   540
   El rey le dijo: «Valiente,
por él te doy de rescate
seis mil ducados de oro,
y más, si en más lo estimares.»—
   Y contestóle el gallego: 545
«Guardaréle, que colgarle
de mi emperador al cuello
podré yo temprano o tarde.»

* * *

En esto llegaban otros
soldados sin capitanes,   550
con la victoria embriagados,
cebados con el pillaje,
    Y en su sagrada persona
ponen sus manos rapaces;
la veste del rey desgarran   555
sus preseas se reparten;
    Y le arrebatan del yelmo
la bandereta y plumajes,
que la codicia villana
no guarda respeto a nadie.   560
    Ávila, Hita y Urbieta,
(que ya en salvo su estandarte
dejó) con vanos esfuerzos
por defenderle combaten.
    Cuando llegaron a punto   565
varios nobles personajes,
que tan feroz soldadesca
obligan a reportarse,
    Enseñándoles valientes
a que respeten y acaten   570
a la majestad augusta,
que aunque vencida es muy grande.

* * *

    De estar el rey prisionero
cunde la nueva al instante
por el uno y otro campo   575
con efectos desiguales.
    Los franceses caballeros
de más valor y linaje,
tornan a correr la suerte
que a su rey Dios quiso darle.   580

Y los jefes y caudillos
de las tropas imperiales,
vuelan a que cese al punto
la mortandad y la sangre.

El de Pescara glorioso   585
corre ligero a la parte
en que al rey Francisco juzga
expuesto a villano ultraje.

Llega, del caballo salta,
y con respeto admirable,   590
hincadas ambas rodillas
la mano quiere besarle.

No lo consiente el monarca,
que tiene un consuelo grande
en verse ya protegido   595
por hombre que tanto vale.

Y obligándole risueño
de la tierra a levantarse,
«Noble marqués de Pescara,
pues que la fortuna os cabe,   600

»—Le dice— de tal victoria,
os pido no se derrame
de mis vencidos vasallos
la desventurada sangre.

»Y espero que en vos encuentren   605
protector, amparo y padre,
los franceses que se miren
como yo en tan duro trance.»

De lágrimas arrasados
los ojos al escucharle   610
Pescara: «Señor —le dice—
vuestra súplica es en balde:

»Pues la nación española,
que logra triunfo tan grande,
en la victoria es tan noble   615
como brava en el combate.»

También el del Vasto llega
y el rey le recibe afable,
y con dignidad le elogia
por su apostura y su talle.   620

Y el consuelo se divisa
en su abatido semblante,
de verse entre caballeros
que tratar con reyes saben.

* * *

Mas imprevisto incidente   625
vino de nuevo a alterarle,
y a hacer más terrible y duro
su destino deplorable.

De Borbón el duque altivo,
¡desacato repugnante!   630
a su rey vencido quiere
sin reparo presentarse.

¿Y cómo? Manchado todo
con propia francesa sangre,
de un valor mal empleado   635
haciendo insolente alarde.

No le conoce Francisco,
pero de pronto, al mirarle,
dio, por un secreto impulso,
de gran enojo señales.   640

Y quién era preguntado,
como el marqués contestase
«Señor, de Borbón el duque»,
puso un ceño formidable.

Y volviendo las espaldas   645
con dignidad, ocultarse
quiso entre aquellos guerreros
porque el duque no llegase.

Notólo Pescara al punto,
y como discreto parte   650
a evitar inconvenientes
y a allanar dificultades.

Ruega de Borbón al duque
que el sangriento estoque envaine,
que quite la sobreveste   655
y que se limpie la sangre.

Y con él a pie se acerca,
donde el rey inexorable
no digna volver el rostro
que en ira y en furor arde.   660

La mano el duque le toma,
de rodillas; arrogante
la retira el rey. El duque
tiene la audacia de hablarle,

Y el monarca levantando   665
los ojos como volcanes
al cielo, en voz alta dice:
«¡Santo Dios, paciencia dadme!»

Oyendo lo cual Pescara,
hace que de allí se aparte   670
el de Borbón, y de él libre
tornó el rey a sosegarse.

ROMANCE IV

    Reunidos los generales
de las naciones distintas
que el ejército del César   675
ya vencedor componían,
    Acatan al rey cautivo,
y le consuelan y animan,
conducirlo disponiendo
a los muros de Pavía.   680
    Danle un corcel generoso,
con honrosa comitiva
de franceses personajes
que rendidos le seguían.
    Y antes confesando todos   685
con admirable justicia,
que victoria tan insigne,
triunfo tan grande y tal dicha,
    Se debe tan solamente
a la española milicia,   690
disponen que España sola
tenga la prerrogativa
    De guardar un prisionero
de tan importante estima,
y que Alarcón el famoso   695
de alcaide y guarda le sirva.

* * *

    En medio, pues, de los tercios
españoles, y a su vista,
desplegadas las banderas
de gloria y laureles ricas;   700

De Alarcón a la derecha
el rey de Francia camina,
esforzándose orgulloso
en dar a su faz sonrisa.

Los escuadrones tudescos,   705
que una ladera contigua
de aquel camino ocupaban,
al pasar la infantería

Española, entusiasmados
le hacen salva, y alta grita   710
levantan hasta las nubes
repitiendo: *¡España viva!*

Al rey suspende tal muestra
dada por las tropas mismas
del ejército triunfante,   715
y es novedad que le admira.

Reconociendo cuán alta
la española gloria brilla,
pues competencias no admite
y da admiración, no envidia.   720

Afable el rey conversando
con las personas distintas
que le cercan, caminaba
gallardo sobre la silla.

Y al encontrar de franceses   725
prisioneros las cuadrillas,
los consuela con su ejemplo
y con su voz los anima.

Y a los cabos españoles,
que en respeto y cortesía   730
ni un solo punto desdicen
de lo que a nobles obliga,

Los recomienda con tanto
extremo, afán y caricias,
que se arrasaban los ojos   735
de cuantos allí venían.

* * *

En los altos de la marcha
embarazosa y prolija,
varios soldados de cuenta
a ver al rey acudían.   740

Y el rey demostraba atento
con delicadeza fina,
gusto en que le presentasen
los de garbo y nombradía.

Llegó entre tantos acaso   745
Roldán, hijo de Sevilla,
llamado *el arcabucero*,
mote puesto con justicia.

Pues lo era tan extremado,
que nunca erró puntería   750
clavando siempre las balas
donde clavaba la vista.

Este tal, galán y apuesto,
de cara muy expresiva,
de talle en extremo airoso   755
de aguda fisonomía;

Con aire matón y jaque,
calzas de majo y ropilla,
con un inmenso chapeo
de alas luengas y tendidas;   760

Con su cuera y sus mangotes,
y sus frascos en la cinta,
de recamos adornada
y de escarcela provista,

_____

761 *cuera*: «Especie de jaquetilla de piel que se usaba de antiguo sobre el jubón»; *mangotas*: «mangas anchas y largas», *Dicc. Acad.*

Se acerca al rey, y apoyado   765
del arcabuz en la horquilla,
y zarandeando el cuerpo
cual hombre que nada admira,
    «Señor —con ceceo dice,
y lengua aunque gorda viva—   770
cuando mi sargento anoche
me dijo que combatía
    »Vuestra Alteza en este empeño,
preparé varias cosillas;
los trastos que en tales lances   775
cualquier hombre necesita.
    »Fundí, señor, doce balas,
que al cabo son la comida
de esta serpiente —mostróle
el arcabuz con sonrisa,   780
    »Prosiguiendo— fundí, digo,
doce balas, las precisas.
Seis de plomo, destinadas
a canalla gabachina;
    »Y las seis, muy a mi gusto   785
cumplieron; ¡Dios las bendiga!
Fundí otras cinco de plata
para gente de alta guisa;
    »Y en cinco ilustres monsiures
se hallarán, no están perdidas,   790
que vive Dios tal acierto
no lo he tenido en mi vida.
    »Y una fundí, finalmente,
de oro muy puro y sin liga,
aquí está, señor, miradla.»   795
Expuso a la regia vista
    Una gruesa bala de oro
que en la escarcela traía,
continuando, sin turbarse,
con gracejo y con malicia;   800

«Gran señor, fundí esta bala
para daros muerte digna,
si en el combate de veros
se me lograba la dicha.»

»Y ya que vuestra fortuna   805
no os puso en mi puntería,
vuestra debe ser la prenda
que siempre vuestra a ser iba.

»Tomadla, señor, tomadla,
pesa dos onzas cumplidas   810
y puede que para ayuda
de vuestro rescate sirva.»

Al rey Francisco tal gracia
hizo aquella retahíla
del andaluz, y el despejo   815
con que acertara a decirla,

Que, afable, tomó la bala
diciendo: «Amigo, la estima
mi aprecio en mucho, y confío
que os lo mostraré algún día.»   820

Roldán le hizo reverencia
y vuelve a entrar en su fila,
tan contento de sí mismo
que ni a Carlos Quinto envidia.

ROMANCE V

CONCLUSIÓN

Dueño absoluto de Italia   825
fue el insigne Emperador,
con esta excelsa victoria
del alto esfuerzo español.

Y cautivo el rey de Francia
vino a Madrid y habitó   830
la torre de los Lujanes,
con Hernando de Alarcón.
    En la plaza de la Villa
aún dora esta torre el sol,
coronada de recuerdos   835
que el tiempo no borra, no.
    De ella al cabo el rey Francisco
rescatándose, tornó
a ocupar el rico trono
de la francesa nación.   840
    Pero su rendida espada,
prenda de insigne valor,
testigo eterno de un triunfo
que el orbe todo admiró.
    En nuestra regia armería   845
trescientos años brilló,
de los franceses desdoro,
de nuestras glorias blasón.
    Hasta que amistad aleve
que ocultaba engaño atroz,   850
con halagos y promesas
que ensalzó la adulación,
    Tal prenda de un triunfo nuestro
para Francia recobró,
como si así de la historia   855
se borrase su baldón.
    Harto indignado, aunque joven,
esta espada escolté yo,
cuando a Murat la entregaron
en infame procesión.   860
    Pero si llevó la espada
la gloria eterna quedó
mas durable que en acero
de la alta fama en la voz.

Y en vez de tal prenda, España
supo añadir ¡vive Dios!
al gran nombre de Pavía
el de Bailén, que es mayor.

Un castellano leal

ROMANCE I

«Hola, hidalgos y escuderos
de mi alcurnia y mi blasón,
mirad, como bien nacidos,
de mi sangre y casa en pro.

»Esas puertas se defiendan   5
que no ha de entrar ¡vive Dios!
por ellas, quien no estuviere
más limpio que lo está el sol,

»No profane mi palacio
un fementido traidor   10
que contra su rey combate
y que a su patria vendió,

Pues si él es de reyes primo,
primo de reyes soy yo,
y conde de Benavente   15
si él es duque de Borbón.

»Llevándole de ventaja,
que nunca jamás manchó
la traición mi noble sangre,
y haber nacido español.»   20

---

11 *cuadra:* «Sala o pieza espaciosa», *Dicc. Acad.*

* * *

Así atronaba la calle
una ya cascada voz,
que de un palacio salía
cuya puerta se cerró,
    Y a la que estaba a caballo   25
sobre un negro pisador,
siendo en su escudo las lises
más bien que timbre, baldón;
    Y de pajes y escuderos
llevando un tropel en pos   30
cubiertos de ricas galas,
el gran duque de Borbón.
    El que lidiando en Pavía
más que valiente, feroz,
gozóse en ver prisionero   35
a su natural señor;
    Y que a Toledo ha venido
ufano de su traición,
para recibir mercedes,
y ver al Emperador.   40

ROMANCE II

En una anchurosa cuadra
del alcázar de Toledo,
cuyas paredes adornan
ricos tapices flamencos,
    Al lado de una gran mesa   45
que cubre de terciopelo
napolitano tapete
con borlones de oro y flecos;

El emperador Carlos V

Ante un sillón de respaldo
que entre bordado arabesco   50
los timbres de España ostenta
y el águila del Imperio.

De pie estaba Carlos Quinto
que en España era Primero,
con gallardo y noble talle,   55
con noble y tranquilo aspecto.

* * *

De brocado de oro y blanco
viste tabardo tudesco,
de rubias martas orlado,
y desabrochado y suelto,   60
Dejando ver un justillo
de raso jalde, cubierto
con primorosos bordados
y costosos sobrepuestos;
Y la excelsa y noble insignia   65
del Toisón de Oro, pendiendo
de una preciosa cadena
en la mitad de su pecho.
Un birrete de velludo
con un blanco airón, sujeto   70
por un joyel de diamantes
y un antiguo camafeo,
Descubre por ambos lados,
tanta majestad cubriendo,
rubio, cual barba y bigote   75
bien atusado el cabello.

---

62 *jalde:* amarillo.

Apoyada en la cadera
la potente diestra ha puesto,
que aprieta dos guantes de ámbar
y un primoroso mosquero.   80

Y con la siniestra halaga,
de un mastín muy corpulento,
blanco, y las orejas rubias,
el ancho y carnoso cuello.

* * *

Con el Condestable insigne,   85
apaciguador del reino,
de los pasados disturbios
acaso está discurriendo;

O del trato que dispone
con el rey de Francia, preso,   90
o de asuntos de Alemania,
agitada por Lutero.

Cuando un tropel de caballos
oye venir a lo lejos,
y ante el alcázar pararse,   95
quedando todo en silencio.

En la antecámara suena
rumor impensado luego,
ábrese al fin la mampara
y entra el de Borbón soberbio   100

Con el semblante de azufre,
y con los ojos de fuego,
bramando de ira y de rabia
que enfrena mal el respeto.

Y con balbuciente lengua   105
y con mal borrado ceño,
acusa al de Benavente,
un desagravio pidiendo.

Del español Condestable
latió con orgullo el pecho,   110
ufano de la entereza
de su esclarecido deudo.

Y, aunque advertido procura
disimular cual discreto,
a su noble rostro asoman   115
la aprobación y el contento.

El Emperador un punto
quedó indeciso y suspenso,
sin saber qué responderle
al francés, de enojo ciego.   120

Y aunque en su interior se goza
con el proceder violento
del conde de Benavente;
de altas esperanzas lleno

Por tener tales vasallos,   125
de noble lealtad modelos,
y con los que el ancho mundo
será a sus glorias estrecho;

Mucho al de Borbón le debe
y es fuerza satisfacerlo,   130
le ofrece para calmarlo
un desagravio completo,

Y llamando a un gentilhombre,
con el semblante severo
manda que el de Benavente   135
venga a su presencia presto.

ROMANCE III

Sostenido por sus pajes
desciende de su litera
el conde de Benavente
del alcázar a la puerta.   140

Era un viejo respetable,
cuerpo enjuto, cara seca,
con dos ojos como chispas,
cargados de largas cejas,

Y con semblante muy noble,   145
mas de gravedad tan seria,
que veneración de lejos
y miedo causa de cerca.

Eran su traje unas calzas
de púrpura de Valencia,   150
y de recamado ante
un coleto a la leonesa.

De fino lienzo gallego
los puños y la gorguera,
unos y otra guarnecidos   155
con randas barcelonesas.

Un birretón de velludo
con su cintillo de perlas,
y el gabán de paño verde
con alamares de seda.   160

Tan sólo de Calatrava
la insignia española lleva,
que el Toisón ha despreciado
por ser orden extranjera.

* * *

149 Como una manifestación más de su patriotismo, el conde sólo viste ropas hechas en España.

309

Con paso tardo, aunque firme,   165
sube por las escaleras,
y al verle, las alabardas
un golpe dan en la tierra.
    Golpe de honor, y de aviso
de que en el alcázar entra   170
un grande, a quien se le debe
todo honor y reverencia.
    Al llegar a la antesala,
los pajes que están en ella
con respeto le saludan   175
abriendo las anchas puertas.
    Con grave paso entra el conde
sin que otro aviso preceda,
salones atravesando
hasta la cámara regia.   180

                    * * *

    Pensativo está el monarca,
discurriendo cómo pueda
componer aquel disturbio
sin hacer a nadie ofensa.
    Mucho al de Borbón le debe   185
aún mucho más de él espera,
y al de Benavente mucho
considerar le interesa.
    Dilación no admite el caso,
no hay quien dar consejo pueda,   190
y Villalar y Pavía
a un tiempo se le recuerdan.
    En el sillón asentado,
y el codo sobre la mesa,
al personaje recibe   195
que comedido se acerca.

Grave el Conde le saluda
con una rodilla en tierra,
mas como Grande del reino
sin descubrir la cabeza.   200

El Emperador, benigno,
que alce del suelo le ordena,
y la plática difícil
con sagacidad empieza.

Y entre severo y afable,   205
al cabo le manifiesta,
que es el que a Borbón aloje
voluntad suya resuelta.

Con respeto muy profundo,
pero con la voz entera,   210
respóndele Benavente
destocando la cabeza:

«Soy, señor, vuestro vasallo,
vos sois mi rey en la tierra,
a vos ordenar os cumple   215
de mi vida y de mi hacienda.

»Vuestro soy, vuestra mi casa,
de mí disponed y de ella,
pero no toquéis mi honra
y respetad mi conciencia.   220

»Mi casa Borbón ocupe
puesto que es voluntad vuestra,
contamine sus paredes,
sus blasones envilezca,

»Que a mí me sobra en Toledo   225
donde vivir, sin que tenga
que rozarme con traidores
cuyo solo aliento infesta,

»Y en cuanto él deje mi casa,
antes de tornar yo a ella,   230
purificaré con fuego
sus paredes y sus puertas.»

311

Dijo el Conde, la real mano
besó, cubrió su cabeza,
y retiróse bajando   235
a do estaba su litera.

Y a casa de un su pariente
mandó que le condujeran,
abandonando la suya
con cuanto dentro se encierra.   240

Quedó absorto Carlos Quinto
de ver tan noble firmeza,
estimando la de España
mas que la imperial diadema.

ROMANCE IV

Muy pocos días el Duque   245
hizo mansión en Toledo,
del noble Conde ocupando
los honrados aposentos.

Y la noche en que el palacio
dejó vacío, partiendo   250
con su séquito y sus pajes
orgulloso y satisfecho,

Turbó la apacible luna
un vapor blanco y espeso,
que de las altas techumbres   255
se iba elevando y creciendo:

A poco rato tornóse
en humo confuso y denso,
que en nubarrones oscuros
ofuscaba el claro cielo;   260

Después en ardientes chispas,
y en un resplandor horrendo
que iluminaba los valles,
dando en el Tajo reflejos,
Y al fin su furor mostrando   265
en embravecido incendio,
que devoraba altas torres
y derrumbaba altos techos.

* * *

Resonaron las campanas,
conmovióse todo el pueblo   270
de Benavente el palacio
presa de las llamas viendo.
El Emperador confuso
corre a procurar remedio,
en atajar tanto daño   275
mostrando tenaz empeño.
En vano todo; tragóse
tantas riquezas el fuego,
a la lealtad castellana
levantando un monumento.   280
Aun hoy unos viejos muros
del humo y las llamas negros,
recuerdan acción tan grande
en la famosa Toledo.

El solemne desengaño

Al Excmo. Sr. Duque de Osuna

etc. etc. etc.

ROMANCE I

EL GALÁN. LA ENFERMEDAD

De fortuna en la alta cumbre,
grande, joven, rico, bueno,
de virtud, saber, belleza,
dechado, pasmo y modelo;
    El más galán en la corte,   5
en las justas el más diestro,
el más afable en su casa,
el más docto en el consejo;
    Brilla el marqués de Lombay
cual rutilante lucero,   10
al lado de Carlos Quinto,
domador del universo.

---

9 San Francisco de Borja, marqués de Lombay, era hijo de don Juan de Borja
y de doña Juana de Aragón, nieta de Fernando el Católico.

Mas entre tantos aplausos
y en tan elevado asiento,
donde el orbe le sonríe,   15
y donde le halaga el cielo,
     Algo falta a su ventura,
o alguna mano de hierro
del corazón se la arranca,
y se la saca del pecho.   20
     Melancólico el semblante,
y los labios entreabiertos,
y las siniestras miradas
y el mudo desasosiego,
     Ya en los saraos de la corte,   25
ya en los festines risueños,
ya en la caza bulliciosa,
ya en solitarios paseos,
     Ya en el salón, ya en la plaza,
ya en la justa, ya en el templo,   30
en la mesa, en el despacho,
en la vigilia, en el sueño,
     Un alma rota descubren
por un fijo pensamiento,
y un corazón que devora   35
el cáncer de un gran secreto.

                    * * *

     En vano sondar procuran
los malignos palaciegos,
con astucia cortesana
aquel abismo encubierto.   40
     Tan solamente columbran
que los ocultos tormentos
del Marqués, se dulcifican
para ser mayores luego,

                                            315

O cuando en palacio asiste   45
al servicio honroso, atento,
de la Emperatriz augusta,
de las hermosas modelo;

O cuando busca devoto
con el fervor más ingenuo,   50
arrodillado en la iglesia,
en Dios amparo y consuelo;

O cuando por los jardines
que al pie de la gran Toledo
riega el Tajo, se pasea   55
sólo y del bullicio lejos,

Con Garcilaso su amigo;
ora escuchando sus versos,
ora en largas conferencias
de gran sigilo y misterio.   60

Allá en palacio embebido
quedaba en mudo embeleso,
pálido o rojo el semblante,
convulso, agitado el pecho,

Y bebiendo con los ojos   65
llenos de vida y de fuego,
de la Emperatriz hermosa
los más leves movimientos.

En acatarla, en servirla,
y en acertar sus deseos,   70
aunque tímido y turbado,
diestro y hábil por extremo.

Abatido y consternado
se le miraba en el templo,
como quien está en batalla   75
con gigantes del infierno,

---

47 La emperatriz doña Isabel era hija del rey don Manuel de Portugal. Murió el 1 de mayo de 1539 en Toledo.

Y pide al Omnipotente
para tal combate esfuerzo;
y después de orar un rato,
y aún de verter llanto acerbo,　　　　　80

Dijérase que encontraba,
de misericordia lleno,
al Señor a quien auxilio
demandaba en tanto aprieto.

Y con su amigo en las selvas　　　　　85
era tan locuaz y tierno,
tan expresivo unas veces,
otras tan callado y serio,

Como el que o cuenta delirios
y habla de locos proyectos,　　　　　90
o escucha reconvenciones
y oye inflexibles consejos.

En estado miserable
su espíritu estaba puesto,
y era infeliz, entre dichas,　　　　　95
luchando consigo mesmo,

Entre pasiones, virtudes,
obligaciones, deseos,
infernales sugestiones
y celestiales preceptos:　　　　　100

Siendo campo de batalla
su mente y su roto pecho,
do luchaban frente a frente
ángeles malos y buenos.

* * *

95 en las, 1854.

La más lozana azucena,   105
gala del jardín, el cuello
dobla marchita, si esconde
roedor gusano en su seno.

Y la más gallarda encina
que alza su pompa a los cielos,   110
si el corazón se le seca
rómpese al soplo del viento,

Así con un alma enferma
no puede haber sano cuerpo,
ni salud que no se postre   115
con un corazón deshecho.

Al cabo maligna fiebre
convierte la sangre en fuego,
por las robustas arterias,
por el juvenil cerebro   120

Del de Lombay, que postrado
yace doliente en su lecho
de oro y seda, que es ya, ¡oh mundo!
duro potro de tormentos.

* * *

Como jefe de palacio   125
tiene su vivienda dentro,
con ostentación servido
de pajes y de escuderos.

Mas la pena más amarga
y el más hondo desconsuelo,   130
y la ansiedad más horrenda
y el cuidado más acerbo

Reinan en las ricas salas,
entre amigos y entre deudos,
cunden en palacio todo,   135
y consternan a Toledo.

Pues reyes, príncipes, grandes,
hidalgos y caballeros,
y hasta el vulgo humilde, miran
con asombro y desconsuelo   140
    En el peligro de muerte
a tan gallardo mancebo,
a tan alto personaje,
de virtud a tal portento.
    Y no hay semblante sin llanto,   145
ni sin angustias hay pecho,
ni labio que no pregunte
con inquietud y con miedo.

                    * * *

    Garcilaso de la Vega
(sin que ni el hambre ni el sueño   150
en su ansiosa vigilancia
tengan el menor imperio),
    Ni un hora, ni un solo instante
deja el lado del enfermo,
y de él los ojos no aparta   155
sentado junto a su lecho.
    Ojos de llanto arrasados,
pero de continuo atentos
a que nadie, nadie escuche
sus fantásticos conceptos,   160
    Las voces rotas, que acaso
del delirio en el acceso
suelen dar funesta lumbre
revelando hondos misterios.
    Y cuando allá a media noche   165
rendidos ya por el sueño
yacían los servidores
reinando feral silencio,

                                              319

Y en letargo sumergido
también miraba al enfermo,   170
en el estado terrible
en que es casi muerte el sueño;
    A la luz trémula, opaca,
de lejano candelero,
que abultaba oscuras sombras   175
en las cortinas del lecho,
    Dando vislumbres escasas
y fantásticos reflejos,
en rapacejos de oro,
molduras y terciopelos;   180
    Garcilaso, vigilante,
un tenue rumor oyendo,
se alzaba con mudos pasos,
y a un lado del aposento
    Levantaba, no sin susto,   185
un rico tapiz flamenco,
y en la pared descubría
angosto postigo abierto.—
    Vago bulto silencioso
por él asomaba luego,   190
con manto y capuz sin formas,
aparición, sombra, ensueño,
    Sobrenatural producto
de algún conjuro. Con lentos
pasos, sin rumor, al lado   195
llegaba del rico lecho,
    Y en el doliente clavaba
ojos cual brasas de fuego;
y una mano, que en la sombra
daba vislumbres de hielo,   200
    Por la calurosa frente
del aletargado enfermo
pasaba, gemidos hondos,
ahogando con duro esfuerzo.

Y al instante, y por el mismo   205
postigo oculto y estrecho
desaparecía, dejando
como embalsamado el viento.
    Ser dijérase un encanto,
y que había cobrado cuerpo   210
alguno de los delirios
de la mente del enfermo.—
    La senda el tapiz borraba
el muro otra vez cubriendo,
y tornaba Garcilaso   215
a ocupar mudo su puesto.

* * *

    El doctor Juan Villalobos,
de aquella corte galeno,
al personaje consagra
toda su ciencia y su esmero.   220
    Y en el pronóstico duda,
y cauto no quiere hacerlo,
hasta que síntomas note
más favorables que adversos.—
    De la juventud al cabo   225
triunfó la fuerza, y el cielo
miró con benignos ojos
la angustia de todo un pueblo.
    Y apuró el doctor su ciencia,
y tornó a lucir risueño   230
el rayo de la esperanza
en los aterrados pechos.
    Docto o sagaz, Villalobos
prescribe como remedio,
que busque fuera de España   235
nuevos aires, climas nuevos.

ROMANCE II

LA AUSENCIA

El gran marqués de Lombay,
del inminente peligro
salvo, en que se vio de muerte
por enfermedad o hechizo,   240
    Salió de España, siguiendo
los saludables avisos
del docto Juan Villalobos,
o médico u adivino.
    Y aunque el dejar a Toledo,   245
para su pecho lo mismo
fue que dejarse allí el alma,
resignóse al sacrificio.
    Mas aquella oculta flecha,
aquel veneno escondido,   250
aquel encubierto cáncer,
aquel pertinaz martirio
    Que desgarraba su pecho,
que turbaba sus sentidos,
que devoraba su vida,   255
que era su infierno continuo,
    A los campos de la Italia
llevó, ¡mísero! consigo;
pues penas como las suyas,
que astros y contrarios signos   260
    Combinan, fraguan y aplican
para un fin desconocido,
en un alma de gran temple,
en un pecho de alto brío,

No mudan cuando se muda   265
de atmósfera y domicilio,
porque no cambian del cielo
los misteriosos designios.

* * *

Halló el Marqués en Italia,
(porque al cabo el cielo quiso   270
que algún consuelo encontrase,
que tuviese algún alivio),
    A su tierno confidente,
a Garcilaso su amigo,
que guerrero tan insigne,   275
como trovador divino,
    Siguió de Italia la empresa
por el César Carlos Quinto,
con el canto de las Musas
uniendo de Marte el grito.   280

* * *

El marqués, cual siempre mustio,
y cual siempre discursivo,
de aquella guerra los lances
siguió con denuedo y brío.
    Y ante la imperial presencia,   285
con Garcilaso, su amigo,
lidió como caballero
en los combates y sitios.
    Le encantaron las campiñas
y los Alpes y Apeninos,   290
y visitó cual curioso,
y admiró como entendido

Los insignes monumentos,
ya modernos y ya antiguos,
que hacen el suelo de Italia   295
en altos recuerdos rico.
    Como devoto cristiano
oró postrado y sumiso,
en las ermitas humildes
que daban nombre a los riscos;   300
    Y en los magníficos templos
que ensalzan al cristianismo,
y son de aquellas ciudades
ornato, fama y prodigio.

                    * * *

    ¡Cuántas veces los jardines   305
que riega el Tesín y el Mincio,
los mismos nombres oyeron
que el Tajo oyó sorprendido!
    ¡Cuántas veces las canciones
de Garcilaso, que hoy mismo   310
nos admiran y enternecen,
vencedoras de tres siglos,
    Tiernas lágrimas sacaron
de los ojos encendidos
y del corazón doliente   315
del Marqués contemplativo
    En las selvas do arrancaron
no menos hondos suspiros,
de otros destrozados pechos
los acentos de Virgilio!   320
    ¡Cuántas veces ¡ay! seguían
del marqués los ojos fijos,
de la plateada luna
el lento y mudo camino;

Y al verla hacia el occidente   325
rodar con pausado giro,
algún encargo le daba
para el Tajo cristalino;
    Con sus miradas queriendo
como estampar en el disco   330
caracteres que otros ojos
por un prodigioso instinto
    Leyeran, cuando argentada
derramara el claro brillo,
sobre el regio balconaje   335
de algún alcázar dormido!

* * *

De la expedición de Francia
tornaba, pues, el servicio
del Emperador siguiendo,
con Garcilaso el divino,   340
    Cuando no lejos de Niza,
antigua torre o castillo,
a los pendones del César
osó estorbar el camino.
    Tal empresa de dementes,   345
por temeraria, el prestigio
perdió de valiente, siendo
sólo acreedora al castigo,
    Y a dárselo Garcilaso,
desnudo el acero limpio,   350
y embrazada la rodela,
voló en enojo encendido.

---

344 La torre de Muey, a cuatro millas de Fregius.

Desesperados resisten
los tenaces enemigos,
y darles súbito asalto   355
determínase al proviso.
    Se aplica la escala al muro,
y sube por ella altivo
el valeroso poeta
que el miedo jamás ha visto;   360
    Cuando de los matacanes
desplómase con ruido
grave piedra, que arrollando
la escala, frágil camino
    Por do a la gloria subían   365
tanto ingenio y tanto brío,
hirió la noble cabeza
do el lauro a la yedra unido
    Hubiera evitado el rayo,
y no pudo ¡infausto sino!   370
de un tosco peñasco entonces
evitar el rudo tiro.
    Cayó el noble Garcilaso
en el foso; horrendo grito
de desconsuelo y venganza   375
atronó el fatal recinto;
    Y el de Lombay presuroso
al socorro de su amigo
voló, y en sus tiernos brazos
retiróle con peligro.   380

---

356 *al proviso:* al instante.

361 *matacanes:* «Obra voladiza en lo alto de un muro, de una torre o de una puerta fortificada, con parapeto y con suelo aspillerado, para observar y hostilizar al enemigo», *Dicc. Acad.*

368 Corona de laurel y ceñidor de hiedra son atributos del «furor poético» que mueve a los vates (Cesare Ripa, *Iconología*, Nueva York, 1970, págs. 178-9).

380 *retirólo, 1854.*

Una hora después escombros
era el funesto castillo
y de la alevosa sangre
era su ancho foso un río,
    Pues completa la venganza   385
de Garcilaso hacer quiso,
en dolor y saña ardiendo
el Emperador invicto.
    Mas ¡ay! fue venganza estéril
cual siempre todas han sido,   390
pues en Niza a pocos días
era el poeta divino
    Cadáver yerto, dejando
la fama de sus escritos,
y la gloria de su muerte   395
por rica herencia a los siglos.
    Golpe atroz, golpe tremendo
fue para el marqués su amigo,
pérdida tan impensada,
tormento tan imprevisto,   400
    Y del dolor más profundo
mil pensamientos distintos,
y mil funestos presagios
le hundieron en tal abismo,
    Que si el brazo del Eterno,   405
que aún para mayor conflicto
le reservaba, no hubiera
dádole piadoso auxilio,
    Acaso una misma losa,
acaso un túmulo mismo   410
encubrieran y tragaran
los restos de ambos amigos.

* * *

A poco con luto amargo
en el alma y el vestido
tornó ¡infelice! a Toledo   415
con el César Carlos Quinto,
    El Marqués, sin confidente
en quien encontrar alivio,
ahogando en tormento mudo
de su alma rota los gritos.   420

ROMANCE III

UN SOL APAGADO

Era la estación florida
de la hermosa primavera,
tan hermosa en las regiones
que el Tajo aurífero riega;
    Y un sol joven, rutilante,   425
rodando por la alta esfera
de puro zafir, torrentes
de luz vivífica y nueva
    Derramaba por Castilla,
y sobre las gigantescas   430
torres de la gran Toledo,
de España corte y diadema;
    De Toledo, que con justas,
banquetes, danzas y fiestas,
de su monarca triunfante   435
solemnizaba la vuelta.
    Córrense cañas y toros,
donde luce su destreza,
gran jinete en ambas sillas,
el sacro y augusto César.   440

En los soberbios palacios
músicas acordes suenan,
a cuyo compás gallardas
lucen las damas sus prendas.

Joyas, insignias, brocados   445
los ricos salones llenan;
y plazas, calles, paseos,
corceles, galas, libreas.

Opulentos cortesanos
en los festejos se esmeran,   450
y disponen un torneo
donde ostentar sus grandezas.

En él armado aparece,
deslumbrando la palestra,
el de Lombay, revolviendo   455
una berberisca yegua:

Y con la pica en el ristre,
haciendo tan altas pruebas,
que de palmadas y vivas
el vulgo la plaza atruena.   460

Sobre las lucientes armas
una banda lisa y negra,
y negros los martinetes
del erguido casco lleva.

Unos dicen son el luto   465
con que a su amigo recuerda,
otros, de su pensamiento
melancólico el emblema.

Y que un funesto presagio
de una desgracia tremenda,   470
que le amenaza inminente,
sólo juzgarse debiera.

* * *

463 *martinetes:* penacho de plumas.

329

El ancho campo preside
la Emperatriz, como reina
de la hispana monarquía.   475
y de la humana belleza,

     Y de cuantos corazones
laten en la plaza extensa,
y en toda la fiel España
lealtad y honradez alientan.   480

     Un gran festín en palacio,
cuando el sol a las estrellas
cedió de los altos cielos
las despejadas esferas,

     Celebróse; y luego danza,   485
en que al son de las orquestas,
las majestades augustas
tomar parte no desdeñan.

     Y para la luz siguiente
funciones se anuncian nuevas,   490
sin que ni el sueño intervalo
permita entre fiesta y fiesta.

                    * * *

¡Oh Dios, y cuán fácilmente
en la miserable tierra,
tras de las más dulces horas   495
horas de amargura vuelan!

     ¡Cuán fácilmente las dichas
en infortunios se truecan,
cámbiase la gala en luto,
se torna el gozo en tristeza!   500

     Sale el sol, inmenso pueblo
las calles y plazas llena,
ansiando nuevos placeres,
y que aún no madruga piensa;

Alistan los cortesanos   505
sus comparsas y libreas,
joyas, armas, vestes, plumas,
corceles, lanzas, empresas;
    Cuando, demudado el rostro,
de la alcoba de la reina   510
sale trémula, llorosa,
una camarista o dueña.
    Y a los jefes de palacio,
grandes y damas de cuenta,
que a Su Majestad aguardan   515
para ir a misa con ella,
    Dice, inflexiones buscando,
que desfiguren la nueva:
«La Emperatriz hoy no sale,
la Emperatriz... está enferma.»   520
    Pasma la noticia a todos,
embarga a todos la lengua,
y en un silencio profundo
la estancia aterrada queda.
    El de Lombay, el primero,   525
de los pies a la cabeza
temblando, y pálido el rostro,
pregunta con gran sorpresa:
    «¿Y Su Majestad qué siente?»—
y le responde la dueña: 530
«Aguda fiebre la abrasa,
grave postración la aqueja.
    »Que el doctor Juan Villalobos
sin perder instantes venga,
pues hay peligro inminente   535
si no me engañan las señas.»
    Dio el marqués atrás dos pasos,
y en un sillón de vaqueta
se desplomó, como herido
por envenenada flecha.   540

                                               331

* * *

La noticia, que en voz baja
anunció la camarera,
creció al punto, y como trueno
que al orbe asombra y aterra,

Ya por Toledo retumba,   545
helando a todos las venas,
partiendo los corazones,
trastornando las cabezas.

Desaparecen las galas
recógense las libreas,   550
murmullo de horror circula,
clamor de angustia resuena.

En vez de las claras trompas
que los festejos celebran,
se oyen sólo las campanas   555
que al cielo piedad impetran.

A las puertas del palacio
en su parda mula llega,
el doctor Juan Villalobos,
el portento de la ciencia.   560

Presuroso, fatigado,
sube sin hablar, penetra,
del Emperador seguido,
en la alcoba de la reina.

Con los penetrantes ojos   565
que clava en la augusta enferma,
su quebrada vista advierte,
su pálida faz observa.

La pulsa atento, examina
la respiración molesta,   570
dice un oscuro aforismo
arrugando frente y cejas,

Toledo

Y con la voz angustiada,
y con azogada diestra,
después que un rato medita,   575
docto escribe una receta.

* * *

La Emperatriz de Alemania,
de España la augusta reina,
hermosa entre las hermosas,
discreta entre las discretas,   580
La gentil, fresca, radiante
y embalsamada azucena
que dio a Toledo Lisboa,
de paz y dominio prenda,
En vez del trono del mundo,   585
do el mundo la reverencia,
yace en el doliente lecho,
de nuestra humana flaqueza
Agotando las angustias,
apurando las miserias,   590
deslustrada la hermosura,
trastornada la cabeza.
Flor lozana que al impulso
del cierzo se troncha y seca,
astro a quien apaga y hunde   595
del Criador la omnipotencia.

* * *

Un sol y otro sol de oriente
los umbrales atraviesan,
y sumergida a Toledo
en consternación encuentran.   600

Ya ven por calles y plazas
cruzar procesiones lentas,
fervorosas rogativas
y públicas penitencias.

Y oyen llanto en el alcázar,   605
y oyen llanto en las iglesias,
y llanto hay en los palacios,
y llanto en las chozas suena;

Que era universal la angustia
por tan adorada reina,   610
y con lágrimas su nombre
se oye repetir doquiera.

El de Lombay, convertido
en muda y helada piedra,
ni un solo momento falta   615
de la antecámara regia.

Ni hambre ni sueño conoce
que apartarle un punto puedan
del cerco de una ventana,
fijos los ojos en tierra.   620

Cuando el docto Villalobos
con otros físicos entra
en la silenciosa alcoba,
le acompaña hasta la puerta.

Y con inquietud extraña   625
su salida ansioso espera,
y algo preguntarle quiere
de que teme la respuesta.

Y al verle salir se turba,
con las palabras no acierta,   630
y en él clava ardientes ojos,
cual si penetrar pudiera

Su pensamiento escondido,
los arcanos de la ciencia,
y calla, y lágrimas pocas   635
su mustio semblante queman.

¡Desdichado! ¡Harto le dice
su corazón...! ¡Sólo queda
en él alguna esperanza
en las bondades eternas.   640

* * *

Cabildo, comunidades,
parroquias, todos se esmeran
en solemnes rogativas,
votos, plegarias y ofrendas.
    Grandes, nobles y plebeyos   645
los templos, llorosos, llenan,
y a voces al cielo piden
la salud para su reina.
    Todo en vano; fue de bronce
a los clamores y quejas   650
pues sus ocultos designios
jamás el mortal penetra.
    El doctor, en tanto apuro
los Sacramentos ordena,
pues ya remedios no sabe   655
para tan grave dolencia.
    Y con pompa augusta y santa,
pero que los pechos quiebra
del aterrado gentío,
que la gran Toledo puebla,   660
    Consternado el arzobispo,
con devota pompa lleva
al regio doliente alcázar
el Pan de la vida eterna.

* * *

Tal consuelo sintió el alma, 665
de piedad insigne llena,
que aún pudo dar fuerza al cuerpo
de la agonizante enferma.

Dio margen falaz alivio
a esperanzas pasajeras; 670
mas el doctor aterrado
término fatal recela.

A los dos días tal fiebre,
tales síntomas se muestran,
que de repente el palacio 675
de gran confusión se llena.

Acude Juan Villalobos,
en llanto prorrumpe el César,
y desatentadas corren
las camaristas y dueñas. 680

Lombay en su puesto, inmoble,
sin mover los labios reza,
cuando de la regia estancia
abren las doradas puertas.

Era el doctor Villalobos, 685
a quien con temor se acerca,
preguntándole angustiado
si alguna esperanza queda.

Y el doctor mudo no hallando
como darle la respuesta, 690
alza los ojos al cielo
y entrambas palmas eleva.

Lo ve Lombay, se estremece,
y cobrando extraña fuerza,
movimiento convulsivo 695
y una actividad horrenda,

---

692 Véase «La vuelta deseada», vv. 275-278.

De la cámara corriendo
parte, la guardia atraviesa,
sale a la plaza, el gentío
clamoroso que la llena,   700
    Del palacio en los balcones
la vista y almas las puestas,
penetrando, sin que nadie
en tan gran señor advierta;
    Y por calles solitarias   705
sin objeto vaga y vuela,
el ferreruelo arrastrando,
destocada la cabeza.
    Alza los ojos al cielo,
y el cielo de primavera   710
azul, despejado, puro,
que espléndidos hermosean
    Celajes de oro y de grana,
do el sol poniente refleja,
una bóveda de plomo   715
que sobre su frente pesa,
    Que lo ahoga y lo confunde,
sin aire y sin luz en tierra
se le figura, y le faltan
para echar el paso fuerzas.   720
    Sigue, párase, vacila,
suda, se abrasa, se hiela,
gíranle en torno las casas,
que se le hunde el suelo piensa,
    Y le zumban los oídos...   725
una bomba es su cabeza
pronta a estallar; ...cuando mira
de la catedral la puerta.

---

708 *Ibíd.*, vv. 280-285.

Ansioso buscando asilo
por sus umbrales penetra,   730
al tiempo que en occidente
daba el sol su luz postrera.

                    * * *

El de Lombay en el templo
oscuro y frío, tropieza
con varios informes bultos,   735
fieles devotos que rezan,
    Y cuyos vagos contornos
ver la oscuridad no deja;
y al presbiterio le guía
fulgor de mustias candelas,   740
    Así como por el bosque,
perdido en la noche ciega,
tropezando, el peregrino
va hacia la lejana hoguera.
    Del altar santo delante   745
se arroja en las losas tersas
del pavimento, formando
tras sí larga sombra en ellas.
    Los brazos en cruz, clavados
los ojos (en que reflejan   750
del retablo los esmaltes,
las lámparas y las velas),
    Del Redentor en la imagen,
no con los labios y lengua,
que estaban entumecidos,   755
sino con la voz interna
    Del corazón y del alma,
que es la que hasta el cielo llega,
esta petición expone,
y en estos términos ruega: 760

«Misericordia, Dios mío,
piedad para con mi reina,
no dejéis húerfana a España,
y al mundo hundido en tinieblas.

»Si una víctima es precisa   765
de vuestra alta Omnipotencia
a miras inescrutables,
que yo la víctima sea.

«Caiga yo, caigan mis hijos,
mi estirpe toda perezca,   770
y sálvese...» ¡¡¡Tomb!!! retumba
en el mismo instante, y llena,

Estremeciendo las cimbrias,
los ámbitos de la iglesia
la gran campana, de muerte   775
dando al mundo infausta nueva.

¡Son espantoso!... Lo escucha
como el No con que respuesta
da a su plegaria el Eterno,
el marqués, y cae a tierra.   780

ROMANCE IV

VIAJE FÚNEBRE

Con blancas sobrepellices
y con hachas encendidas,
cantando fúnebres rezos
en voz confusa y sumisa,

Sobre mulas enlutadas,   785
formando dos largas filas,
cien devotos capellanes
a lento paso caminan.

Siguen treinta caballeros
que negros caballos guían,
del pie a la cabeza armados
y las viseras caídas,

Negros son los pendoncillos
de las inclinadas picas,
y negros los paramentos,
vestes, bandas y divisas.

Luego entre veinte alabardas,
en cuyas anchas cuchillas
las rojas luces reflejan
de noche, y el sol de día,

Cercada de doce pajes
viene una litera rica,
que de negro terciopelo
un regio manto cobija.

Los castillos y leones
recamados lo salpican,
entre águilas imperiales
y entre portuguesas quinas,

Arrastrando por el suelo
los flecos de sus orillas,
y gruesos borlones de oro
en sus cuatro puntas brillan.

Dos magníficas coronas,
imperial y regia unidas,
un rico cetro y un mundo
lleva la litera encima.

Detrás, tan pegado a ella,
que al notarlo se diría,
que alguna mano de adentro
del freno acerado tira,

Marcha un corcel generoso,
sobre el que mudo camina
el que la fúnebre marcha
dirige, gobierna y guía.

790

795

800

805

810

815

820

El gran marqués de Lombay,   825
con faz como de ceniza,
con los ojos apagados,
con boca que no respira;

En cuyo enlutado pecho
solo se descubre y brilla,   830
pendiente de una cadena,
del Toisón de Oro la insignia,

Y también de oro una llave,
que aunque primorosa y chica,
pesa para él más que un monte,   835
y es áspid que le horroriza.

Gentiles hombres, hidalgos,
caballeros de alta guisa,
y gente de Iglesia lleva
por séquito y comitiva.   840

Y en pos lacayos, repuestos,
y acémilas bien provistas,
cubiertas con reposteros
de blasones y de cifras.

Lleva dentro la litera   845
una caja de ataujía,
de negro plomo aforrada
y de brocado vestida.

Con gonces y cerraduras,
con biseles y aldabillas   850
de oro a cincel trabajado,
en labores muy prolijas.

Y en esta caja el cadáver,
lleno de bálsamos iba,
de la que ayer era reina,   855
y hoy sólo polvo y ceniza.

---

832 «campeaba / del Toisón de Oro la insignia», *1854*.

846 *ataujía:* «Labor primorosa, o de difícil combinación o engarce», *Dicc. Acad.*

849 *gonces:* goznes.

De las riberas del Tajo
del Genil va a las orillas,
a buscar reposo eterno
en la Iglesia granadina.   860

* * *

Con pavoroso silencio
esta triste comitiva,
haciendo descansos breves,
marcha de noche y de día,
   Por lo angosto del camino,   865
por los recuestos arriba,
y en los tornos y revueltas
del largo espacio que pisa,
   Caminando con tal orden,
tan silenciosa y unida,   870
que un solo cuerpo formaba.
Y de lejos parecía
   Inmesurable serpiente,
que deslizándose iba
entre campos y entre montes,   875
dando sus escamas chispas.
   De los cortijos y aldeas
presurosos acudían
a los bordes del camino,
o a las cercanas colinas,   880
   Ya curiosos, ya asustados,
villanos con sus familias,
y por un encantamento
aquella visión tenían.

* * *

---

866 *recuestos*: «Sitio o paraje que está en declive», *Dicc. Acad.*

Al avistar este entierro   885
las murallas granadinas,
de los Católicos Reyes
fresca y gloriosa conquista;
    Cuando en las antiguas torres
de la Alhambra relucían,   890
al sol ardiente de junio,
alicatadas cornisas;
    Ayuntamiento y Cabildo,
con enlutadas insignias,
la audiencia, comunidades,   895
la nobleza y clerecía
    Salen la fúnebre pompa
a recibir, y caminan
con ella entre inmenso pueblo
que cubre las avenidas.   900
    Apretada muchedumbre,
do las dos razas distintas
se conocen en los trajes,
la cristiana y la morisca.
    Ya las calles de Granada   905
el funeral regio pisa,
a la catedral marchando
entre dos espesas filas
    De lanzas y de arcabuces,
que de lindero servían   910
al hervoroso gentío
que en la carrera se apiña.
    Las campanas clamorosas,
sus graves sones envían
al firmamento, retumban   915
las salvas de artillería,
    Resuenan roncos tambores
y destempladas bocinas,
y de dolor y respeto
fúnebre murmullo gira.   920

El de Lombay nada escucha,
sigue la litera rica
y tan pegado con ella
que son una cosa misma.

Y sin que nada le llame   925
la atención, toda absorbida
en ella, de ella ni un punto
los áridos ojos quita.

ROMANCE V

LO QUE ES EL MUNDO

Terminados los sufragios
y los oficios solemnes,   930
último auxilio que presta
la santa Iglesia a los fieles,

En el templo de Granada,
que los Católicos Reyes
consagraron victoriosos   935
al Señor Omnipotente;

En medio de la gran nave
por do vuela el humo leve,
que seis flameros de plata
dan de olorosos pebetes;   940

A la luz de cien blandones,
cuyas rojas llamas mueve
el vapor del gran gentío
que en el templo oscuro hierve,

Y que reflejan y brillan   945
en los ojos y en los dientes
de un enjambre de cabezas
de todos sexos y temples;

_____

928 *áridos:* secos.

Entre doce caballeros
de pavonados arneses   950
tan inmóviles, que estatuas
de oscuro acero parecen;
    En medio de cuatro pajes
que amarillas hachas tienen,
cubiertos de ricas galas   955
y plumas en los birretes;
    Sobre escelsa gradería
que alfombra pérsica envuelve,
y bajo un dosel o palio
que seis pértigas suspenden,   960
    Se alza un túmulo pequeño
con recamado tapete,
donde los regios blasones
esmaltados resplandecen;
    Y encima la caja rica   965
cerrada está, que contiene
a la emperatriz y reina,
despojo ya de la muerte.
    De pie descuella a su lado,
inclinada la alta frente,   970
que a la luz de los blandones
la de un cadáver parece,
    Y cruzados sobre el pecho
los brazos en nudo fuerte,
el gran marqués de Lombay   975
de aquellas exequias jefe.
    Aunque también está inmóvil,
harto que tiembla se advierte
en que el Toisón y la llave,
que en su noble cuello penden.   980
    Dando súbitos reflejos,
como dos hojas se mueven,
que en un álamo en otoño
aura imperceptible mece.

En la soberbia capilla 985
donde las cenizas duermen
en magníficos sepulcros
de los Católicos Reyes;

Ya está la bóveda abierta,
cuya ancha boca parece 990
de la eternidad la boca,
que voraz su presa atiende.

Llega por fin el momento
en que el cadáver se entregue
al granadino prelado 995
con testimonio solemne;

Siendo el marqués de Lombay,
¡tan inflexible es la suerte!
quien reconocer el cuerpo
y hacer de él la entrega debe. 1000

¡Acto espantoso, terrible,
para el que Lombay no tiene
fuerza en sí mismo bastante
por más alma que le aliente!

Al ver que ya el Arzobispo 1005
los trémulos pasos tiende
por las gradas, que se pone
del regio féretro enfrente,

Que el notario le acompaña,
que en derredor aparecen 1010
los testigos y que el pueblo
espera el acto impaciente;

Con expresión tan amarga
mas con una fe tan fuerte
alza el rostro, y ambas manos 1015
hacia los cielos extiende,

1009 *lo*, 1854.

Que sin duda de su ruego
se apiadó el Omnipotente,
y resignación y brío
le dio para el trance fuerte.   1020
    Pues de pronto en sí tornando,
con resolución desprende
la afiligranada llave
sobre su pecho pendiente;
    En la estrecha cerradura   1025
sin mostrar temblor, la mete,
y veloz le da la vuelta
que hace resonar los muelles.

                    * * *

    Al punto un paje la tapa
alza del féretro y vese   1030
con sus regias vestiduras
un cuerpo. Mas el ambiente
    Con tal fetidez se infesta,
que el brillo las luces pierden;
atrás se retiran todos,   1035
y el concurso se conmueve.
    Del cuerpo oculta el semblante
un blanco holán, que guarnecen
los encajes más costosos
que el prolijo belga teje.   1040
    Y observando la etiqueta,
el marqués tan sólo debe
levantarlo, porque pueda
el rostro reconocerse.

1038 *holán:* «Holanda, lienzo», *Dicc. Acad.*

Vacila, tiembla, la mano   1045
va a extender una y dos veces,
y la retira veloce
cual si el cendal fuego fuese,

   Convulso, desatentado,
a tocarlo se resuelve,   1050
lo ase, lo levanta..., ¡Cielos!
¿qué es lo que dejó patente?

   ¡Horror! ¡¡¡Horror!!! Aquel rostro
de rosa y cándida nieve,
aquella divina boca   1055
de perlas y de claveles,

   Aquellos ojos de fuego,
aquella serena frente,
que hace pocos días eran
como un prodigio celeste,   1060

   Tornados en masa informe,
hedionda y confusa vense,
donde enjambre de gusanos
voraz cebándose hierve.

   Tal espectáculo horrendo,   1065
y la fetidez y peste
que en torno se difundía,
al gran concurso estremecen

   Con terror pánico. Un grito,
un alarido de muerte   1070
unánime se levanta;
huye asustada la plebe,

   Huyen pajes, caballeros,
arzobispo, nobles, prestes,
y aterrados y oprimidos   1075
se apiñan en los canceles.

* * *

Sólo el marqués de Lombay
clavado está, sin moverse,
fijo en su puesto. Su rostro
ni palabras ni pinceles   1080
Pueden retratarlo. Azufre
ser sus facciones parecen,
en que expresión nunca vista
de afecto ignoto se advierte.
Con los ojos que le saltan   1085
del casco, mas que no tienen
ni luz, ni lágrimas, fijos,
todo aquel espanto bebe.
Extendidos los dos brazos
contra el túmulo, sostienen   1090
su cuerpo, como puntales,
y ya no tiembla, que pende
Inmóvil el Toisón de Oro
cual si de un poste pendiese.
¡No es hombre quien logra tanto,   1095
mármol es quien tanto puede!

* * *

La obligación y el respeto
que al regio cuerpo se debe,
pronto al prelado, Cabildo
y caballeros compelen   1100
A volver, porque el cadáver
sin sepultura no quede;
y aunque no muy cerca, tornan
y al marqués llaman. Mas éste
Ni ve más que un desengaño,   1105
ni oye más que una solemne
voz del cielo o ya es un tronco
que ni ve, ni oye, ni siente.

Un su gentilhombre llega,
notando que allí la muerte   1110
está bebiendo insaciable,
y le tira de la veste.

   Todo en vano. Decidido
con él se abraza; parece
que está abrazado de un roble   1115
que raíz profunda tiene.

   En esto un paje la tapa
del féretro de repente
cierra, con cuerdo discurso,
porque aquella infección cese.   1120

   Y al ocultarse a la vista
todo el horror que contiene,
y al estruendo de los gonces,
cerraduras y batientes,

   Tiembla el marqués, da un gemido   1125
su rígida fuerza pierde,
y a brazos del gentil-hombre
flojo y desplomado viene.

* * *

   Acuden sus servidores
y, entre todos, cual si fuese   1130
cadáver; fuera del templo
le conducen como pueden.

   En cuanto le dio en el rostro
a cielo abierto el ambiente,
los ojos abre, suspira   1135
de nuevo a la vida vuelve,

   Se pone en pie, gira en torno
la vista, como si hubiese
de una pesadilla horrible
despertado. En la celeste   1140

Bóveda la clava, y dice
con acento tan ferviente,
y una expresión tan sublime
que hasta las piedras conmueve:
 «No más abrasar el alma   1145
con sol que apagarse puede,
no más servir a señores
que en gusanos se convierten.»
 Y desmayóse de nuevo
hundido en maligna fiebre,   1150
que puso su noble vida
muy a pique de perderse.

     * * *

Este marqués de Lombay
estaba a los pocos meses,
en una mezquina celda   1155
confundido y penitente;
 Y predicando a los hombres
con ejemplo tan solemne,
el desprecio que a las pompas
del ciego mundo se debe.   1160
 Hoy SAN FRANCISCO DE BORJA
le llama la Iglesia, y tiene
culto propio, con que buscan
su patrocinio los fieles.

Una noche de Madrid en 1578

ROMANCE I

TRES GALANES

En el pretil de Palacio,
cerca de una casa antigua,
donde hoy estudia sus obras
un esclarecido artista,
    Van a cumplirse tres siglos   5
que su palacio tenía
de Éboli el príncipe ilustre,
Rodrigo Gómez de Silva.
    Sus magníficos salones
eran de la corte envidia,   10
tanta riqueza y tal gusto
en ellos resplandecían.
    Las más espléndidas telas,
hasta aquel tiempo no vistas,
que nuestras naves gloriosas   15
trasportaban de la China,

---

4 «Don Vicente López, primer pintor de Cámara». En la ed. de 1854 se añade «Ya no existe la casa y todo aquel sitio ha variado de aspecto» (Notas de
Rivas).

         Adornaban sus paredes
del friso hasta las cornisas,
y eran en sus balconajes
pabellones y cortinas.   20
         Los portentos del Ticiano,
y los que el arte prolija
de la bélgica paciencia,
émula de aquel tejía,
         Escaleras, antesalas   25
y corredores vestían,
pareciendo sus figuras,
figuras de bulto y vivas.
         Sobre ricos escritorios,
cuyas puertas embutidas   30
de concha y nácar formaban
un laberinto a la vista,
         Y sobre mesas de mármol
de las sierras granadinas,
de mosaicos de alto precio,   35
de maderas exquisitas,
         Juguetes de filigrana
primorosos relucían,
y búcaros olorosos
de las españolas Indias.   40
         En aquel siglo en Europa
iguales no conocían
sus carrozas y caballos
ya de tiro, ya de silla.
         Y en joyas, galas y plumas,   45
jarrones de oro y vajillas,
los de un príncipe de Oriente
sus repuestos parecían.

---

   48 *repuestos*: «Prevención de comestibles u otras cosas para cuando sean necesarias», *Dicc. Acad.*

Pero el tesoro más grande
que en aquel palacio había   50
pasmo, prodigio y asombro
de la corte de Castilla,
    Era el de la gran belleza,
el de la gracia expresiva,
el del claro entendimiento,   55
el de la alta gallardía
    De la esposa de Ruy-Gómez,
de la princesa divina,
diosa de aquel rico templo,
sol de aquella esfera y vida.   60

* * *

Tres distintos personajes
a diversas horas iban
a rendirle obsequio o culto,
a conquistar su sonrisa;
    Ardiendo sus corazones,   65
aunque de edades distintas,
en el delirante fuego
que una beldad rara inspira.
    Melancólico era el uno,
de edad cascada y marchita,   70
macilento, enjuto, grave,
rostro como de ictericia;
    Ojos siniestros, que a veces
de una hiena parecían,
otras vagos, indecisos,   75
y de apagadas pupilas.
    Hondas arrugas, señales
de meditación continua,
huellas de ardientes pasiones
mostraba en frente y mejillas.   80

Y escaso y rojo cabello,
y barba pobre y mezquina
le daban a su semblante
expresión rara y ambigua.
    Era negro su vestido,   85
de pulcritud hasta nimia,
y en su pecho deslumbraban
varias órdenes e insignias.

* * *

    Era el otro recio, bajo,
de edad mediana, teñían   90
sus facciones de la audacia
las desagradables tintas.
    Moreno, vivaces ojos,
negros bigote y perilla,
aladares y copete,   95
boca grande, falsa risa;
    Formando todo un conjunto
de inteligencia y malicia,
con una expresión de aquellas
que inquietan y mortifican.   100
    Lujoso era su atavío,
mas negligente, y tenían
no se qué sus ademanes
de una finura postiza.

* * *

    El último era el más joven,   105
de noble fisonomía,
pálido, azules los ojos
con languidez expresiva;

Castaño claro el cabello,
alto, delgado, muy finas   110
modales, y petimetre
sin dijes ni fruslerías.
Ser un caballero ilustre,
de educación escogida,
cortés, moderado, afable,   115
mostraba a primera vista.

* * *

El primero iba de noche
desde que desparecían
los crepúsculos de ocaso
en las montañas vecinas,   120
Hasta que las altas torres
de la coronada villa
recordaban los sufragios
de las ánimas benditas.
Por la mañana el segundo   125
frecuentaba su visita
cuando no estaba en su casa
Rodrigo Gómez de Silva.
El tercero entraba en ella
sin hora ni época fija,   130
pero siempre que encontraba
alguna ocasión propicia.

* * *

Y la gallarda princesa,
la discreta, noble y linda,
¿por quién de ellos?... Por ninguno.   135
Cual la estrella matutina

Era su alma pura, como
el sol su conciencia limpia.
...Mas lo que pasa en el pecho
sólo Dios lo sabe y mira.   140

Cuando la princesa estaba
en la presencia aflictiva
del primero, miedo helado
por sus venas discurría.

En la del segundo, grave   145
se mostraba y aún altiva,
pero inquieta y recelosa
midiendo sus frases mismas.

Y con el tercero estaba,
aunque silenciosa, fina   150
y sin temor ni recelo,
pero triste y discursiva.

* * *

El rey Felipe segundo,
a quien España se humilla,
es el galán misterioso   155
de las nocturnas visitas.

El segundo, Antonio Pérez,
secretario que tenía
del rey estrecha privanza,
cual brazo de sus intrigas.   160

Juan de Escobedo el tercero,
amigo en quien deposita
el insigne don Juan de Austria
sus secretos y su estima.

PHILIPPVS II D. G. HISP. SICIL. NEAP. etc REX ARCHID. AVSTR.

Felipe II

ROMANCE II

LA MEDITACIÓN

De Madrid el regio alcázar   165
triste y mezquino era entonces,
donde hoy el palacio nuevo
ostenta su inmensa mole.
    De ladrillo y berroqueña,
y en cada esquina una torre,   170
era albergue poco digno
de los reyes españoles.
    Ni el arco ni la armería
cerraban la plaza, donde
hoy se forma la parada   175
para los regios honores.
    Pues hasta el margen del río,
de menos caudal que nombre,
ásperas cuestas mediaban
entre viejos murallones.   180

* * *

Una tarde sosegada
de abril, cuando al horizonte
entre dorados celajes
y entre ligeros vapores
    El claro sol descendía   185
dando lugar a la noche,
de quien los luceros daban
ya en oriente resplandores;

De tal ya olvidado alcázar,
en uno de los balcones,   190
se descubría de lejos
vestido de negro un hombre
    Que en la baranda apoyado,
al occidente encaróse,
gran rato permaneciendo   195
en una actitud inmoble.
    Era Felipe segundo,
que de altas meditaciones
políticas fatigado
a respirar asomóse.   200
    Y con los ojos siguiendo
al sol, ya poniente entonces,
varios pensamientos llenan
su mente en que cabe el orbe.

* * *

    Lo primero que le ocurre   205
es que el astro que se pone,
aún ilumina radiante
a la lusitana corte.
    A la cabeza del reino
que la desventura enorme   210
de una expedición guerrera,
tan cristiana como noble,
    Bajo su dominio ha puesto,
y sagaz discurre sobre
los medios de asegurarse   215
diadema de tal renombre.—

---

213 La muerte de su sobrino el rey don Sebastián de Portugal (1554-1578)
en la batalla de Alcazarquivir.

Tomando más largo vuelo
su imaginación veloce,
salva los inmensos mares,
y sigue al sol, que traspone   220
    Para llevar luz y vida
a las ignotas regiones,
en que gloriosos ondean
estandartes españoles.
    Y al pensar que en cuantos climas   225
visita el astro y recorre,
vasallos suyos alumbra,
en su grandeza gozóse.

                    * * *

    Pero tornando en sí mismo
el vuelo altivo recoje,   230
y su vanidad se estrella
en siniestras reflexiones.
    Al ver los celajes densos,
que de la esfera borrones,
del sol el descenso aguardan   235
para ofuscarle, latióle
    El pecho agitado, y dijo:
«Del mismo modo los hombres
a que un rey decline esperan,
para tragarlo feroces.»   240
    —Se le figuró el gran astro
cadáver, que de vapores,
con la mortaja, se hundía
en la tumba de los montes;
    Y recordando que todo   245
la muerte lo traga y rompe,
retembló, de sudor frío
su rostro seco bañóse,

---

228 Alude a la idea de que en los dominios de Felipe II «no se ponía el sol».

     Y tornó la vista a Oriente,
ya dominio de la noche,   250
el espectáculo huyendo
que el ocaso presentóle.
     —Notó allí varios luceros
relucir, y sonrióse
amargamente, exclamando   255
con hondas e internas voces:
     «Si la majestad declina
y su resplandor se esconde,
¡qué ufanos su pobre brillo
muestran vulgares señores!»   260

                    * * *

     También aparta los ojos
del Oriente, hallando donde
quiera que los revolvía,
desengaños o temores.
     Y de Éboli en el palacio,   265
que estaba cerca, los pone
y sin intento los clava
en sus abiertos balcones.
     Por ellos juzga que advierte
dos bultos en los salones   270
uno blanco y de señora,
el otro oscuro y de hombre.
     Y un agudo grito lanza,
su rostro se descompone,
y las tinieblas maldice   275
de la ya cerrada noche.
     Los ojos baja, y a Pérez
viendo que se acerca, entróse
cerrando el balcón maldito
con recio y violento golpe,   280

ROMANCE III

EL SECRETO

En un oscuro aposento
que solamente alumbraban
las luces de dos bujías
en candeleros de plata,

Donde tiene su despacho   285
el augusto rey de España,
y donde a pocas personas
se les permite la entrada,

A su secretario Pérez
Felipe Segundo aguarda,   290
pues que llegó a conocerle
al atravesar la plaza.

A los muy pocos momentos
cruje y se abre la mampara,
y Pérez entra en silencio,   295
y mudo a su rey acata.

Este afable le recibe,
que se le aproxime manda,
y en conversación secreta
dijéronse estas palabras: 300

* * *

Rey.—Mi hermano don Juan (al cabo
es bastardo y esto basta)
con su ambicioso manejo
va a precipitar a Holanda.

Secretar. —Su poder allí es temible.   305
R.—Yo, Pérez, no temo nada;
todos sus pasos vigilo
y sé cuanto piensa y habla.
      S.—Vuestra comprensión inmensa...
R.—Y mi poder. Confianza   310
tiene en don Juan de Escobedo.
S.—Es de sus planes el alma.
      R.—Recibe sus instrucciones.
S.—También recibe sus cartas.
R.—Y en una cartera verde,   315
que jamás del seno aparta,
      Las lleva... Las necesito.
S.—Pues no es cosa fácil... *R.*—Nada
a mi poder es difícil.—
¿Y juzgas, Pérez, que trata   320
      Con la princesa estas cosas?...
Las discretas, o son falsas...
o se alucinan... *S.*—No creo
que una señora tan alta...
      R.—Y tan bella y entendida...   325
Pero Escobedo en su casa
entra de oculto... Esta noche...»
Siguió el Rey en voz tan baja
      Hablando a su secretario,
y con expresión tan vaga,   330
que adivinar no es posible
cuáles fueron sus palabras.

                    * * *

      Palabras que escuchó Pérez
con una zozobra extraña,
con el pecho palpitante,   335
y con la faz demudada.

Y al callar el rey, le dijo:
«Vuestra Majestad lo manda,
y es para mí ley suprema
su voluntad soberana.   340

»Mas, señor... Si por escrito,
una orden vuestra firmada,
o la firma solamente...
con sólo la firma basta.»

—Dio un paso atrás, furibundo,   345
al escucharlo, el monarca,
y lo fulmina y aterra
con dos ojos como brasas.

Pérez, que se abriera el suelo
quisiera, bajo sus plantas,   350
y que en aquel punto mismo
lo confundiera y tragara.—

Cuando de pronto Felipe,
con una sonrisa amarga,
y el desprecio con que mira   355
un feroz tigre a una rata,

«Dices bien —prorrumpe— amigo,
toma, que la empresa es ardua...»
Y escribiendo cuatro líneas
en un papel, se lo alarga.   360

Temblando lo toma Pérez
y va a partir; mas le traba
el brazo con mano dura,
más dura que unas tenazas,

El rey; en su helado rostro   365
ojos del infierno clava,
diciendo: «Secreto, y priesa,
y yo soy quien te lo encarga.»

Marchó Pérez, y Felipe
tomando el estoque y capa,   370
salió sólo, y dirigióse
de la Princesa a la casa.

ROMANCE IV

LA CARTERA VERDE

En su magnífico estrado
¡cuán gallarda, cuán hermosa
brilla la persona ilustre   375
de doña Ana de Mendoza!
    De seis candelas de esperma
que un candelabro coronan,
do recorta y abrillanta
la luz cinceladas hojas;   380
    Al resplandor aparecen
su tez de nieve y de rosa,
de oro puro sus cabellos,
claros luceros sus joyas.
    Sentada en un taburete   385
el brazo ebúrneo coloca
en un velador cuadrado
que cubre persiana estofa,
    Y en que matizadas flores
dan al ambiente su aroma,   390
en vasos de porcelana
de extraño barniz y forma.

* * *

    Enfrente de la princesa,
en un sillón de caoba,
de los primeros acaso   395
que se usaron en Europa,

---

388 *estofa*: «Tela o tejido de labores, por lo común de seda», *Dicc. Acad.*

367

Está Felipe Segundo,
procurando a toda costa
de amable y franca dulzura
dar el aire a su persona.   400
   Y después de varias frases
de mera etiqueta todas,
y de discretas razones,
de cortesana lisonja,
   «Al anochecer —prorrumpe—   405
¿habéis tenido, señora,
alguna visita?» Y clava
los ojos, cual de raposa,
   En el pálido semblante
de doña Ana de Mendoza,   410
que responde balbuciente:
«No señor... he estado sola:
   »Mi mayordomo un momento...»
No dijo más, y a la boca
del rey, que nada contesta,   415
sonrisa infernal asoma.

* * *

   Tras de un rato de silencio
que a doña Ana se le antoja
un siglo, se alza Felipe,
un laúd templado toma,   420
   Y galán se lo presenta
diciendo: «Tened, señora,
dad vida al callado ambiente,
encadenad mi alma toda.»
   La princesa obedeciendo,   425
las cuerdas pulsa sonoras,
y melancólicos tonos
sin concierto alguno brotan.

El rey lento se pasea
por la estancia, dando poca   430
atención a lo que escucha,
que otras ideas le acosan.

    Y aunque gran sosiego finje
es su inquietud bien notoria,
y que habla consigo mismo   435
en su semblante se nota.

    La princesa lo conoce
y trasuda y se acongoja,
pidiéndole a Dios de veras
que la visita sea corta.   440

    Al balcón el rey se acerca
y lo abre inquieto, se asoma,
y se retira, y escucha,
y sin cerrarlo lo entorna.

    Entra la brisa en la sala,   445
agita las luces todas,
y a su ondulación parece
que todo se mueve y borra,

    Y que el aposento tiembla,
y que en fantásticas formas   450
los muebles y colgaduras
ya se alargan, ya se acortan.

    «Señor —dice la princesa—
¿el viento no os incomoda?
Está harto fresca la noche,   455
cuidad más vuestra persona.»

    Iba a responder Felipe,
cuando a las ánimas tocan
las campanas, y en la tierra
con gran devoción se postra.   460

Lo mismo hace la princesa,
en silencio entrambos oran,
se santiguan y levantan,
y el rey mudo a escuchar torna.

* * *

Se oye un rumor a lo lejos,   465
y como un grito; se azora
la dama y dice: «¿Qué suena?»
y, el alma deshecha y rota,
    Va hacia el balcón. Mas Felipe
lo cierra de pronto, y ronca   470
la voz: «Nada ha sido —dice—
el rumor de alguna ronda.»
    De mármol queda doña Ana,
el rey clavado en la alfombra,
y todo en hondo silencio,   475
y en quietud la estancia toda.

* * *

Llega un paje, anuncia a Pérez,
y entra Pérez. Su persona
es más siniestra que nunca
más descompuesta su ropa.   480
    Es su semblante de azufre,
entreabierta trae la boca,
y tiemblan sus miembros todos,
grande agitación le agobia.
    Desconcertado, en secreto   485
dice al rey palabras pocas,
y de terciopelo verde
le da una cartera. Toma

La cartera el rey, la mira
y en contemplarla se goza,   490
mostrando su faz el gusto
que en su corazón rebosa.

También la ilustre princesa
la mira y la mira ansiosa,
la reconoce, y advierte   495
de sangre en ella una gota;

De sangre fresca, y de sangre
ve en la mano temblorosa
de Pérez alguna mancha,
y en sus puños y valona.   500

Y da un profundo gemido,
su cabeza se trastorna,
y exánime y desmayada
en un sillón se desploma.

ROMANCE V

EL CADÁVER. EL FUGITIVO. EL MUERTO

A la mañana siguiente,   505
cuando fue devoto pueblo
a oír la misa del alba
de Santa María al templo,

En aquella corta calle,
más bien callejón estrecho,   510
que por detrás de la iglesia
sale frente a los Consejos,

Se halló tendido un cadáver,
de un lago de sangre en medio,
con dos heridas de daga   515
en el costado y el pecho.

371

Pronto fue reconocido
por el de Juan de Escobedo,
del insigne don Juan de Austria,
secretario y camarero.   520
    Y como aún rico ostentaba
la cadena de oro al cuello,
y magníficos diamantes
en los puños y en los dedos,
    Que obra no fue de ladrones   525
se aseguró desde luego,
el horrible asesinato
que a Madrid cubrió de duelo.

* * *

    Fugitivo a pocos meses
Antonio Pérez, el reino   530
de Aragón turbó con bandos
y desastrosos sucesos,
    Y condenado y proscrito,
pobre, aborrecido, enfermo,
murió en la mayor miseria   535
en países extranjeros.

* * *

    Y después de algunos años,
al rey Felipe, ya viejo,
arrebatóle la muerte
a dar cuenta al Ser supremo.   540
    Dónde se habrán encontrado
los tres, tan sólo saberlo
puede Dios, mas yo imagino
que habrá sido en el infierno.

El conde de Villamediana

ROMANCE I

LOS TOROS

Está en la Plaza Mayor
todo Madrid celebrando
con un festejo los días
de su rey Felipe Cuarto.

Éste ocupa, con la reina   5
y los jefes de palacio,
el regio balcón, vestido
de tapices y brocados.

En los otros, que hermosean
reposteros y damascos,
los grandes con sus señoras,
y los nobles cortesanos.

Ostentan soberbias galas,
terciopelos y penachos.
Las damas y caballeros   15
llenan los segundos altos,

Y de fiesta gran gentío
los barandales y andamios,
jardín do a impulso del viento
ondean colores varios.   20

373

Ante la Panadería,
del balcón del rey debajo,
y de espalda a la barrera
en la arena del estadio,

La guardia tudesca en ala   25
parece un muro de paño
rojo y jalde, con cornisa
hecha de rostros humanos,

Sobre la cual vuelan plumas
en lugar de jaramagos,   30
y brillan las alabardas
heridas del sol de mayo.

Los alguaciles de corte
con sus varas en la mano,
a la jineta, en rocines   35
están en fila a los lados.

El rey, la reina, los grandes,
las damas, los cortesanos,
los tudescos y alguaciles,
el inmenso pueblo, y cuantos   40

En la plaza están, los ojos
tornan de Toledo al arco,
por cuya barrera asoma
un caballero a caballo.

* * *

Vese en medio de la arena,   45
furia y humo respirando,
los ojos como dos brasas,
los cuernos ensangrentados,

Con la pezuña esparciendo
ardiente polvo, el más bravo   50
retinto, a quien dio Jarama
yerba encantada en sus campos.

51 *retinto:* «De color castaño muy oscuro», *Dicc. Acad.*

374

Aún no estrenó la almohadilla
de su cuello erguido y alto
hierro alguno, ni ha embestido
una sola vez en vano.
Entre capas desgarradas
y moribundos caballos,
se ostenta como el guerrero
que se corona de lauro,
Entre rendidos pendones,
sobre muros derribados;
del genio del exterminio
parece emblema y retrato.

* * *

En un tordillo fogoso,
de africana yegua parto,
que de alba espuma salpica
el pretal, el pecho y brazos;
Que desdeñoso la tierra
hiere a compás con los cascos;
que una purpúrea gualdrapa
con primorosos recamos,
De felpa y ante la silla,
en el testero un penacho,
la cabezada y rendaje
de oro y seda roja, y lazos
En el codón y en las crines
soberbio ostenta y ufano;
a combatir con el toro
sale aquel señor gallardo.

55

60

65

70

75

80

---

77 *codón*: «Bolsa de cuero que, atada a la grupa, sirve para cubrir la cola del caballo cuando hay barro», *Dicc. Acad.*

Viste una capa y ropilla
de terciopelo, más blanco
que la nieve, de oro y perlas
trencillas y pasamanos;
Las cuchilladas, aforros,   85
vueltas y faja, de raso
carmesí; calzas de punto,
borceguíes datilados,
Valona y puños de encaje;
esparcen reflejos claros   90
en su pecho los rubíes
de la cruz de Santiago.
Un sombrero con cintillo
de diamantes, sujetando
seis blancas gentiles plumas,   95
corona su noble garbo.
Con la izquierda rige el freno,
en la diestra lleva en alto
un pequeño rejoncillo
con la cuchilla de a palmo.   100
Acompáñanle dos pajes
a pie, de uno y otro lado;
y llevan las rojas capas
prontas al lance en la mano:
Síguenle sus escuderos   105
y un gran tropel de lacayos,
los que, por respeto al toro,
se van haciendo reacios.

* * *

---

85 *cuchilladas:* «Aberturas que se hacían en los vestidos para que por ellas se
viese otra tela de distinto color u otra prenda lujosa», *Dicc. Acad.*
88 *datilados:* de color de dátil.

376

Puesto en medio de la plaza
personaje tan bizarro,   110
saluda al rey y a la reina
con gentil desembarazo.

Aquél, serio corresponde,
ésta muestra sobresalto,
mientras el concurso inmenso   115
prorrumpe en vivas y aplausos.

Era el gran don Juan de Tarsis,
caballero cortesano,
conde de Villamediana,
de Madrid y España encanto   120

Por su esclarecido ingenio,
por su generoso trato,
por su gallarda presencia,
por su discreción y fausto.

Gran favor se le supone,   125
aunque secreto, en palacio,
pues susurran malas lenguas...
pero mejor es dejarlo.

De todos y todas dicen,
y es poner puertas al campo,   130
querer de los maliciosos
sellar los ojos y labios.

* * *

Valiente Villamediana,
cortas las riendas, y bajo
del rejoncillo el acero,   135
vase al toro paso a paso.

Éste cabecea, bufa,
la tierra escarba marrajo,
y espera instante oportuno
en que partir como el rayo.   140

377

El paje de la derecha
con grande soltura y garbo
a la fiera irrita y llama,
la capa ante ella ondeando.
Embiste pues, el jinete   145
tuerce el bridón, de soslayo
pasa el toro, el otro paje
con la capa hace un engaño,
Y lo revuelve, y de nuevo
lo para. Determinado   150
le hostiga de frente el conde;
torna a embestir rebramando
El jarameño; parece
que el caballo y caballero
van a volar a las nubes,   155
cuando de la fiera intactos
En primorosas corvetas
se separan y con saltos.
Un punto el toro vacila
bramido ronco lanzado,   160
Y desplómase en la tierra,
haciendo de sangre un lago
con el torrente que brota
por la cerviz, do clavado
Medio rejón aparece,   165
que el otro medio en la mano
del noble y valiente conde
va al concurso saludando.
Por balcones y barandas,
vallas, barreras y andamios,   170
formando una riza nube,
ondean pañuelos blancos;
Y, ¡Viva! el pueblo repite,
y los caballeros ¡Bravo!
y ¡Qué galán! las mujeres,   175
haciendo lenguas las manos.

378

    La reina, que sin aliento
los ojos desencajados
en jinete y toro tuvo,
vuelve, ansiosa respirando;   180

    «Qué bien pica el conde!» dice
y, «Muy bien», los cortesanos
repiten. El rey responde:
«Bien pica, pero muy alto»;

    Y en el rostro de la reina   185
clavó los ojos un rato.
Ésta demudóse, y todos
los señores de palacio,

    En quienes opinión propia
fuera un peregrino hallazgo,   190
repitieron, no sabiendo
lo que decían acaso,

    Y de entrambas majestades
queriendo seguir el rastro:
«Pica muy bien; mas debiera   195
haber picado más bajo.»

                * * *

    Dos toros más se corrieron,
en que caballeros varios
con gala y con valentía
gran destreza demostraron;   200

    Mas es pretender lucirlo
después del conde gallardo,
exceso del amor propio,
cuyos esfuerzos son vanos.

    Ser en punto medio día   205
las campanas avisaron
de Santa Cruz en la torre.
En su carroza a palacio

                                               379

Retiráronse los reyes,
tras ellos los cortesanos,   210
y aquel inmenso gentío,
la plaza desocupando,
    Se apiñó en arcos y puertas,
haciendo un todo compacto,
que por las primeras calles   215
rompió, que luego en pedazos
    Por otras más dividióse,
después en grupos, que al cabo
reducidos a familias,
muy pronto se dispersaron.   220
    Tal vez así se desagua
un artificial pantano,
cuando se abren las compuertas
del malecón, y apretados
    Torrentes por ellas salen,   225
que luego en arroyos varios
se dividen, y se pierden
finalmente por los campos.

ROMANCE VI
LAS MÁSCARAS Y CAÑAS

    Siguió el festejo a la tarde,
y llenóse la gran plaza   230
con el pueblo y con la corte,
cual lo estuvo la mañana.
    Magníficas son las fiestas
que la regia villa paga,
para celebrar el nombre   235
del poderoso monarca.

380

De clarines y timbales
al son que asorda las auras,
y al de orquestas numerosas
que entonan guerrera marcha,   240
En orden y a lento paso
numerosas mascaradas
entran por partes distintas
y al rey y a la reina acatan.
De los reinos diferentes   245
que el reino forman de España,
ostenta cada cuadrilla
distintivos y antiguallas,
Arbolando un estandarte
con el blasón de sus armas;   250
y de su música propia,
al compás de las sonatas,
Mézclanse ligeras luego,
formando mímica danza,
en concertado desorden   255
de figuras ensayadas.
Los cascos y coseletes
de la indómita Cantabria,
de los fieles castellanos
las dobles cueras y calzas: 260
Las fulgentes armaduras,
de los infanzones gala,
del ligero valenciano
los zaragüelles y mantas;
De chistosos andaluces   265
los sombrerones y capas,
y las chupas con hombreras
y con caireles de plata;

---

257 *coseletes*: «Coraza ligera, generalmente de cuero, que se usó por ciertos soldados de infantería», *Dicc. Acad.*

Los turbantes granadinos,
jubas, albornoces, fajas;   270
los terciopelos y sedas
de vestes napolitanas;
    De la Bélgica los sayos
con sus encajes y randas;
los milaneses justillos   275
con las chambergas casacas;
    Y las esplendentes plumas
teñidas de tintas varias,
con los arcos y las flechas
que el cacique indiano gasta;   280
    Forman un todo indeciso
que cubre la extensa plaza
de movibles resplandores,
de confusión bigarrada.
    Parece que está cubierta   285
con una alfombra persiana,
cuyos mátices se mueven
al conjuro de una maga.
    Aquí añafiles moriscos,
allí tamboril y gaita,   290
más allá trompas guerreras,
acá sonorosas flautas;
    Las antárticas bocinas
en un lado, las guitarras
y crótalos en el otro;   295
los caracoles de caza
    Forman estruendo confuso
en que ya el acorde falta,
y que llenando el espacio
aún más aturde que halaga.   300

---

270 *juba*: «Especie de gabán morisco, aljuba», *Dicc. Acad.*
295 *crótalos*: castañuelas.

Por fin, terminado el baile
sepáranse las comparsas,
y hacia lados diferentes,
en orden puestas, descansan;
   Y cada una se dirige,   305
según la suerte la llama,
a saludar a los reyes
con solemnidad y pausa,
   Y doblando la rodilla,
ofrecen a su monarca   310
un rico don de productos
de aquel reino que retratan.
   Despejando luego todas,
el circo desembarazan
a los nobles caballeros   315
que salen a correr cañas.

       * * *

Por la izquierda y la derecha
a un tiempo entraron galanas
dos diferentes cuadrillas
que a unirse en el centro marchan.   320
   Compónese cada una,
compitiendo en garbo y gala,
de doce nobles jinetes
que de dos en dos avanzan.
   El conde de Orgaz, mancebo   325
de gentileza y de gracia,
es caudillo de la una;
de la otra es Villamediana.
   Aquél, en caballo negro
enjaezado de plata,   330
de terciopelo amarillo
con celestes cuchilladas,

Vestido sale: figura
con argentinas escamas
peto y espaldar, y azules
lleva plumas y gualdrapa.

Éste, en un caballo blanco,
cuya crin el oro enlaza,
ostenta un rico vestido
de terciopelo escarlata;

El arnés de hojuelas de oro
y de rica seda blanca,
con brillantes bordaduras
los afollados y faja.

Unidas las dos cuadrillas
hacia el regio balcón ambas,
al paso, la pista siguen
de los jefes que las mandan;

Y el concurso en gran silencio
curioso la vista clava
de los dos gallardos condes
en las brillantes adargas,

Pues logrando de discretos
y de enamorados fama,
interesa a todo el mundo
ver las empresas que sacan.

Es la de Orgaz una hoguera,
de la que el vuelo levanta
el fénix con este mote:
«Me da vida quien me abrasa»

Un letrero solamente
es la de Villamediana
que dice: *«Son mis amores...»*
y luego reales de plata

335

340

345

350

355

360

---

344 *afollados:* «Follado, especie de calzones», *Dicc. Acad.*

384

Puestos cual si fueran letras,   365
con que aquel renglón acaba.
La empresa de Orgaz la entienden
todos, y aciertan la llama
Que le da vida y le quema.
La del de Villamediana   370
despierta más confusiones,
aunque es en verdad bien clara.
Propensión funesta tiene
el joven galán que alcanza
favores de una señora,   375
a la par hermosa y alta,
De publicarlos al punto
y de sacarlos a plaza:
vanidad de enamorados
que en peligros no repara.   380
Muchos el sentido entienden
que las monedas declaran,
mas por miedo disimulan
y de explicarlo se guardan.
Otros; necios, se calientan   385
los cascos por descifrarla:
«Son mis amores dinero»,
repiten, pero no cuadra
Con el carácter del conde,
esta explicación villana.   390
«Mis amores efectivos
son», dicen otros ¡bobada!
Velasquillo, el contrahecho,
enano y bufón que alcanza,
no sin despertar envidia,   395
gran favor con el monarca.
A disgusto de los grandes
en el balcón regio estaba,
malicias diciendo y chistes,
con insolencia y con gracia,   400

385

        Y o por faltarle su astucia
entonces o porque trata
de vengarse del desprecio
con que la reina le acaba,
        O porque ve de mal ojo   405
al noble Villamediana,
o por gusto de hacer daño,
que es de tales bichos ansia,
        Dijo: «Ta, ta; ya comprendo
lo que dice aquella adarga: 410
Son mis amores reales»,
y soltó la carcajada.
        Trémulo el rey y amarillo,
y conteniendo la saña,
«Pues yo se los haré cuartos»,   415
respondió al punto en voz baja.
        Lo oyó la reina, y quedóse
inmóvil como una estatua,
pálida como la muerte,
hecha pedazos el alma.   420

                    * * *

        Las cuadrillas empuñando,
en vez de robustas lanzas,
de cintas y oro vestidas
leves quebradizas cañas.
        Se embistieron... Imposible   425
es ya que encuentre palabras
con que describir la fiesta,
mi atención la reina embarga.

_____

415 Juego de palabras muy del gusto barroco. Los reales se dividían en cuartos de real pero también el verdugo descuartizaba a los ajusticiados y esparcía
los miembros por los caminos para ejemplo. Véase Quevedo, *El buscón*,
cap. VII.

¡Pobre señora! Tampoco
merece versos y fama
tal diversión, ya reflejo
débil, copia degradada

De las justas que ha dos siglos
los caballeros usaban
con gloria, que nunca gloria
en donde hay peligro falta,

Y en que las picas de guerra
dobles petos abollaban,
no los juncos inocentes
sedas, brocados y holandas.   440

ROMANCE III

EL SARAO

Mientras que la monarquía
se desmorona, y el borde
toca de una sima horrenda,
duermen en pueriles goces.
Entre placeres se aturden,   445
deleites sólo conocen,
sin cuidarse del peligro,
el rey de España y sus nobles.

Así una casa se quema,
así desdichas atroces   450
sobre una infeliz familia
el ciego destino pone;

Y en tanto el imbécil ríe,
duerme el embriagado joven,
y el niño con sus juguetes   455
es el más feliz del orbe.

Si alegre fue todo el día
con públicas diversiones,
con saraos y luminarias
no lo fue menos la noche.   460

El pueblo las anchas calles
en gozosas turbas corre,
para ver iluminadas
las casas de los señores.

En las plazas principales   465
suenan músicas acordes,
y farsas se representan
del rey celebrando el nombre.

* * *

Del palacio del Retiro
llenos están los salones,   470
de todo el fausto y la gala
que son honra de la corte.

En los soberbios jardines
brillan vasos de colores,
que en el estanque reflejan   475
formando guirnaldas dobles.

Un gran fuego de artificio
las densas tinieblas rompe,
y rastros de luz envía
a las celestes regiones;   480

De los rayos que le lanzan
los nublados tronadores,
dijérase que la tierra
se estaba vengando entonces.

Varias encendidas ruedas,   485
girando luego veloces
en atmósfera de chispas,
parecen mágicos soles;

Mas pronto en huecos tronidos
de humo blanco alzando un monte,   490
se disipa, y desparece
aquel gigantón enorme
    De luz, que ofuscó los astros,
y que deslumbró a la corte,
como trasunto y emblema   495
del orgullo de los hombres.

                    * * *

    En el salón de los reinos,
donde el trono de dos orbes
de oro y terciopelo estriba
en colosales leones,   500
    El rey está con las damas,
la reina con los señores,
y chocolate y conservas,
y helados pasan en orden,
    En mancerinas de oro   505
y en bandejas, cuyos bordes
lucientes piedras adornan
en caprichosas labores.
    Enseguida se bailaron,
al compás de alegres sones,   510
las folias y chaconas,
y aún zarabandas ignobles.

---

503 *conservas:* «Fruta hervida en agua con almíbar o miel, hasta el punto necesario para que se conserve», *Dicc. Acad.*

505 *mancerinas:* «Plato con una abrazadera circular en el centro, donde se coloca y sujeta la jícara en que se sirve el chocolate», *Dicc. Acad.*

511-512 Sobre estos bailes y su repulsa por los moralistas, véase Emilio Cotarelo, *Colección de entremeses...*, tomo I, vol. 1 (Madrid, 1911), págs. CCCXXXIII-CCLXXIII.

De cada señora al lado
sitio un caballero escoge,
y en un cojín para hablarle   515
la rodilla izquierda pone.

Allí en animados grupos
lo más rico y lo más noble
de Madrid y España asiste,
y extranjeros de alto porte   520

Estaban pues... ¿De qué sirve
que el tiempo perdamos, nombres
ya olvidados repitiendo,
y que alcanzaron entonces

Boga por riqueza y sangre,   525
mas que hoy ya nadie conoce?
De conocidos hablemos,
de amigos nuestros, de hombres

Que aún los vemos y tratamos,
aunque ha dos siglos que esconde   530
sus cenizas el sepulcro,
sima que todo lo sorbe.

* * *

En un lado de la sala
estaba el famoso Lope,
el Fénix de los ingenios,   535
con el cabello y bigote

Blancos como pura nieve,
y al través se reconoce
de sus clericales ropas
que fue guerrero de joven.   540

---

537 Villamediana murió el 21 de agosto de 1622. Lope de Vega tenía entonces sesenta años, Góngora sesenta y uno y Quevedo cuarenta y dos.

La insignia adorna su pecho
de la hospitalaria orden,
y el fuego brilla en sus ojos
que hace a los mortales dioses.
　　Con él habla un caballero, 545
cabeza gorda, deformes
los pies, de negro azabache
melena y barba, mas noble
　　Aspecto; diciendo chistes
está, y resuenan conformes 550
carcajadas y aún aplausos,
en cuantos hablar le oyen.
　　Es don Francisco Quevedo,
a quien un clérigo torpe
ya por la edad, ceceando 555
y con malicias responde.
　　Ser él tal pronto se advierte
don Luis Góngora y Argote,
del nuevo estilo de moda
inventor, columna y norte. 560
　　El padre Paravicino,
que de sabio alto renombre
goza y a Madrid encanta
por sus peinados sermones,
　　También es del corro; y luego 565
en él ufano ingirióse,
aún tan niño que en sus labios
ni bozo se ve que asome,
　　Don Esteban de Villegas,
español Anacreonte, 570
en versos cortos divino,
insufrible en los mayores.

En una pausa en el baile,
de Villamediana el conde,
que ha danzado con la reina,   575
alargó la mano a Lope,
    Y como ingenio de marca
entre los otros mostróse.
Acaba de publicarse
su poema de *Faetonte*,   580
    En aquel tiempo un prodigio,
que hoy tiene apenas lectores,
obra de perverso gusto
y de hinchados clausulones.
    Góngora, que envanecido,   585
un adepto de alto nombre
ve en tan claro personaje,
sus encomios prodigóle.
    Y todos le celebraban,
aunque yo decir no ose   590
si sus versos aplaudían
o su favor en la corte.
    Don Francisco Manuel Melo,
en quien se juntan los dotes
de historiador y poeta   595
con los bélicos blasones.
    Allí está, aunque taciturno;
sin duda abriga temores
de que el duque de Braganza
su osado intento no logre.   690
    El gran don Diego Velázquez,
de pinceles españoles
gloria, también conversaba
con tan famosos autores;

---

573 *del*, 1854.
580 *Faetonte*.

Pero lo que dicen ellos,   605
parece que apenas oye,
porque de Rubens los cuadros
con gran encanto recorre;
    Y en aquel retrato ecuestre
del Emperador, en donde   610
apuró Ticiano el arte,
los ojos árabes pone.

* * *

También el rey un momento
afable al corro acercóse,
hablando de una comedia   615
que salió al público entonces,
    Y cuyo autor se nombraba
«Un ingenio de esta corte.»
A la cual, aunque por cierto
era un disparate enorme   620
    Todos dieron mil elogios
y de portento renombre,
pues que es obra del rey mismo
no hay en Madrid quien ignore.
    Ya muy tarde entró en la sala,   625
saludos y adulaciones
recibiendo del concurso,
con aire altanero y noble
    El Conde-Duque; se llegan
los grandes y embajadores   630
para hablarle, el rey Felipe
con gran cariño le acoge;
    Y con él, y con el Nuncio
y un milanés enredóse
en importante coloquio,   635
que su atención regia absorbe.

* * *

La reina, que en gallardía
a todas se sobrepone,
y cuyos hermosos ojos,
brillantes como dos soles,   640

En Villamediana tuvo
clavados toda la noche;
viendo al rey y al favorito
con aquellos dos señores

Extranjeros en consulta,   645
que ha de ser larga supone
la conversación, notando
que hay vivas contestaciones,

Más atenta al conde mira,
le hace una seña, y veloce,   650
aunque con gran disimulo,
de la sala retiróse,

De una danza numerosa
que empezó la gente joven
a enredar, aprovechando   655
la confusión y el desorden.

Conoció al punto la seña
el favorecido conde,
que amantes favorecidos
la más pequeña conocen;   660

Pero no son ellos solos:
también ¡ay! de ellas se imponen
los celosos... el monarca
la seña fatal recoge.

A salir Villamediana   665
siguiendo su amado norte,
iba por distinto lado
del salón, cuando turbóle

394

El ver al rey furibundo,
que con miradas atroces,   670
ojos cual los de un fantasma,
en él sin quitarlos pone.

Sobrecogido, de mármol,
ni a dar un paso atrevióse,
y trabó, disimulando,   675
un altercado con Lope.

ROMANCE IV

FINAL

En aquella galería,
adornada de arabescos
y follajes primorosos,
con oro y esmaltes hechos,   680
Y cuya baranda rica
daba hacia el jardín pequeño,
en que el caballo de bronce
estuvo por largo tiempo;

Sin más luz que la que esparce   685
la luna en mitad del cielo,
esperando a alguien la reina,
está turbada y con miedo.

Del concurso de la danza
y de la orquesta el estruendo,   690
que los salones ocupa,
oye resonar de lejos;

Y aunque sabe que notada
ha de ser su ausencia presto,
por dar al conde un aviso   695
atropella todo riesgo.

Siglos los instantes juzga
con mortal desasosiego,
y en el barandal dorado
palpitante apoya el pecho.   700
    Mira al ecuestre coloso,
inmóvil, oscuro, enhiesto,
entre laureles y murtas,
y tiembla ¡infelice! al verlo.
    Alza a la pálida luna   705
los ojos de llanto llenos,
y se extravía su mente
por precipicios horrendos.

                    * * *

    Sin rumor y de puntillas,
como fantasma o espectro,   710
en el corredor entróse,
la parte oscura siguiendo.
    Un hombre embozado llega
por detrás en gran silencio
a la reina; que, de espaldas   715
estando, no pudo verlo,
    Y le tapa el noble rostro
con dos manos como hielo,
pero delicadas manos
que agita un temblor ligero.   720
    ¿Quién pudiera aproximarse
a dama de tal respeto,
sino el amante dichoso
con tan inocente juego?
    Así lo pensó ella misma,   725
pues aunque al primer momento
de sorpresa lanzó un grito,
pronto sobre sí volviendo:

---

703 *murtas:* arrayanes, mirtos.

«Déjame, conde —prorrumpe
con dulces lánguidos ecos—   730
no es esta ocasión de burlas,
pues es de infortunios tiempo.

»Déjame, y escucha, conde.»—
Libre la dejan en esto
las manos que la cegaban,   735
y se encuentra sola ¡cielos!

Con su marido, que arroja
por los ojos rabia y fuego.
Queda la infeliz difunta,
mas tienen el privilegio   740

Las hembras del disimulo,
y en los críticos encuentros
mucha mayor agudeza
que el hombre de más ingenio.

Al oír el que el rey pregunta   745
con voz como voz de infierno,
«¿Yo conde?... ¿yo?» —En sí tornando
la reina, responde presto:

«Sí, señor, de Barcelona...
y se complace mi pecho   750
con tal título, afirmado
con vuestro poder y esfuerzo,

Después que habéis reprimido
la rebelión de aquel pueblo».—
Quedó pasmado el monarca.   755

«Discreta sois por extremo,
—Repuso, y tras pausa leve—
Mas ¿qué infortunios tenemos?»—
Ya alentada la señora,
pues siempre el paso primero   760

Es el trabajoso, dijo:
«No faltan, señor, por cierto;
dígalo Flandes perdida,
y de Nápoles los reinos,

»Donde un ambicioso intenta   765
arrebatarnos el cetro;
o Milán, donde la peste
está tanto estrago haciendo;
    »Y Portugal vacilante,
do traidores encubiertos...»   770
Aquí atajola Filipo
con voz de lejano trueno:

«Basta pues, basta, señora;
sois francesa, bien lo veo;
tenéis interés muy grande   775
en mi honor y en el del reino.»
    «Veréis que uno y otro al punto,
para aquietaros sostengo,
y que lavaré con sangre
la mancha que advierta en ellos.»   780
    Calló, y una atroz mirada
con el rostro descompuesto,
que pareció más terrible
de la luna a los reflejos,
    Clavó en la reina, mirada   785
que destrozó aguda el seno
de la infeliz, pues temblando
cayó sin sentido al suelo.

* * *

    Como sin rumor ninguno
vuela o se deshace un sueño,   790
desapareció el monarca;
fue a su cámara en silencio,
    Tocó un silbato de oro,
que tuvo mágico efecto,
pues salió de los tapices,   795
al silbido obedeciendo,

398

Por una encubierta entrada
un humilde ballestero,
cual espíritu maligno
que al conjuro está sujeto.   800
   Era el favorito oculto
del rey: ambos un momento
hablaron con tal sigilo,
que el labio apenas movieron.
   Sólo al irse el confidente,   805
se oyó decir al rey esto:
«Asegura bien el golpe,
y si has de vivir, secreto.»

                    * * *

   Al sarao y a los salones
tornó Filipo muy presto;   810
aunque pálido el semblante,
tranquilo y tal vez risueño,
   Volvió a hablar al Conde-Duque,
el cual como astuto y diestro,
que su señor encubría   815
conoció cuidados nuevos.
   Al cabo de corto rato
anuncióse que en su lecho
la reina indispuesta estaba,
y se dio fin al festejo.   820
   Sucedió al bullicio alegre,
al son de los instrumentos
y a la confusión festiva,
el más profundo silencio.
   Los cortesanos al punto   825
las actitudes y gestos
dejaron de la alegría,
y tomaron los del duelo;

Y a vaciarse los salones
comenzaron del inmenso   830
concurso, que los llenaba,
de galas, vapor y estruendo.
  Villamediana confuso,
de inquietud funesta lleno,
al retirarse saluda   835
al monarca con respeto,
  Y éste con una sonrisa
le deja aterrado y yerto;
mientras afable despide
a los otros palaciegos.   840

* * *

De la desdichada reina
la favorita, corriendo,
sale por las antesalas,
busca al conde sin aliento.
  Penetra la muchedumbre,   845
le hace señas desde lejos:
al fin le alcanza, va a hablarle,
un papel lleva encubierto;
  Cuando se para y se hiela,
al rey de repente viendo: 850
tal queda liebre cobarde
de la serpiente el aspecto.
  El gran tropel que desciende
las escaleras, violento
arrastra a Villamediana,   855
que va delirante y ciego.
  Su carroza no parece...
en la de Orgaz toma puesto,
y ambos condes por las calles
(que aún no estaban, cual las vemos,   860

Alumbradas con faroles)
veloces van y en silencio.
Grita en una encrucijada
una voz *«¡Conde!»* El cochero

    Para al punto los caballos;   865
pregunta Orgaz desde dentro:
«A cuál de los dos?» De fuera
«Villamediana», dijeron.

    Villamediana al estribo,
juzgando que es mensajero   870
de la reina quien le llama,
sacó la cabeza y pecho;

    Y al punto se lo traspasa
una daga de gran precio
con tal furor, que a la espalda   875
asomó el agudo hierro.

    Cayó el herido en el coche
un mar de sangre vertiendo,
y de su amigo en los brazos
al instante quedó muerto.   880

El cuento de un veterano

* * *

INTRODUCCIÓN

¡Oh cuán grato es el oír
allá en el hogar paterno,
las largas noches de invierno,
entre el cenar y el dormir,
    Al veterano charlar,   5
y sus pasadas campañas,
envueltas con mil patrañas,
en rudo estilo contar!
    En nuestra niñez primera
embebidos le escuchamos,   10
sin que una frase perdamos,
ni una palabra siquiera.
    Y la peregrina historia
se queda como grabada,
y jamás la borra nada   15
de nuestra tierna memoria.

* * *

Un veterano alcancé
que en Italia combatió,
y que en Veletri se halló,
donde mal herido fue.   20

    Y muy niño, allá en mi tierra,
recuerdo haberle escuchado,
de sus palabras colgado,
sucesos de aquella guerra.

    Fuera el tiempo bueno o malo   25
todas las noches venía,
y desde lejos se oía
sonar su pierna de palo.

    Era como una estantigua,
con desharrapado traje,   30
y restos del equipaje,
de un militar a la antigua.

    Del cortijo en el hogar
muy orondo se sentaba,
y la gente se agolpaba   35
en torno de él a escuchar.

    Tras un sorbo de aguardiente
encendía su cigarro
y de su voz de catarro
se desataba el torrente.   40

    Ya un asalto refería,
estropeando los nombres
de reinos, castillos, hombres,
mas nada le detenía.

    Ora un combate, ora un duelo,   45
ya el valor de un camarada,
de una patrona burlada
el amargo desconsuelo,

    De un coronel el rigor,
la astucia de un asistente,   50
el triste fin de un valiente,
las diabluras de un tambor,

Y una guitarra tocando
cantaba también romances,
con tal voz y tales lances,   55
que nos dejaba temblando.

De robos y apariciones
varios casos repetía,
y costumbres, que decía
ser de lejanas naciones.   60

Y siempre cosas extrañas,
jurando a fe de soldado
todo haberlo presenciado
en sus gloriosas campañas.

Una noche nos contó   65
cierta peregrina historia,
que está fija en mi memoria,
y que a referir voy yo.

ROMANCE I

EL AYUDANTE

El marqués de Castelar
entró triunfador en Parma,   70
con las valerosas tropas
de Nápoles y de España.

Éstas van a la cabeza,
aquéllas a retaguardia,
y de lauro inmarcesible   75
y gloria cubiertas ambas.

Desde Veletri venciendo,
y enmendando aquella falta,
las águilas imperiales
van ahuyentando de Italia.   80

_____
77 La batalla de Veletri tuvo lugar el 15 de agosto de 1744.

La ciudad, que a los Borbones
el más puro amor consagra,
y que el dominio detesta
de los príncipes del Austria.

Cual libertadoras mira   85
a aquellas huestes bizarras,
y con *vivas* de entusiasmo
las recibe y las aclama.

El alto cielo ensordecen
las sonorosas campanas,   90
y a los valles y a los montes
las músicas y las salvas.

Brillan en los balconajes
de las calles y las plazas
ricos damascos y estofas,   95
pabellones y guirnaldas.

Y aún más el vistoso arreo
de las lindas parmesanas
ornadas de ricas joyas,
vestidas de nobles galas,   100

Y hierve inmenso concurso
de la plebe alborozada,
estrechando la carrera
por donde las tropas pasan.

* * *

El primero que desfila   105
al son de bélica marcha,
es el regimiento insigne
de las españolas Guardias:

405

De firme lealtad ejemplo
a sus jurados monarcas,   110
modelo de disciplina
y de arrojo en las batallas.

De Castilla los pendones,
de tanta victoria y tanta
gloria ya nuncios, ya emblemas,   115
siguen con noble arrogancia.

Y oficiales y soldados
la atención pública llaman,
por su belicoso porte,
por su merecida fama.   120

* * *

En un cordobés morcillo
que con espumas de plata
el pretal, brazos y pechos
respirando fuego, esmalta,

Recorre las compañías,   125
y de un lado al otro pasa
gallardo, vivaz, activo,
don Juan Enríquez de Lara.

Del regimiento ayudante,
y de tan noble y gallarda   130
presencia, que por los ojos
entra a conquistar las almas.

Esclarecido linaje,
de los mejores de España
era el de este caballero,   135
y su riqueza extremada.

En la mies de bayonetas
se descubre su cucarda,
como suele en la de espigas
una amapola lozana.   140

De las mujeres los ojos
doquier síguenlo, y se clavan
en su rostro y en su talle,
en su garbo y en su gracia.
    Su edad a los cinco lustros   145
de seguro, aún no llegaba.
pues sus facciones guarnecen
aún más bien bozo que barba.

* * *

    En rondas y en desafíos,
en pendencias y en batallas,   150
o con razón o sin ella,
siempre era un rayo su espada.
    Y aunque bueno, calavera,
y de ligereza tanta,
que cuanto se le ocurría   155
sin reparo ejecutaba.
    En juego y en francachelas,
y en aventuras galanas,
liberalmente expendía
sus pingües rentas de España.   160
    Era un caballo sin freno,
un demonio en carne humana
en tratándose de amores,
en petándole una dama.
    Siendo ya tantos los lances   165
que en su tierna edad contaba,
que era su famoso nombre
conocido en toda Italia.
    Y en las calles y balcones
le reconocen por fama,   170
y en todas partes se escucha:
«*Ese es don Juan,—Ese es Lara.*»

ROMANCE II

En sus cuarteles dejando
recogidas a las tropas,
los oficiales y jefes   175
sus alojamientos toman.
    Y por las plazas y calles
pasan, cruzan y se informan
de los números y casas,
y de si hay lindas patronas.   180
    Coge don Juan su boleta,
dónde está la casa anota,
y en su fogoso morcillo
para buscarla galopa.
    Al paso dice requiebros   185
a las niñas que se asoman
a los balcones, donaires
a camaradas que topa;
    Atropella a los paisanos,
y las mesillas trastorna,   190
al atravesar la plaza,
de las pobres vendedoras.
    A su alojamiento llega,
que es una casa de forma
donde un caballero anciano   195
muy noble y muy rico mora.
    Mas en ella no hay mujeres,
lo que a don Juan incomoda,
recetando al boletero,
por esta falta, una soba.   200

—Cortés el patrón recibe
al huésped, que en su persona,
urbanidad y despejo,
fina educación denota.

Y en una vivienda rica,   205
do nada falta, le aloja,
rogándole honre su mesa,
y que cual dueño disponga.

Lara admite agradecido
la invitación obsequiosa,   210
y con frases cortesanas
corresponde a tales honras.

* * *

Solo ya con su asistente
se lava, atilda y adorna,
y por registrar la calle   215
a los balcones se asoma.

No era la calle muy ancha,
y estaba desierta y sola,
por ser más de mediodía,
que era de comer la hora.   220

Son las fronteras paredes
las de un convento de monjas,
cuya principal fachada
de arquitectura grandiosa,

A la plaza daba donde   225
hicieron alto las tropas
con sus bandas y banderas,
y marciales ceremonias;

De los altos miradores
viéndolo las religiosas,   230
que no están como en España
en reclusión tan angosta.—

Las espaldas del convento,
frente a la casa en que mora
don Juan, daban pues, y en ellas   235
ventanas y claraboyas.

Con espesas celosías,
que a las miradas curiosas
de imprudentes libertinos
el osado paso estorban.   240

* * *

Hacia una de estas ventanas
maquinalmente se tornan
de Lara los negros ojos,
que fuego mágico brotan,

Y al través de los estorbos   245
juzga ver alguna cosa,
como un bulto negro y blanco,
que su atención fija y roba.

—No se engañó. En el momento
ve que unos dedos asoman   250
por entre las celosías,
y oye una tos sospechosa,

Y una voz sumisa luego
que claro le llama y nombra;
y él corresponde con señas,   255
pues el gozo le rebosa

Pensando que una aventura
rara se le proporciona;
y de cierta ilustre joven,
a quien ha burlado en Roma,   260

Recuerda haber entendido
tener una hermana monja,
que en un convento de Parma
amargas lágrimas llora;

Pues allí la sepultaron, 265
no vocación fervorosa,
sino viles procederes
de un galán que la abandona,
  Luego oye que le preguntan:
«Decid, ¿la calle está sola?» 270
La registra con los ojos,
y contesta: «Sí, señora.»
  Y al punto una celosía
se entreabre, y una persona
que ver no pudo, tiróle 275
un papel que el aire corta.
  Cerrándose aquel resquicio
con rapidez, sin que sombra
ni nada a notarse vuelva
detrás de la claraboya. 280

* * *

  Coge el papel, que traía
dentro una medalla tosca
sólo como lastre o peso,
que era avisada la monja,
  Y con un lápiz escritos 285
en limpia y gallarda forma,
Lara estos renglones halla,
que con los ojos devora.
  «Estaría tan ufana
»con vuestro ligero amor, 290
»como sumida en dolor
»con vuestro olvido, mi hermana.
  »Pues no es abultada, no,
»de vuestro porte galán
»la fama, señor don Juan, 295
»que hasta mi celda llegó.

»Quiero que me conozcáis,
»y verme no os pesará;
»sólo en vuestra mano está,   300
»si de servirme os dignáis.

»Esta tarde al coronel
»da, de vuestro regimiento,
»un agasajo el convento,
»venid, si os place, con él.

»Y en viendo una monja allí   305
»con una rosa en la mano,
»yo soy, yo, que... Pero en vano
»es deciros más aquí.

»Por fuerza encerrada estoy,
»no tengo ni un protector,   310
»y sólo en vuestro valor
»humilde a buscarlo voy.

»Otro papel tendréis luego
»dentro de un escapulario
»que os pondrá el mismo vicario,   315
»tened disimulo, os ruego.

»Y sabed... Mas basta ya.
»sois hidalgo, sois discreto,
»sois español... el secreto
»impenetrable será.»   320

ROMANCE III

EL REFRESCO

En un bajo locutorio
que adornan hermosos cuadros,
y muebles de terciopelo
en forma de regio estrado,

Está el coronel de Guardias   325
con su cruz de Santiago,
y con su azul uniforme
de galones y entorchados.

El capellán le acompaña
de su regimiento, cuatro   330
capitanes ya machuchos,
y el ayudante bizarro.

Del convento la prelada,
parentesco, aunque lejano,
con el coronel tenía,   335
y ha dispuesto agasajarlo.

Y su adhesión y obediencia
al vencedor con tal acto
manifestar, porque puede
convenirle en todo caso.   340

Dos modestos sacerdotes,
y del convento el vicario,
los honores de la casa
haciendo están muy ufanos.

Y con melifluos semblantes   345
al coronel adulando,
y según las graduaciones
a todos los convidados.

* * *

De bronce dorada reja
cierra el anchuroso espacio: 350
lindero entre Dios y el mundo,
término entre el siglo y claustro.

Y detrás está extendido
un cortinón de damasco,
mientras acuden las monjas,   355
de quienes suenan los pasos.

413

—Descórrese la cortina,
después de muy breve rato,
y la comunidad toda
descúbrese al otro lado.   360

Fórmanla unas veinte monjas,
que con los velos echados,
y con las túnicas blancas,
y con los oscuros mantos,

Dan a la reja el aspecto   365
de algún espejo encantado
donde un coro de fantasmas
se ve al conjuro de un mago.

* * *

La prelada alzóse el velo
con señoril porte y garbo,   370
descubriendo un noble rostro,
pero ya sexagenario.

Al coronel un cumplido
hace oportuno, aunque largo,
y manda a las religiosas   375
alzar los velos opacos.

De varios gestos y edades
al descubierto quedaron
los semblantes compungidos,
todos modestos y gratos.—   380

Uno había como un cielo,
de tanta beldad y tanto
atractivo, grave y noble,
que no es fácil ponderarlo.

Tez de nácar y dos ojos   385
como poderosos rayos,
y los dientes como perlas
y como coral los labios.

Y una palidez, y un todo
tan perfecto y sobrehumano,   390
que sin humillarle el alma
era imposible mirarlo.

Esta linda religiosa,
este prodigio, este encanto,
una rosa nacarada   395
llevaba en la diestra mano.

Con lo que Lara los ojos
clavó y cebó en ella incauto,
conociendo ser aquella
la que pretende su amparo.   400

Quedó como queda el ave
bajo el prestigio tirano
de los ojos de la sierpe,
de quien va luego a ser pasto.

* * *

La prelada muy oronda   405
y con gran despejo hablando,
refirió a los circunstantes
las misas y los rosarios

Que por los reyes Borbones
el monasterio ha aplicado,   410
y las predicciones cuenta
de varias santas y santos,

Que aseguran el dominio
de Italia en Felipe y Carlos,
por ser de la madre Iglesia   415
hijos predilectos ambos.

Y luego las monjas todas,
ora en tiple, ora en contralto
mil sandeces refirieron,
mil tontunas preguntaron,   420

Que con rubor escuchaban
los clérigos y el vicario,
retozándoles la risa
a los otros en los labios.

* * *

La que no habló una palabra,   425
indiferencia afectando,
fue la hermosa, que el extremo
ocupaba de un escaño.

Si era pasmoso su rostro,
su talle era tan gallardo,   430
que ni las ropas monjiles
lograban desfigurarlo,

Bien que aún en ellas había
ya negligencia, ya ornato,
una y otro disonantes   435
con la austeridad del claustro.

Y también su alta belleza
demostraba a veces algo
como descompuesto, inquieto,
incomprensible y extraño.   440

Ya retorciendo de pronto
como convulsos los brazos,
ya revolviendo sus ojos
como bizcos y encontrados,

Ya frunciendo el entrecejo,   445
ya mordiéndose los labios;
pero todo pasajero,
rapidísimo, instantáneo.

Haciendo el desagradable
efecto, que en un buen cuadro,   450
la cabeza de una santa
de Murillo o de Ticiano,

Que al resplandor de una vela
se está de noche mirando;
si a un soplo de viento oscila   455
la luz, y todos los rasgos,
    Sombras, perfiles y toques,
se pierden, haciendo acaso
instantáneamente un monstruo
del más prodigioso encanto.   460

* * *

    Un exquisito refresco
de almíbares delicados,
de sorbetes y bizcochos
sirvióse con aparato,
    En su vajilla de plata   465
y sutilísimos vasos
de fábrica de Venecia
con cifras de oro y con ramos.
    Del locutorio ambas partes
fáciles comunicaron   470
dos tornos, que revolvían
veloces a todos lados.
    Dentro servían las legas,
demandaderos y hermanos
afuera obedientes todos   475
a la prelada y vicario.

* * *

    Mediada estaba la tarde,
bajaba el sol al ocaso,
y ser la hora de la lista
los tambores avisaron.   480

417

El coronel levantóse
como militar exacto,
obedeciendo al momento
de las cajas el mandato.

Y con palabras corteses   485
demostrándose obligado
al convento y a las monjas
por su afecto y agasajo,

Se despide; y les ofrece
la protección del muy alto   490
Infante, que de las tropas
coligadas tiene el mando.

La prelada entonces dice
muy obsequiosa: «Anhelamos
yo y mis hijas, que un recuerdo,   495
militares tan cristianos

»Lleven io señor! consigo,
y que pueda ser acaso,
como impenetrable escudo,
bueno en batallas y asaltos.»   500

Y volviéndose a la linda
con noble desembarazo,
«Traed —prosigue— a estos señores
del monasterio el regalo.»

* * *

Despareció, y al momento   505
tornó la hermosa, en las manos
trayendo un rico azafate
con cartas y escapularios.

---

507 *azafate:* «Pieza tejida de mimbres, llana y con poca altura. También se
hace de paja, oro, plata, latón y otras materias», *Dicc. Acad.*

Pasó el azafate el torno,
y el reverendo vicario,   510
siguiendo como discreto
la graduación y los años,
    Fue de cada concurrente
en el cuello colocando
aquella señal bendita,   515
y poniéndole en la mano
    De hermandad sellada carta,
por la cual de los sufragios
e indulgencias del convento
gozarían como hermanos   520
    Pero ¡oh Dios! hay una carta
que no tiene escapulario,
y sin él, como el más joven
y el menos condecorado,
    Queda don Juan, lo que pone   525
en gran apuro al vicario;
y lo nota la prelada,
que dice en tono muy agrio:
    «¡Dios os valga, hermana mía,
y qué mal habéis contado!   530
Os pierde tanta viveza
id por otro escapulario.»
    Corre la hermosa, figura
que donde están va a buscarlo,
y torna al punto con uno   535
que llevaba preparado.
    Lo presenta a la prelada,
ésta se lo da al vicario,
que en el cuello del mancebo
no retarda el colocarlo.   540
    Y el coronel se retira
a la prelada encargando
que el regimiento encomiende,
a Dios y a todos los santos.

ROMANCE IV

«Si a una principal mujer   545
»oprimida, desdichada,
»contra su gusto encerrada,
»queréis, señor, proteger,

   »Esta noche, pues no hay luna,
»a la pared de la huerta,   550
»que da a una calle desierta,
»venid, solo, al dar la una.

   »Y a la parte en que un ciprés
»descuella, hallaréis subida,
»que por allí carcomida   555
»la tapia está, y baja es.

   »Y por dentro una escalera
»ya colocada estará,
»que fácil paso os dará
»a do mi afán os espera   560

   »Mi humilde historia sabréis,
»y entonces, cual caballero...
»Nada exijo, nada quiero,
»sino que me oigáis y obréis.

   »Me parece inoportuno   565
»a un español militar,
»a un hidalgo, asegurar
»que no corre riesgo alguno.

   »Y encargarle por su honor
»que eterno el secreto guarde   570
»No puedo más, que es muy tarde,
»hasta la noche, señor.»

Esto la carta decía
que don Juan con ansia grande
sacó del escapulario   575
donde nunca debió hallarse.

Y que leyó varias veces
como si acaso dudase,
de que ser cierto pudiera
un empeño tan notable   580

* * *

Encerrado en su aposento
está como delirante,
midiéndolo a largos pasos
y lo que ha de hacer no sabe,

Que es el violar la clausura   585
sacrilegio formidable
piensa, y se detiene un punto,
mas luego pasa adelante.

Y la beldad de la monja,
y su discrección y talle,   590
y la opresión en que gime,
y su arrojo de citarle

Recuerda, y ya se resuelve;
cuando le ocurre lo grave,
lo criminal, lo espantoso   595
del paso a que va a arrojarse,

Que no hay momento seguro
de existencia en los mortales,
y que la justicia eterna
todo lo castiga y sabe.   600

Va a desistir. Mas le asusta
que la nota de cobarde,
si no acomete la empresa,
con la dama ha de quedarle.

Y en su edad, salud y brío   605
juzga estar lejos el trance,
en que basta arrepentirse
al hombre para salvarse.

A su siniestra un demonio
tiene, y a su diestra un ángel   610
que él no ve, pero que escucha
aunque le hablan sin hablarle.

¡Ay de Lara! El pecho cierra
al bálsamo saludable,
y al mortífero veneno   615
¡triste humanidad! lo abre.

«Iré, vive Dios, lo juro»,
alto exclama; que aunque nadie
con él esté, bien conoce
que le contradice alguien.   620

* * *

La ciudad·un gran sarao
a los jefes y oficiales
daba aquella noche misma
con música, cena y baile.

Y Lara asiste un momento,   625
de su ligero carácter
dando, como siempre, pruebas,
esmerado en porte y traje.

Pero hubieran advertido
unos ojos penetrantes,   630
que en su locuaz alegría
y movimientos marciales,

De afectado y violento
daba muestras su semblante,
porque voces interiores   635
no cesaban de asustarle.

* * *

    Era media noche en punto
cuando dejó Lara el baile,
y dos veces volver quiso
al verse solo en la calle.   640
    Mas resuelto, va a su casa
do toma su capa, y sale
seguido de su asistente,
a quien mandó acompañarle,
    Por la ciudad, que dormía,   645
sin que otro rumor sonase
que el eco de los violines
o de algún búho los ayes,
    Vaga el joven como loco,
porque el demonio y el ángel   650
dentro de su mismo pecho
aún empeñados combaten.
    Del eterno los juicios
santos son e inexcrutables.
Sonó en el reloj la una   655
y decidióse el combate.

* * *

    Lara del convento llega
a los humildes tapiales,
que allí atienda a su asistente
manda, y decidido parte.   660
    El ciprés erguido mira,
que taladrando los aires,
aparece entre las sombras
vago, aterrador gigante.

---

659 *aguarde*, 1854.

La pared registra, advierte   665
derruidos los sillares
de la planta, los ladrillos
descarnados, desiguales.

Tienta, y ve que ofrecen paso,
y que aun ya lo han dado antes;   670
audaz trepa, y en la barda
llega pronto a cabalgarse.

Le pasma el hondo silencio
y la oscuridad fragante
de aquel huerto, que domina   675
sin ver nada. Escucha el suave

Murmullo de agua corriente,
y de las hojas que el aire
mece con su dulce soplo...
¡Ay! aún puede retirarse.   680

Mas no se retira. Encuentra
cerca con los dos varales
de una escalera de mano.
En ella logra afirmarse;

Desciende sin saber dónde,   685
y al tocar la tierra, sale
de detrás de un tronco, un bulto
que por el brazo le ase

Con una mano convulsa;
y una voz, que apenas sabe   690
si es voz, le dice: «*Seguidme*»,
y anda el bulto sin soltarle.

Por la confusión medrosa
de tinieblas impalpables
a tal hora, con tal guía,   695
y sin saber a qué parte

Va Lara, como caminan
tras su destino inmutable
sin verlo, del ciego mundo
por las sombras, los mortales.   700

ROMANCE V

LA MONJA

De una reducida celda
en el estrecho recinto,
que un claro velón alumbra
encima de un pajecillo,
   Se encuentra confuso Lara,   705
cual por encanto metido
con la misteriosa guía
que le ha llevado a aquel sitio.
   Mira en derredor, y encuentra
a un lado un lecho mezquino,   710
al otro un reclinatorio
y sobre él un crucifijo.
   Dos muy capaces armarios
de nogal negro, un antiguo
escritorio, y taburetes   715
por la pared repartidos.
   Y en medio un bufete halla
cubierto de mantel fino,
con tortas, bizcochos, dulces,
conservas y pastelillos,   720
   Dos copas y dos redomas,
que una de agua, otra de vino
parecen, y dos cubiertos
todo muy pulcro y prolijo.

---

704 *pajecillo:* «Bufete pequeño en que se ponen los velones y candelabros»,
Dicc. Acad.
710 *muy limpio, 1854.*
718 *fino, 1854.*

La vista enseguida clava   725
en quien allí le ha traído,
que ya al descubierto ostenta
de su porte el atractivo.
    Y si pensó aquella tarde
que era un sol el rostro lindo   730
de la monja, ahora lo juzga
un encantador prodigio.

                    * * *

    Depuestos el velo y manto
descubre todo el hechizo
de su esbelto y noble talle,   735
de su donaire y su brío.
    Y como no la contienen
los importunos testigos,
que acaso en el locutorio
de sus gracias fueron grillos,   740
    Ostenta todo el tesoro
que el cielo donarle quiso
de belleza y gallardía,
y el de sus modales finos.
    Con sonrisa seductora   745
y con ojos expresivos
se acerca a don Juan, que mudo
se ve cual jamás se ha visto,
    Le ase amorosa una mano,
y «Descansad, señor mío,   750
tomad algún refrigerio,
y estad seguro y tranquilo»,
    Le dice. Blanda le acerca
a aquel bufete provisto,
y le ruega que se siente   755
con gran ternura y cariño.

Lara torna en sí, se esfuerza,
recobra el genio nativo,
y lo pasado y futuro
dando ligero al olvido,   760

De su temor se avergüenza,
sonrójase de sí mismo,
y de sólo lo presente
entrégase a los delirios.

Y «No extrañéis, señora,   765
¡oh sol, oh encanto divino!
—dice— se muestre cobarde
con su señor el cautivo.

»Ni que dude de tal dicha
quien de ella se juzga indigno,   770
y piensa que es el juguete
de un ensueño fugitivo.

»Un volcán arde en mi pecho,
su fuego solo respiro,
y jamás sentí en el alma   775
más delicioso martirio.

»Vos sola, vos...» Levantóse
tan resuelto de improviso,
que atrás la monja dos pasos
dio con ademán esquivo,   780

Y lanzando una mirada
de indignación y desvío,
en tono grave y resuelto
«Teneos, ¿qué hacéis?» le dijo.

El militar arrogante,   785
aterrado y confundido
a ocupar volvió su silla
más humilde que un novicio.

Pasmado de que un semblante
pueda tener tal prestigio,   790
que baste a imponerle freno
a tal hora y en tal sitio.

* * *

La monja ya asegurada
de que tiene poderío
para anonadar los planes   795
de aquel audaz libertino,
    Torna a desplegar astuta
sus encantos y atractivos.
Siéntase enfrente de Lara,
y en él ambos ojos fijos,   800
    Le alarga un tierno bizcocho
y le excita el apetito,
diciéndole que ella misma,
con cuidado muy prolijo
    Lo ha elaborado anhelosa,   805
del dulce más exquisito,
para regalo del huésped
que en su socorro ha venido.
    Lara, otra vez recobrando
su suelto y marcial estilo,   810
lo come, y aún otro toma,
lo que da gran regocijo
    A la engañadora maga,
que echa en una copa vino
y le dice: «Este es regalo   815
que la Navidad me hizo
    »Mi hermana, señor, mi hermana;
apurad gozoso el vidrio,
y gane el licor por suyo
lo que pierda por ser mío.»   820

«Brindemos por ella entrambos»,
contesta don Juan, y fino
va a servirle en la otra copa.
Mas ella estórbalo, y dijo:

«Brindaré con agua pura, 825
que aunque es muy suave este vino,
por no estar acostumbrada
pudiera serme nocivo.»

Don Juan el agua le sirve,
y bebe ella al tiempo mismo 830
que el otro el bálsamo apura,
que era añejo y exquisito.

«De Chipre es, y es excelente
—dice don Juan ¡vive Cristo.»—
«El comendador de Malta, 835
que vos conocéis, mi tío,

»En su galera lo trajo
cuando volvió del Egipto»,
contestó la religiosa
con un gracioso remilgo. 840

«Es un néctar», dice Lara,
y otra copa llenar quiso,
mas la monja le detiene
con un afable sonriso,

Diciéndole: «La cabeza 845
fuerza es conservar y el tino,
que aún nos queda que hacer mucho
y es el tiempo fugitivo.»

Lara aquella mano toma,
que le ataja, y expresivo 850
en ella imprime los labios,
y se da por convencido.

* * *

La monja se alza, y severa.
«Señor don Juan, es preciso
—dice— no perder momento   855
y que se cumpla el designio

»Con que os he dado esta cita,
a que habéis correspondido.
Vais a hacer un gran viaje,
para hacerme un gran servicio.   860

»Y por ahorrarme palabras,
y que sepáis por vos mismo
mis más ocultos secretos,
y la protección que exijo,

»Abrid aquel grande armario,   865
no vaciléis, os suplico,
y ayudadme cual valiente:
abridlo, don Juan, abridlo.»

Subyugado por el tono
del mandato imperativo,   870
y por demostrar que nada
atemoriza su brío,

Va don Juan, abre el armario,
y a sus pies cae al abrirlo,
de un caballero el cadáver   875
con ricas ropas vestido.

Queda helado, queda mudo,
queda transformado en risco,
en tan espantoso objeto
los ojos clavados, fijo.   880

Cuando oyó la voz tremenda
de la monja, que el rugido
le parece de una tigre,
o de voraz hiena el grito,

Que de este modo le explica   885
hallazgo tan imprevisto,
alumbrando con un rayo
aquel ciego laberinto.

«Ese objeto que os asombra
una víctima es, don Juan,   890
de su infame alevosía,
de su perfidia falaz.

»Un ejemplo de que nunca
hembras de mi calidad
los engaños y traiciones   895
sin venganza sufrirán.

»Con sus fingidas palabras,
ése, que no es nada ya,
logró rendir mi altiveza,
logró oprimir mi beldad,   900

«Logró encender en mi pecho
un infierno, no un volcán;
y un gran pecho no se inflama
impunemente jamás.

»Mi amor, que era inapreciable,   905
pagó con iniquidad,
y mis grandes sacrificios
con un engaño infernal;

»Ante Dios, en los altares,
con otra, que no es mi igual   910
en sangre ni en hermosura,
pero que en ventura es más.

»Ligó su suerte, poniendo
entre él y yo por su mal,
un insuperable monte,   915
un embravecido mar;

»Lloré, maldije, encontréme
de la muerte en el umbral,
que la violencia del golpe
me hundió en una enfermedad;   920

»Y por no ser el objeto
de la burla general,
de los sarcasmos del mundo,
de la charla popular,

»Me encerré en estas paredes,　　　　925
donde he sabido pasar,
preparando mi venganza,
tres largos años en paz.

»Y la he logrado. El aleve
vino por casualidad　　　　930
de esta asoladora guerra
abrigo en Parma a buscar.

»Lo supe, todos sus pasos
hice perseguir sagaz,
el señuelo de un billete　　　　935
atrajo su liviandad;

»Y por esa tapia misma
que os abrió paso, don Juan,
y por el mismo camino
que os ha conducido acá.　　　　940

»Cenó, cual vos, a esa mesa,
y a mi ruego pertinaz
brindó con vino de Chipre
como acabáis de brindar;

»Y en ese lecho una muerte　　　　945
al instante tuvo, tan
espantosa, que aun me gozo
con su agonía final.

»Encerrado en ese sitio
hace dos días está,　　　　950
que falta de fuerza, en vano
lo he pretendido sacar.

»En este terrible apuro
llegasteis, os vi galan,
enamorado, valiente,　　　　955
al bien dispuesto y al mal:

»Y sabiendo que a mi hermana
habéis osado burlar
(asunto que para luego
suspendido quedará);   960
   »De todos mis planes juntos
vi cerca la realidad,
y hasta os trajo mi fortuna
tan cerca de aquí a morar.
   »Y os he llamado a mi celda,   965
(cuando juzgabais quizás,
que a ser dichoso en mis brazos)
un cadáver a enterrar.
   »Sus, al punto en vuestros hombros
esa carga colocad;   970
y si osáis mover la lengua
o hacer de no el ademán,
   »Vive Dios que esta pistola,
áspid fiero de metal,
con su ponzoña o su fuego,   975
ceniza, nada os hará;
   »Y en vez de uno habrá dos muertos,
que otro menguado a sacar,
enredado con mis artes,
cual ése y cual vos, vendrá.»   980
   Aterrorizado Lara,
viendo a la furia o vestiglo
que le apunta una pistola,
pronta a vomitar el tiro.
   Y sintiendo por instantes   985
un fuego lento en sí mismo
que le abrasa las entrañas,
que le turba los sentidos,

---

973 «¡Vive Dios!»: la monja jura aquí como un hombre. Los versos 973-976
recuerdan otros de *La vida es sueño* (acto 1, esc. 3): «o aquesta pistola, áspid / de
metal, escupirá / el veneno penetrante / de dos balas...».
982 *vestiglo:* «Monstruo fantástico horrible», *Dicc. Acad.*

Por salir al aire libre
de aquella celda o abismo,   990
donde del infierno juzga
escuchar los roncos gritos,
    Obedece; y en sus hombros
coloca el cadáver frío,
y sigue tras de la monja   995
acobardado y sumiso.

ROMANCE VI

ALGO MÁS

    Allá en un bajo terreno
de la huerta, hacia una punta
que tapias y matorrales,
y espesos troncos ocultan;   1000
    Envuelta en su velo y manto
está la tal monja, o furia,
como aterrador fantasma,
de pie y con la boca muda.
    En la mano una linterna   1005
tiene, que en sombras confusas
deja escondido su cuerpo,
y con luz de infierno alumbra
    A sus pies, delante de ella,
una zanja o sepultura,   1010
que don Juan con una azada
está haciendo más profunda.
    Se ve en uno de sus bordes
el cadáver y resulta
un cuadro raro, espantoso,   1015
de un efecto que espeluzna.

Reina silencio profundo,
y solamente se escucha
el grave vuelo y los ayes
de una agorera lechuza;   1020
    Y los golpes de la azada
que entre la tiniebla oscura,
a la luz de la linterna
con vivas chispas relumbra.

                    * * *

    Que sus fuerzas desfallecen,   1025
que su helada frente suda
siente don Juan, y el trabajo
harto espantoso apresura.
    Cuando la monja bastante
el hoyo a su intento juzga,   1030
la linterna levantando
sus luces derrama astuta
    De don Juan en el semblante,
para examinar si alguna
señal da ya del efecto,   1035
que por momentos calcula.
    Y algo vio, pues presurosa
dijo: «Ya es harto profunda
la huesa; echad el cadáver,
y que esa tierra lo cubra.»   1040
    Y la linterna dejando
sobre la hierba, le ayuda
con los pies y con las manos
a llenar la sepultura.
    Y así que quedó el terreno   1045
igual, sobre él acumula
hojas, ramajes y piedras
que el fresco trabajo encubran.

Encarando nuevamente
la luz a la faz adusta
de don Juan, lo que esperaba
advirtió en ella sin duda

pues con satánica risa,
«¿Estáis cansado?», pregunta,
Lara contestarla quiere,
mas la lengua se le anuda.

La monja reconociendo
que el habla le dificulta
ya el estertor que lo ahoga,
urgir los momentos juzga.

Ya ve sus planes cumplidos,
y que ya nada aventura
con quien está que no puede
revelar cosa ninguna.

Y la linterna soltando,
saca, amartilla y apunta
a don Juan una pistola,
y estas palabras pronuncia:

«Cumplisteis con vuestro empeño,
yo con mi venganza justa,
pues al alevoso encierra
el secreto de esta tumba.

»Y también está vengada
mi hermana infeliz, que nunca
sin venganza se han quedado
las hembras de nuestra alcurnia.

»Ahora marchad; salid luego
por do entrasteis en mi busca.
Salid, a tener descanso
de tan laboriosa angustia.»

1050

1055

1060

1065

1070

1075

1080

En tanto que aquesto dice
a que se mueva le ayuda,
que ya es llegado el momento
y la detención le asusta.

Lara, de quien los sentidos   1085
se confunden y se turban,
de quien se traba la lengua,
de quien los oídos zumban,

Anhela tan solamente
alejarse de tal furia,   1090
y salir de aquel infierno
en donde un monte le abruma.

De una horrenda pesadilla
ser presa se le figura
y por despertarse de ella   1095
el desventurado lucha.

* * *

Tropezando en cada mata,
y por más que lo procura,
sin que en gritar le obedezca
la lengua helada y convulsa;   1100

Más que ayudado, arrastrado
por la monja furibunda,
hacia el lugar consabido,
entre las sombras oscuras,

Llega al ciprés. La escalera   1105
está en la tapia. Con suma
fatiga sube; su guía
con brazos y hombros le ayuda.

1084 *la, 1854.*
1092 *lo, 1854.*

Y al verle sobre la barda
así en ronca voz le insulta,   1110
retirando la escalera
con la que a don Juan empuja:
    «Sabed, menguado, que el vino
de Chipre, que tanto os gusta,
con el agua de Tofana   1115
se confecciona y se endulza.»

* * *

Lara a la parte de afuera
por la tapia se derrumba,
cae a la calle, arrastrando
andar por ella procura.   1120
    Tardamente lo consigue,
entre visiones confusas,
devorado de dolores
que el cuerpo le descoyuntan;
    Abrasadas las entrañas,   1125
porque ya sólo circula
fuego en sus venas. Al cabo
llega con fatiga mucha

1109 *verlo, 1854.*

1115 «Bajo el pontificado de Alejandro II descubrióse una secreta compañía de envenenadoras, que, presididas por una vieja maga, Spara de nombre, había causado la muerte de muchos maridos de quien públicamente se sabía no vivían en gran acuerdo con sus mujeres. Cinco envenenadoras sufrieron pena capital, y según se dijo, la Spara confesó que aprendiera su secreta manera de veneno enseñada por la propia inventora Toffana, a quien había conocido en Palermo, donde se vendía la tal agua en pequeños frascos de cristal con la leyenda: *Manna de S. Nicolo de Bari,* ornados de la imagen de este santo.

La Toffana, que al descubrirse esta compañía de la Spara, vivía retirada en un monasterio, confesó, luego de sufrir tormento, cómo había dado muerte a muchísimas gentes, y entre ellas los Papas Pío III y Clemente XIV. *L'acquetta,* que también se le decía así, era un líquido transparente e incoloro que obraba con lentitud y a tiempo fijo, que podía calcularse a conveniencia. Nunca se supo su composición, suponiéndose tan sólo que pudiera ser una disolución de ácido arsénico mezclado con otras substancias.» (Nota de Rivas Cherif.)

438

Do el soñoliento asistente
le espera, sin que presuma 1130
de dónde viene su amo,
ni qué es lo que le atribula.

Que de alguna francachela
ebrio sale, se figura,
como suele, y lo levanta, 1135
sin susto, por darle ayuda.

Alzó un cadáver... La monja
en calcular era ducha
la maldita agua Tofana,
invención que Dios confunda. 1140

Bailén

AL EXCMO. SEÑOR

DON FRANCISCO JAVIER CASTAÑOS,

Duque de Bailén

ROMANCE I

SEVILLA

A la capital risueña
de la andaluza comarca,
que Hércules fundó de Betis
sobre las fecundas aguas,
La que cercó Julio César   5
de muros y torres altas,
la que ganó San Fernando
con Garci-Pérez de Vargas;
A la opulenta Sevilla,
la del encantado alcázar   10
la del magnífico templo,
la de la torre gallarda,

440

emporio de la riqueza,
de claros ingenios patria,
y que en los brazos dormía   15
de la paz y la abundancia;
    Llega de cálido polvo
dejando en pos nube blanca,
que los caños de Carmona
a la vista borra y tapa,   20
    Un anhelante correo
en una sudosa jaca,
cuyo ijar la espuela rompe,
y a quien da un látigo alas.
    El rostro como de azufre,   25
los ojos como de brasa,
demuestran que es mensajero
de peligros y desgracias.

                    * * *

    En corto momento esparce
nuevas de tal importancia,   30
vértigo tan repentino,
y tan mágicas palabras,
    Que la ciudad toda altera,
que la ciudad toda alarma,
y la dormida laguna   35
en mar borrascoso cambia.
    Súbito clamor confunde
las antes tranquilas auras,
y agitado el pueblo inmenso
hierve en las calles y plazas.   40
    Plebeyos, nobles y grandes,
canónigos, hombres de armas,
frailes, doctores, artistas,
traficantes y garnachas,

44 *garnachas*: la gente de leyes, los togados.

441

Sólo un cuerpo humano forman   45
donde sólo vive un alma,
que un solo afán precipita,
y que un solo grito lanza.
    No hay ya opuestos intereses,
no hay ya clases encontradas,   50
no hay ya distintos deseos,
no hay ya opiniones contrarias,
    Ni más pasión que la ira,
ni más amor que la patria,
ni más anhelo que guerra,   55
ni más grito que *¡Venganza!*

* * *

Palacios, talleres, templos,
conventos, humildes casas,
academias, tribunales,
lonjas, oficinas, aulas,   60
    Tórnanse en cuartel inmenso
donde sólo crujen armas,
sólo retumban tambores,
sólo se alistan escuadras.
    Plumas, estevas, ciriales,
pesos, báculos y varas.
y hasta abanicos y agujas
se convierten en espadas.
    En *guerra y muerte* terminan
de los templos las plegarias.   70
Terminan en *guerra y muerte*
los procesos y contratas.
    En *guerra y muerte* concluyen
de amor las dulces palabras,
y desde el sabio discurso   75
hasta las vulgares charlas.

442

¡Vamos a matar franceses!
prorrumpe con fiera audacia
turba de inocentes niños,
que hace fusiles de caña.   80
    ¡Vamos a matar franceses!
dice el anciano, que arrastra,
del báculo con la ayuda,
de un siglo entero la carga.
    !Vamos a matar franceses!   85
grita el joven, que la espalda
del potro indómito oprime
blandiendo una antigua lanza.

                    * * *

    De la gran ciudad cabeza,
la gigantesca Giralda,   90
con lengua de eterno bronce,
cuya voz seis leguas anda,
    Al huracán ensordece,
sobrepuja a las borrascas,
conmueve la baja tierra,   95
y el firmamento traspasa,
    Guerra pregonando al mundo,
a guerra convoca y llama
a toda la Andalucía,
a toda la extensa España.   100
    Y ciñe la erguida frente,
al llegar la noche opaca,
de una corona de hogueras,
que viento y lluvias no apagan:
    Bandera del fuego santo   105
que se ha encendido a sus plantas,
Cráter del volcán tremendo,
que en la gran Sevilla estalla.

                                            443

ROMANCE II

LA AGRESIÓN

De oro, de hierro, de barro
inmensurable coloso,   110
la frente en las altas nubes,
el pie en los abismos hondos;
De infierno, de cielo y tierra,
un incomprensible aborto,
un prodigioso compuesto   115
de ángel, de hombre y de demonio,
Alzó de Francia perdida,
con su brazo portentoso,
para en él tomar asiento
el despedazado trono.   120
Ídolo de doce siglos,
y de cien monarcas solio,
que desparecer vio el mundo
terrorizado y absorto
Cuando crímenes, virtudes,   125
pasiones, furias, enconos,
saber, ignorancia, errores,
héroes, gigantes y monstruos,
De sangre en un mar lo ahogaron
y bajo un monte de escombros   130
lo sepultaron y hundieron
con universal trastorno.
Alzóle pues (para tanto
Dios le dio fuerzas a él solo)
y aun juzgó para su mole   135
pedestal tan grande poco.

444

Y desde él mandaba el mundo
llevando de polo a polo
de tempestades armada
la fuerte mano a su antojo,   140

    Con un millón de soldados
a quienes él daba el soplo
de vida, y con su gran nombre
un talismán prodigioso.

    Con un ceño de su frente,   145
con un volver de su rostro,
desparecían imperios
y se trastornaba el globo.

                    * * *

    Este portento, este numen
de bien, de mal, de uno y otro,   150
tornó al tranquilo Occidente
los asoladores ojos.

    Y vio a la fecunda España,
la cosechera del oro,
quemando en su altar inciensos,   155
por su gloria haciendo votos;

    En actitud tan humilde,
de entusiasmo en tal arrobo,
que era poderosa ayuda,
sin poder ser nunca estorbo;   160

    Y de amiga bajo el nombre
tan adoradora en todo,
que sangre, riqueza, fama
juzgaba holocausto corto.

    Mas prevaleciendo acaso   165
en el pecho del coloso
la parte aquella de infierno,
y la maldad de demonio,

                                        445

Gritó: «Yo no quiero amigos,
porque esclavos quiero sólo,
¿cómo aún está enhiesta España?...
Póngase ante mí de hinojos.

»Bese mi soberbia planta,
hunda la frente en el polvo,
y el palacio de sus reyes
de escabel sirva a mi trono.»

Dijo, y de armas y guerreros
por el Pirene fragoso
torrente tremendo baja
al hispano territorio.

* * *

Tal vez la celeste parte
le dio a conocer de pronto
que iba a despertar leones
con armígero alboroto.

Y la otra parte mezquina
de hombre, tierra, fango y lodo
le decidió a usar del fraude,
de la perfidia y del dolo.
Enmascaró sus legiones,
dio mentido aspecto al rostro,
vistió de oliva las armas,
llamó tierno amor al odio;

Y cuando en abrazo inicuo
ahogó traidor y alevoso
a los príncipes incautos,
que en él buscaron apoyo;

Y del regio Manzanares
en el coronado emporio
en exterminio el halago,
la oliva tornó en abrojos;

170

175

180

185

190

195

200

Hospitalidad, caricias,
bendiciones y tesoros
pagando con hierro, muerte,
incendios, estupros, robos;
Se derramaron sus huestes   205
a asegurar el despojo.
a encadenar toda España,
juzgando vencido todo.
    Y ya de Sierra Morena
humillan con fiero gozo   210
la alta cerviz, y registran
con desvanecidos ojos
    De Guadalquivir fecundo
los encantados contornos,
a que preparan insanos   215
la esclavitud y el oprobio.
    Y aparecen a lo lejos
tan aterradoras como
la encapotada tormenta,
que en alas del viento ronco,   220
    De ardientes rayos preñada
anuncia con truenos sordos
que a asolar viene los campos,
y las riquezas de agosto.
    He aquí la angustiosa nueva   225
y el conjunto que de pronto
causó en la noble Sevilla
tan impensado trastorno.

ROMANCE III

LA VICTORIA

¡Bailén!... ¡Oh mágico nombre!
¿Qué español al pronunciarlo   230
no siente arder en su pecho
el volcán del entusiasmo?

¡Bailén!... La más pura gloria
que ve la historia en sus fastos,
y el siglo presente admira,   235
sentó su trono en tus campos.

¡Bailén!... En tus olivares
tranquilos y solitarios,
en tus calladas colinas,
en tu arroyo y en tus prados.   240

Su tribunal inflexible
puso el Dios tres veces santo,
y de independencia eterna
dio a favor de España el fallo.

* * *

Incline la tierra   245
su mísera frente
al omnipotente
de Francia señor.
¡Viva el Emperador!

Es Dios de la guerra,   250
y de polo a polo
su brazo tan sólo
será el vencedor.
¡Viva el Emperador!

448

Segura tenemos   255
aquí la victoria,
sin riesgo, sin gloria,
pero rica asaz.

Marchemos, gocemos
las grandes riquezas,   260
e insignes bellezas
de España feraz.

¿A Francia gloriosa
quién hay que lo estorbe?
Rendido está el orbe   265
a su alto valor.
¡Viva el Emperador!

Su ley poderosa
la España reciba.
Avancemos. ¡Viva   270
de Francia el señor!
¡Viva el Emperador!

Así en infernales voces
los invencibles que hollaron,
sembrando exterminio y muerte,   275
la Europa del Neva al Tajo,

Las silenciosas cañadas,
y los fecundos collados
de Bailén, al sol naciente
con gozo infernal turbaron,   280

De clarines y tambores
de armas, cañones y carros,
relinchos y roncos gritos
tormenta horrenda formando;

Mas sin saber que una tumba   285
era el espacioso campo
por donde tan orgullosos
osaban tender el paso.

* * *

De repente de la parte
del sur el viento les trajo   290
rumor de armas y de hombres,
y los ecos de este canto:

«Ya despertó de su letargo
de las Españas el león,
antes morir que ser esclavos   295
del infernal Napoleón.

¡Viva el rey, viva la patria
y viva la religión!»

Y aparecen los guerreros
del Guadalquivir preclaro,   300
sin pomposos atavíos,
sin voladores penachos.

La justicia de su parte
y la razón de su bando,
con Dios en los corazones   305
y con el hierro en las manos,

Y aunque en la guerra bisoños,
y aunque con orden escaso,
llevan resuelto a su frente
al valeroso Castaños.   310

Los fieros debeladores,
de la Europa asombro y pasmo,
los fuertes, los invencibles
de mil triunfos coronados,

De limpio acero vestidos,   315
con oriental aparato,
de oro y dominio sedientos,
de orgullo bélico hinchados,

Y teniendo a su cabeza
la sien ceñida de lauros   320
a Dupont, caudillo experto,
duro azote del germano,

---

311 *debeladores:* vencedores.

450

Ven con desdén y desprecio
como a inocente rebaño,
que al matadero camina,   325
y piensa que va a los prados,
    Una turba que ha dos meses
en el taller y el arado,
ni cargar una escopeta
era posible a sus manos.   330
    Y en carcajadas de infierno
y en burladores sarcasmos
prorrumpen, y furibundos
al fácil triunfo volaron.

                    * * *

    ¡No tan fácil! Bramadoras   335
las ondas del Oceano
del huracán empujadas
tienden el inmenso paso.
    Raen las arenas profundas
de los abismos, al alto   340
firmamento, entumecidas,
van a encontrar a los astros.
    Tragan voraces y rompen
y aniquilan todo cuanto
pone a su furor estorbo,   345
pone a su curso embarazo.
    Y en la humilde y blanda arena,
o en el informe peñasco
donde el dedo del Eterno
escribe: Hasta aquí, pedazos   350
    Se hace su furia espantosa,
se estrella su orgullo insano,
y en espuma rota vuela
su poder, del orbe espanto.

                                            451

«El español ardimiento,   355
su fe viva, su entusiasmo
sean la meta del coloso»;
Pronunció de Dios el labio

    Y lo fueron. Los valientes
de luciente acero armados,   360
los granaderos invictos,
los belígeros caballos,

    Los atronadores bronces
y los caudillos bizarros
que las elevadas crestas   365
de Mont-Céni y San Bernardo

    Camino fácil hicieron;
que las ondas humillaron
de Vístula, y del Danubio,
del Mosa, del Rhin y el Arno,   370

    No pueden la mansa cuesta
trepar del collado manso
de Bailén, ni al pobre arroyo
del Herrumbral hallar vado.

    Y los que mares de fuego   375
intrépidos apagaron,
y muros de bayonetas
hundieron con un amago,

    Del español patriotismo
a los encendidos rayos,   380
al hierro de los bisoños,
al tiro de los paisanos

    No osan resistir. Desmayan
y se fatigan en vano;
retroceden, se revuelcan   385
en tierra hombres y caballos

    Y las águilas altivas
humillan el vuelo raudo
ensangrentadas sus plumas,
hasta perderse en el fango.   390

Y rendidas las legiones,
que al universo humillaron,
encadenadas desfilan,
vuelta su gloria en escarnio,
Ante turba que ha dos meses   395
en el taller y el arado,
ni cargar una escopeta
era posible a sus manos.

* * *

¡Viva España! gritó el mundo,
que despertó de un letargo.   400
Al grande estruendo apagóse
en el firmamento un astro.
Y al tiempo que ante las plantas
del noble caudillo hispano
Dupont su espada rendía,   405
y de sus sienes el lauro,
Desde el trono del eterno
dos arcángeles volaron.
Uno a dar la nueva al polo
su nieve en fuego tornando,   410
Otro a cavar un sepulcro
en Santa Helena, peñasco
que allá en la abrasada zona
descuella en el Oceano.

453

La vuelta deseada

ROMANCE I

Entre aquellos olivares
que Torreblanca domina,
y ciñen de un lado y otro
el camino de Sevilla,
    Por un atajo atraviesa,   5
para llegar más de prisa,
una carretela verde
con una gran baca encima;
    Toda cubierta de barro,
tableros, muelles y viga,   10
de barro seco y reciente,
y de tierras muy distintas.
    Cuatro andaluces caballos,
que en torno lodo salpican,
en humo y sudor envueltos   15
de ella presurosos tiran;
    Y del postillón las voces
con que los nombra y anima;
del látigo los chasquidos,
que los acosan y hostigan   20

El son de los cascabeles,
y el de las ruedas que giran
rápidas, tras sí dejando
dos huellas no interrumpidas;
Forman estruendo confuso,   25
y que viene posta avisan
a los carros y arrieros,
que hacia un lado se desvían.
Dentro de la carretela
un hombre aún joven camina,   30
que revuelve a todos lados
la desencajada vista.
Es Vargas: alegre torna
de su patria a las delicias,
después de vagar seis años   35
emigrado en otros climas.
Antiguos amigos halla
en cuantos objetos mira,
y en árboles, tapias, lindes,
dulces memorias antiguas: 40
Lo pasado y lo presente
anudando va, y delira
entre esperanzas risueñas
y entre ya pasadas dichas.

* * *

Trastornos, persecuciones,   45
desventuras, injusticias,
en sus más floridos años
le arrancaron de Sevilla,
Abandonando riquezas,
honores, nombre y familia,   50
y dejándose allí el alma
en el pecho de Jacinta.

Jacinta, encanto y adorno
de toda la Andalucía;
y por sus luengas pestañas,   55
por su apacible sonrisa,

Por los graciosos hoyuelos
que avaloran sus mejillas,
por su cuerpo primoroso
y por sus formas divinas,   60

Por su gracia y su talento
y su modestia expresiva;
el hechizo de los hombres,
de las mujeres la envidia.

Dieciséis años contaba,   65
cuando Vargas ¡alta dicha!
logró conmover su pecho
y agitar su alma sencilla,

Al par que el amable joven
ardió en la pasión más viva,   70
al mirar a una doncella
tan inocente y tan linda,

En sus puros corazones
creció desde la hora misma,
y el trato y correspondencia   75
acrecentó en pocos días,

Un primer amor de aquellos
que las estrellas combinan,
amor que de dos personas
el destino eterno fija.   80

En los lazos de himeneo
a unirse dichosos iban,
con el aplauso felice
de sus contentas familias;

Cuando se alzó tronadora   85
la borrasca embravecida,
que ¡infelices! confundiólos
del infortunio en la sima.

La Giralda de Sevilla

    Seis años ¡oh cuán eternos!
Vargas por tierras distintas   90
huyó infelice, luchando
del Destino con las iras,
    Sin encontrar de consuelo
ni de esperanza mezquina,
un solo sueño de noche,   95
un solo rayo de día.
    Las extranjeras beldades
estatuas le parecían,
las ciudades opulentas
que el orbe humillado admira,   100
    Desiertos... ¡Ay! pero puede
feliz llamarse en sus cuitas,
venturoso en su destierro,
fortunado en sus desdichas.
    Creció el amor con la ausencia   105
en el pecho de Jacinta,
que la distancia y el tiempo
al que es verdadero afirman.
    De cuando en cuando se cruzan
papeles que lo acreditan,   110
cartas trazadas con llanto,
cartas con el alma escritas.

ROMANCE II

* * *

    Todo en el mundo es mudable,
ni el bien ni el mal son eternos:
la apacible primavera   115
sigue al rigoroso invierno;

A la oscura noche el día,
y a la borrasca, que al cielo
empañó con densas nubes
y asustó con rudos truenos,   120
    La calma serena y pura.
Así suelen a los tiempos
de desventuras y llantos
seguir de paz y consuelo.

    Del Rhin en la orilla helada,   125
abrumado de sí mesmo,
Vargas proscripto gemía
su fortuna maldiciendo;
    Cuando noticias recibe
de que la patria le ha abierto   130
las puertas... Júzgalo absorto
ilusión de su deseo.

    Mas Jacinta se lo escribe,
y cuanto ella dice, es cierto.
Otra carta... de la madre   135
de Jacinta... que al momento
    Vuele a Sevilla, le ruega,
en donde dará Himeneo,
el día de su llegada,
a tan constante amor premio.   140

* * *

    No la paloma, que presa
llora en doloroso encierro,
si acaso un resquicio mira,
tiende apresurado el vuelo
    Hacia el palomar y nido,   145
en donde vio el sol primero;
ni el torrente, a quien contuvo
el malecón interpuesto,

En cuanto lo encuentra roto,
se arroja a su antiguo lecho,   150
y por él se precipita
hacia la mar, que es su centro,

Tan veloces como Vargas
corre, sin tomar resuello,
a Sevilla: los instantes   155
son para él siglos eternos.

Montes, llanuras, ciudades,
ríos, Estados diversos
atrás deja, y los caballos
de tardos acusa y lentos.   160

Ya salva las altas cumbres
del nevado Pirineo,
entra en España, ya escucha
la lengua de sus abuelos...

¿Qué importa? Ni un solo instante   165
retarda su raudo vuelo.
Halla a cada paso amigos,
halla intereses y deudos.

No se para, corre, corre,
que tiene en Sevilla puesto   170
su afán y hasta que descubra
la Giralda, no hay sosiego.

* * *

Apenas ha quince días
que en las márgenes del Reno
de su Jacinta la carta   175
leyó, juzgándolo sueño;

Y los caños de Carmona
ve a su siniestra creciendo,
y al frente la antigua puerta,
para él la puerta del cielo   180

Cualquiera mujer que mira
en mantilla y de paseo,
que es Jacinta que le espera,
juzga, y le palpita el pecho.

Al llegar se desengaña   185
y en otra que ve más lejos...
Jacinta fuera de casa
está, sí, sale a su encuentro.

Era en punto mediodía:
entra por fin, y molestos   190
los guardas el carruaje
detienen corto momento.

Los maldice y les da oro,
porque le detengan menos:
«Corre», al postillón le grita,   195
y torna a marchar de nuevo.

Por las retorcidas calles
echa pestes y reniegos
a cada lenta carreta,
a cada corro interpuesto,   200

Que a templar el paso obliga
de los caballos ligeros,
y anheloso a verse llega
de la ciudad en el centro.

* * *

Oye de fúnebres cantos   205
el triste son desde lejos,
se aproxima, y por la calle
que va a tomar, un entierro

Pasa. Con hachas de cera,
pobres, vestidos de negro,   210
van de dos en dos; los siguen
las cofradías; a lento

Paso un féretro se acerca,
de un blanco paño cubierto,
con una palma y corona   215
de blancas flores... ¡Agüero
    Terrible! que es de doncella
principal y de respeto
el funeral le parece...
Hierve taciturno el pueblo   220
    En derredor. Manda Vargas,
turbado con tal encuentro,
que tome por otra calle,
al postillón. Revolviendo
    Éste los caballos, torna   225
por un callejón estrecho,
y a la casa ansiada llega
después de corto rodeo.
    Mucha gente en los balcones
está, mostrando en sus gestos   230
sorpresa de que en tal día
llegue a la casa un viajero.

                * * *

    Párase la carretela;
la puerta está abierta, yermos
el ancho portal y el patio;   235
reina en la casa el silencio.
    De un salto Vargas se apea;
corre a la escalera presto;
de ella por un lado y otro
de cera advierte un reguero   240
    Reciente. Veloz la sube,
abre la mampara... ¡Cielos!
colgada está la antesala
enreedor con paños negros.

Enlutada una gran mesa   245
mira colocada en medio,
y en sus cuatro ángulos arden,
sobre cuatro candeleros
    De plata, cándidas velas
consumidas casi: el suelo   250
cubren deshojadas flores,
siemprevivas y romero.
    ¡Dios!... ¡pobre Vargas! Absorto,
sin voz, sin alma, y en hielo
convertido, ni respira.   255
Ojos cual los de un espectro
    Gira en derredor; se ahoga
sin respiración su pecho.
Volviendo en sí un corto instante,
oye llorar allá dentro;   260
    Cuando se abre lentamente
una puerta que al momento
se cierra, y un sacerdote
que por ella sale, lleno
    De lágrimas el semblante,   265
(de dar en vano consuelo
viene a una madre infelice)
queda inmoble a Vargas viendo.
    Vargas le mira, y no alienta;
mas tras de breve silencio   270
rompe al cabo, y le pregunta
con un angustiado esfuerzo,
    «¿Dónde está?»... Quedóse helada
su lengua. Fáltale aliento
al turbado sacerdote,   275
y con agitado aspecto
    Alza el rostro, y levantando
la diestra, señala al cielo.
Vargas le comprende; arroja
un alarido de infierno;   280

463

Huye veloz, la escalera
baja delirante, ciego,
nada ve, corre cual loco
por las calles, y muy presto
Desaparece. En Sevilla   285
la noticia cunde luego
de su llegada: le buscan
sus amigos y sus deudos.
Todo, todo en vano. Algunos
dan señas de que le vieron   290
junto a la Torre del Oro,
cuando el sol ya estaba puesto.

* * *

En un remanso, que forma
el Guadalquivir, no lejos
de Gelves, a las dos noches   295
unos pescadores vieron,
A la luz de escasa luna,
de un joven ahogado el cuerpo
vestido aún. Procuraron
compasivos recogerlo;   300
Pero al llegar con la barca,
y al agitar con los remos
el agua, veloz corriente
llevó el cadáver. Suspensos
Siguiéronle un corto rato   305
con los ojos, y muy presto
fue leve punto en las aguas,
y de vista lo perdieron.

El sombrero

ROMANCE I

LA TARDE

Entre Estepona y Marbella,
una torre fulminada,
hoy nido de aves marinas,
y en otro tiempo atalaya,
    Corona con sus escombros   5
una roca solitaria,
que se entapiza de espumas,
cuando las olas la bañan.
    A la derecha se extiende
una humilde y lisa playa   10
cuyas menudas arenas,
humedece la resaca;
    Y oculta entre dos ribazos
forma una escondida cala,
abrigo de pescadoras   15
o contrabandistas barcas.
    A este temeroso sitio,
mientras lento declinaba
a ponerse un sol de otoño
entre celajes de nácar;   20

Estando el viento adormido,
la mar blanquecina en calma,
y sin turbar el silencio
de las voladoras auras,
    Sino el grito de un milano   25
que los espacios cruzaba,
y los de dos gaviotas,
cuyo tálamo era el agua;
    La divina Rosalía,
la hermosa de la comarca,   30
fugitiva y anhelante
llegó, sudosa y turbada.

* * *

    Su gentil cabeza y hombros
cubre un pañolón de grana,
dejando ver negras trenzas,   35
que un peine de concha enlaza;
    Y de seda una toquilla,
azul, rosa, verde y blanca,
que las formas virginales
del seno dibuja y guarda.   40
    Su gallardo cuerpo adorna
de muselina enramada
un vestido; con la diestra
recoge la undosa falda,
    Y el pie primoroso y breve   45
que apenas su huella estampa
en la movediza arena,
más limpio desembaraza.
    Bajo el brazo izquierdo tiene
un envoltorio de nada,   50
cubierto con un pañuelo,
do el jalde y rojo resaltan.

¡Inocente Rosalía!
¿Qué busca allí?... ¡Temeraria!
¡Cuál su semblante divino,   55
lleno de vida y de gracia,
    Desencajado se muestra!...
¡Qué palidez!... ¡Qué miradas!...
está haciendo, bien se advierte,
un grande esfuerzo su alma.   60
    Sí, los ojos brilladores,
los ojos que tienen fama
en toda la Andalucía,
por su fuego y sus pestañas,
    En el peñón, que lejano   65
apenas se dibujaba
entre la neblina (seña
de mudarse el tiempo) clava.
    Dos lágrimas relucientes
sus mejillas deslustradas   70
queman, un hondo suspiro
del pecho oprimido arranca.
    Queda suspensa un momento:
luego de pronto la cara
vuelve a Estepona, temblando: 75
juzga que una voz la llama.
    Y la llama, es cierto... ¡Ay, triste!
mas ¿qué importa? Otra, más alta,
más fuerte, más poderosa,
desde Gibraltar la arrastra.   80

                    * * *

    En el peñasco asentóse,
de la hundida torre basa,
miró en torno, y de su seno
sacó y repasó esta carta:

                                               467

«Sí, mi bien; sin ti la vida   85
me es insoportable carga;
resuélvete, y no abandones
a quien ciego te idolatra.

»Contigo nada me asusta,
sin ti todo me acobarda.   90
Mi destino está en tus manos;
ten resolución y basta.

»Resolución, Rosalía,
cúmpleme, pues tus palabras;
no tendrás que arrepentirte, 95
te lo juro con el alma.

»En cuanto venga la noche,
volveré sin más tardanza
al sitio aquel que tú sabes,
en una segura lancha.   100

»Espérame, vida mía:
si no te encuentro, si faltas,
ten como cierta mi muerte.
Corro al momento a la plaza

»De Estepona, allí pregono 105
mi proscripto nombre, y paga
de mi amor será un cadalso
delante de tus ventanas.»—

Se estremeció Rosalía,
no leyó más, y borraban   110
sus lágrimas abundantes
las letras de aquella carta.

Llévala a los labios fríos,
la estrecha al seno con ansia
mira al cielo, *«Estoy resuelta»*, 115
dice, y se consterna y calla.

* * *

Torna al peñón (que parece
una colosal fantasma
con un turbante de nubes,
de nieblas con una faja)   120
    La vista otra vez. La extiende
por la mar, que muerta y llana,
fundido oro se diría
del sol poniente en la fragua.
    Juzga ver un negro punto   125
que se mueve a gran distancia:
ya se muestra, ya se esconde.
¿Será?... ¡Oh, Dios!... ¿Será?... La escasa
    Luz del crepúsculo, todo
lo confunde, borra y tapa.   130
Con los ojos Rosalía
los resplandores, que aún marcan
    La línea del horizonte,
sigue. Una nube la espanta,
que por el sur aparece,   135
oscura y encapotada;
    Y aún más el ver acercarse
por allí dos velas blancas,
cuyas puntas ilumina
del sol ya puesto la llama.   140

ROMANCE II

LA NOCHE

Entró la noche; con ella
despertándose fue el viento,
y el mar empezó a moverse
con un mugidor estruendo.

Las nubes entapizando 145
el oscuro y alto cielo,
la débil luz ocultaban
de estrellas y de luceros.

No había luna; densas sombras
en corto rato envolvieron 150
tierra y mar. De Rosalía
ya desfallece el esfuerzo.

Arrepentida, asombrada,
intenta... No, no hay remedio.
Cierra los ojos, e inclina 155
la cabeza sobre el pecho.

La humedad la hiela toda
corto abrigo es el pañuelo;
tiembla de terror su alma
tiembla de frío su cuerpo 160

Si cualquier rumor la asusta,
más sus mismos pensamientos;
pues ni uno solo le ocurre
de esperanza o de consuelo.

Las velas que ha divisado 165
cuando el sol ya estaba puesto,
la atormentan, la confunden.
Las ha conocido ¡cielos!

Son, sí, las del guardacosta,
jabeque armado y velero, 170
terror de los emigrados,
de contrabandistas miedo.

* * *

---

170 *jabeque:* «Embarcación costanera de tres palos, con velas latinas que también suele navegar a remo», *Dicc. Acad.*

¡Infelice Rosalía!...
A las ánimas de lejos
tocar las campanas oye   175
de la torre de su pueblo.
    ¡Oh cuánto la sobresaltan
aquellos amigos ecos!
Parécele que son voces
que la nombran. Gran silencio   180
    Reinó después largo espacio.
Las olas, que van creciendo,
llegan a besar la peña,
de Rosalía los tiernos
    Pies mojan... y no lo advierte: 185
clavada está. Los destellos
de la espuma que se rompe
secas algas revolviendo,
    La deslumbran. De continuo
la reventazón inciertos,   190
fugitivos grupos blancos
le ofrecen del mar en medio,
    Cual pálidas llamaradas.
Ella piensa que los remos
y la proa de un esquife   195
las causan... ¡Vanos deseos!

                    * * *

    Así pasó largas horas,
cuando un lampo ve de fuego
en alta mar, y enseguida
oye al cabo de un momento   200

---

198 *lampo:* «Resplandor o brillo pronto y fugaz, como el del relámpago, *Dicc.*
.*Acad.*

¡Poumb!... y retumbar en torno
como un pavoroso trueno;
que se repite y se pierde
de aquella costa en los huecos.

Ve pronto hacia el lado mismo 205
otros dos o tres pequeños
fogonazos mas no llega
el sordo estampido de ellos.

Otra roja llamarada...
¡Poumb! otra vez... ¡Dios! ¿qué es esto? 210
Repitiéndose perdióse
este son como el primero.

No hubo más; creció furioso
el temporal, y más recio
sopló el sudoeste; las olas 215
de Rosalía el asiento

Embisten, de agua salobre
la bañan; estar más tiempo
no puede allí, busca abrigo
de la torre entre los restos. 220

La lluvia cae a torrentes,
parece que tiembla el suelo;
dijérase ser llegada
ya la fin del universo.

ROMANCE III

LA MAÑANA

Raya en el remoto oriente 225
una luz parda y siniestra;
a mostrarse en vagas formas
ya los objetos empiezan.

Espectáculo espantoso
ofrece naturaleza   230
las olas como montañas,
movibles y verdinegras
    Se combaten, crecen, corren
para tragarse la tierra,
ya los abismos descubre,   235
ya en las nubes se revientan.
    Rómpense en las altas rocas
alzando salobre niebla,
y la playa arriba suben,
y luego a su centro ruedan   240
    Con un asordante estruendo:
silba el huracán, espesa
lluvia el horizonte borra,
y lo confunde y lo mezcla.

                    * * *

    La infelice Rosalía,   245
toda empapada, cubierta
con el pañolón mojado,
que o bien la ciñe y aprieta,
    O agitado por el viento,
le azota el rostro, y flamea,   250
volando ya desparcidas
fuera de él las negras trenzas.
    Falta de aliento de vida,
el alma rota y deshecha,
asida de los sillares   255
se aguanta inmóvil y yerta.
    Aparición de otro mundo,
Sílfida, a quien maga artera
cortó las ligeras alas,
la juzgarán, si la vieran.   260

_____
241 _un, 1834._

                                                      473

Tiende espantados los ojos
por el caos: nada encuentra
que socorro o que consuelo
en tal apuro la ofrezca.

Descubre que una gran ola;   265
que tronadora se acerca
entre las blancas espumas
envuelve una cosa negra:

De ella no aparta los ojos,
ve que en la playa se estrella,   270
que al huir deja un sombrero
rodando sobre la arena,

Y una tabla. Rosalía
salta de las ruinas fuera
corre allá mientras las olas   275
la retiran. No la aterra

Otra mayor, que se avanza
más hinchada, más soberbia.
Ve en el madero lavado
los restos de sangre fresca   280

Coge el sombrero... ¡infelice!
Lo reconoce... las fuerzas
le faltan, cae, y al momento
precipítase sobre ella

Una salobre montaña   285
que la playa arriba entra,
y rápida retrocede,
no dejando nada en ella.

                    * * *

Cual si dar, tan solo objeto
de la borrasca tremenda,   290
lecho nupcial en los mares,
a dos infelices fuera;

A templar su furia ronca
los huracanes empiezan,
bajan las olas, la lluvia   295
se disminuye, y aún cesa.

Rómpese el cielo de plomo,
y por pedazos se muestra
el azul, que ardientes rayos
de claro sol atraviesan.   300

Ya se aclara el horizonte,
por el lado de la tierra
fórmanlo azules colinas,
que aún en parte ocultan nieblas.

Una línea verde, oscura,   305
movible, la forma y cierra
del lado del mar, y asoma
la claridad detrás de ella.

Aunque silba duro el viento,
aunque es la resaca recia,   310
orna al mundo la esperanza
de prolongar su existencia.

* * *

En esto una triste madre
y un tierno hermanillo llegan,
buscando a su Rosalía,   315
a aquella playa funesta.

Llenos de lodo, empapados,
muertos de cansacio y pena,
tienden enreedor los ojos,
y nada ¡oh martirio!; encuentran.   320

Al retroceder las aguas,
unas femeniles huellas
de pie breve reconocen,
estampadas en la arena.

«¡Rosalía! ¡Rosalía!»   325
Gritan, y no oyen respuesta.
Van a la arruinada torre,
y hállanse sobre una piedra
   Un envoltorio deshecho
entre fango, espuma y tierra,   330
y un pañuelo rojo y jalde,
que le sirve de cubierta.